世纪中国论坛典藏文库

中国的奇迹

发展战略与经济改革（增订版）

林毅夫 蔡昉 李周 著

格致出版社 上海人民出版社

出版说明

出版作为人类思想和智慧的凝结，集聚了发明创造和社会实践的经验与成果，推动了人类文明进步。飞速发展的数字和互联网技术并未削弱出版业的这一功能，反而前所未有地促进了其创新发展。

长期以来，上海世纪出版集团始终以弘扬主旋律、引领学术思潮、关注时代命题为己任，并围绕中国发展的重大事件、重大战略决策和重大理论问题举办“世纪中国论坛”。结合 2016 年“世纪中国论坛”，上海世纪出版集团融合移动端、语音端等新技术，以纸电一体同步发布的方式隆重推出《世纪中国论坛典藏文库》，实现了出版方式与互联网、新技术、新模式的融合发展，表达了出版人在奉献好书的同时，努力践行社会责任、文化理想的使命追求。

《世纪中国论坛典藏文库》聚焦中国经济的长期增长主题，荟萃了诺贝尔经济学奖得主、熊彼特奖得主和中国经济学杰出贡献奖得主等中外著名经济学家的扛鼎之作，著译并重，经典闪耀。

著名经济史学家安格斯·麦迪森早在 1998 年出版的《中国经济的长期表现》英文版中就预言，中国可能在 2015 年成长为世界最大的经济体，从而恢复它在 1890 年之前所享有的世界经济地位。2014 年，在《中国的奇迹：发展战略与经济改革》出版 20 周年之际，经济学家林毅夫在为图书新版撰写的长篇序言中特别指出："出乎主流经济学界预料之外的是，中国经济在此书出版后 20 年却基本沿着我们在书中所预测的增长轨迹前进。"

然而，中国经济自 2012 年增速明显减慢，国内生产总值（GDP）增长率一直处于下行趋势。经济学家们所预言的奇迹或增长赖以产生的基础是否改变？对于未来，我们是否还有足够的信心？

首届中国经济学杰出贡献奖得主吴敬琏在专著《中国增长模式抉择》第一版（2005 年）中，就指出了转型、结构调整不能取得成效的很多具体原因，归结到一点，就是存在体制性障碍，核心内容就是政府仍然在资源配置中起决定性的作用，抑制或排除了市场的作用。他在第四版的序言中写道："中国在 21 世纪面对着两个必须解决的问题，一个是体制改革，一个是发展转型。"

无独有偶，中国经济改革研究的先驱巴里·诺顿在《中国经济：转型与增长》一书中，全面描述和评价了 1949 年以来的中国经济，并把中国的制度转型放在经济增长的大框架里论述，既突出了转型对中国经济增长的必要性，也突出了转型对中国经济增长的促进作用。

显然，制度转型不可能一蹴而就。诺奖得主道格拉斯·诺思和斯坦福大学教授青木昌彦在各自的经典作品《制度、制度变迁与经济绩效》与《比较制度分析》中，分别从东西方的不同视角阐释了制度的内涵，揭示了制度在经济发展和绩效中的作用。

公共选择理论的奠基者曼瑟·奥尔森的遗著《权力与繁荣》则提出了“强化市场型政府”这一分析经济增长的前沿性概念，为金融危机后的亚洲以及其他发展中国家的治理演变和经济政策提供了有用的分析框架。

对于那场起始于亚洲的金融危机，沈联涛用《十年轮回：从亚洲到全球的金融危机》一书进行了详细的解剖，并警示我们2017年可能发生的另一场全球金融危机。对于可能引发危机的高杠杆问题，瑞典的邓达德等在《新国富论：撬动隐秘的国家公共财富》一书中给出了全新的解决方案，并因此被《经济学人》和《金融时报》推荐为2015年度图书。

根据“十三五”规划的蓝图，中国经济将保持中高速增长，到2020年国内生产总值和城乡居民人均收入比2010年翻一番。2015年11月，习近平总书记提出要着力加强供给侧结构性改革，这是实现收入翻番的必由之路，其目标就是通过消除生产要素供给能力和配置效率以及全要素生产率提高的体制性障碍，消除经济运行中不平衡、不协调、不可持续的因素，一方面挖掘传统增长动能的潜力，另一方面开启新的可持续增长动能，最终实现经济增长方式的转变。正如习近平总书记指出的：“中国共产党人和中国人民完全有信心为人类对更好社会制度的探索提供中国方案。”我们将以出版更多的精品力作传播道路自信、理论自信、制度自信和文化自信，为实现中华民族伟大复兴的中国梦作出贡献。

《世纪中国论坛典藏文库》编委会

2016年7月

《中国的奇迹:发展战略与经济改革》出版20周年序

一、引言

在第二次世界大战后,东亚是世界上最为贫穷的地区,人多、自然资源少,曾被认为是世界上最不具发展希望的地区。①然而日本在战后迅速恢复,到了上世纪60年代成为第一个非白种人的高收入经济体。接着亚洲"四小龙"——中国台湾、中国香港、韩国、新加坡——到了上世纪70年代也成为充满活力的新兴工业化经济体。在这些事实面前,世界银行作为世界上最为重要的多边发展机构,自上世纪90年代初起每隔4年对东亚经济进行一次主题研究,概括其独特的发展经验与教训,揭示既定时期的问题与挑战。这个系列研究中的第一个报告发表于1993年,题为"东亚奇迹:经济增长与公共政策",首次系统研究了东亚8个经济发展表现卓尔不群的经济体的成功原因。这8个经济体除日本和亚洲"四小龙"外还包括印度尼西亚、马来西亚和泰国。虽然从1978年底开始改革开放到1993年,中国已经实现了15年年均9.7%的高速增长,在一个底子薄、人口超10亿又处于转型期的国家取得这样的成绩在人类经济史上前所未有，但是《东亚奇迹：经济增长与公共政策》有意无意地忽略了中国经济增长的故事。于是，作为中国的经济学者，蔡昉、李周和我三人义不容辞地在先前合作的基础上，以“中国的奇迹”为题撰文著书，分析、探索了中国转型期经济高速增长背后的道理，预测了这个增长速度是否有可能持续，探讨了如何深化改革才可以将之继续保持下去。《中国的奇迹》于 1994 年出版，1999 年我们又做了些增补出版了增订版。

按当时的汇率计算，1993 年中国的国内生产总值(GDP)为 4 410 亿美元，仅为当年美国 GDP 65 800 亿美元的 6.7%，按 2005 年不变价的购买力平价(PPP)计算，1993 年中国 GDP 为 17 800 亿美元，也仅为当年美国 GDP 84 500 亿美元的 21%。在初版中我们预测按 PPP 计算，中国的经济规模会在 2015 年赶上美国，按当时的市场汇率计算，中国则会在 2030 年赶上美国。前项预测现在几乎已经是铁的事实，后项预测也已经是学界的共识，但在当时这些预测几乎是天方夜谭。1990 年，中国 GDP 总量在世界上排在第 10 位；1995 年，中国超过加拿大、西班牙和巴西，排在第 7 位；2000 年，中国超过意大利，晋升到第 6 位。在本世纪前 10 年中，中国又依次超过法国、英国和德国；2010 年超过日本，成为世界第二大经济体，仅仅位于美国之后。国际货币基金组织(IMF)预测，中国按照购买力平价(PPP)计算的 GDP 总量，将从 2011 年的 11.3 万亿美元增长为 2016 年的 19 万亿美元，占世界经济总量的 18%。② 而在此期间，美国则从 15.2 万亿美元的经济总规模增加到 18.8 万亿美元，在世界经济总量中的比重下降到 17.7%。根据世界银行最新公布的统计结果，按预估的中国和美国在今年的经济增长速度，中国的经济规模按 PPP 计算将可在今年年底超过美国，从而中国成为世界第一大经济体。③

也许有人会说，中国是全世界人口最多的国家，占世界总人口的比重接近 1/5，在人均收入仍然较低的条件下经济总量排在第一位，并不是值得洋洋自得的事情。其实，经济总量的快速增长必然带来人均收入的快速增长。根据世界银行《世界发展指标 2010》的分类标准，1994 年，中国人均国民总收入(GNI)为 460 美元，仍处于低收入经济体的行列；2002 年，中国人均 GNI 为 1 100 美元，进入下中等收入经济体(下限为人均 GNI 1 006 美元)的行列；2010 年，中国人均 GNI 为 4 240 美元，进入上中等收入经济体(下限为 3 976 美元)的行列；2012 年，中国人均 GNI 为 5 720 美元，如果 2020 年中国人均GNI能在经济增长和人民币升值两个因素的共同作用下比2010年翻一番，超过12 616美元，④那么中国就有可能跨入高收入经济体的行列，并成为第二次世界大战后继韩国、中国台湾之后第三个从低收入上升到高收入的经济体。一些经济学家对中国未来人均GDP的预测同样是相当乐观的。例如，已故诺贝尔经济学奖得主罗伯特·福格尔预测，按照购买力平价计算，2040年中国GDP总量将高达123.7万亿美元，占世界经济总量的40%，若人口按14.6亿计算，中国人均GDP将高达8.5万美元，是世界平均水平的2.4倍和美国人均GDP的80%。⑤

但是，在此书出版的当年以及以后很长一段时间，我们的分析和预测遭到学界和舆论界的很多质疑，认为我们过于乐观。不仅许多人认为说"中国的奇迹"为时过早，而且，多数学者看到中国经济在转型过程中存在许多体制的扭曲，中国的转型并未按当时占主流的新自由主义经济学所主张的最优转型路径，也就是"华盛顿共识"所倡导的休克疗法，一次性地消除各种扭曲，而是采取了从主流经济理论来看最糟的渐进、双轨的方式来进行转型。因此，主流经济学界认为中国即使能一时取得经济的快速增长，也必然要为这种体制的扭曲付出代价，中国经济的崩溃必然不可避免。⑥所以，只要中国经济增长稍微一放缓，"中国崩溃论"就此起彼伏。不过，出乎主流经济学界预料之外的是，中国经济在此书出版后20年却基本沿着我们在书中所预测的增长轨迹前进。

我们的预测之所以准确是因为这是根据经济的竞争力和增长的本质以及发展中国家在产业升级和技术创新中的后发优势所作的分析而得出的。一个经济体所生产的产品和所提供的服务在国内外市场要有竞争力，其生产要素成本必须在国际上处于最低水平，这种竞争优势的前提是所在的产业和所用于生产的技术必须符合该经济体的要素禀赋所决定的比较优势。一个经济体的持续发展、人均收入水平的不断提高，则有赖于劳动生产率水平的不断提升，而后者取决于技术的不断创新和产业的不断升级。发达国家的技术和产业水平处于世界的前沿，其创新和升级都有赖于自己的发明，成本高、风险大。发展中国家的技术和产业水平都处于发达国家技术、产业前沿的内部，在技术创新和产业升级上有后发优势，可以用引进、模仿、消化、吸收作为技术创新、产业升级的来源，其成本和风险远低于发达国家。一个发展中国家如果在经济发展过程中按照比较优势来选择产业、技术，则这个发展中国家的经济会最有竞争力,能创造最大的剩余和最快速的资本积累,随着要素禀赋结构的提升,产业、技术需要随之升级。如果这个国家的政府在这个过程中发挥积极有为的作用,不断地为利用技术创新和产业升级的后发优势创造条件,则经济的增长速度可以数倍于发达国家。日本和亚洲"四小龙"都较好地按照比较优势来选择发展产业和技术,并利用后发优势取得了持续几十年的快速经济增长,迅速缩小了与发达国家的差距。中国从改革开放以后也开始按照比较优势选择发展产业和技术,并利用后发优势来进行产业升级和技术创新。我们认为只要在转型过程中继续维持社会稳定,并按本书的分析中所倡导的不断改革、完善市场经济体制,为企业在竞争的市场中按照比较优势选择产业和技术创造条件,并发挥政府积极有为的作用帮助企业克服在技术创新、产业升级的过程中必然存在的外部性和协调问题以利用后发优势,中国就有可能按照前述的预测来前进,从而保持几十年的快速增长,创造出人类经济史上从未出现过的由强至衰、再由衰至强的奇迹。我们很高兴看到中国过去30年的改革基本按照这本书所分析的路径进行,增长的绩效也如这本书的预期。

鉴于这本书讨论的是如何通过政府发展战略转型和市场经济体制改革,使中国经济取得了人类经济史上前所未有的持续高速增长,我们把书名正式定为《中国的奇迹:发展战略与经济改革》。中国现在已经是中等偏上收入的国家,但从计划经济体制到市场经济体制的转型尚未完成,中国能否继续保持快速发展的态势,落实中共十八大提出的两个"百年"的目标,实现中国几代志士仁人孜孜以求的"强国梦",既是中国执政者和全体人民想弄清楚的问题,也是国外人士的好奇心所在。

现在重版这本书⑦又恰逢其出版20周年,我们以此长序回顾这本书20年前的出书背景、出书当时和其后的各种争论、中国改革发展的历程,希望对冀图了解中国经济增长和转型的本质,以及中国转型的成绩、存在的问题及其解决方案的各界人士能有所帮助,并以此书为例,推动中国的理论创新,贡献于中国的社会学科尤其是经济学科的发展。

二、写作背景

我们三人对于这本书所关心的内容的研究,始于1988年下半年。当时中国出现了1949年以来最严重的通货膨胀，居民消费价格指数和商品零售价格指数分别高达18.8%和18.5%。面对高通货膨胀，主流的宏观经济学理论开出的药方是提高利率水平以抑制投资和消费需求，但是中央提出了“治理整顿”的方针，以行政手段直接砍投资、砍项目来抑制需求。这种措施造成了许多半拉子工程，从主流的经济理论来看甚不理性，但是在1978—1988年的10年间中国经济却能在转型过程中取得年均10.1%的高速增长，如果中国政府真是不理性的，显然不可能取得这样的增长绩效，可见中国政府的领导人作为理性的决策者面对高通胀作出那样的选择必然有其道理，主流经济理论给出的政策建议并不完全适用于像中国这样的转型中国家。究其原因，主流经济理论是建立在完善的市场这一前提下的，而转型中的国家并不存在完善的市场，因而在转型经济中微观决策者的行为约束和选择不同于一般市场经济中的微观决策者。我们在参与这场讨论的过程中还注意到，周期性的“活乱”循环现象是中国经济的痼疾顽症，而宏观政策环境改革滞后于微观经营机制和资源配置制度方面的改革，则使这种“活乱”循环现象更加强烈地表现出来。所以，不抛弃完善市场的前提，并从传统经济体制的内在逻辑以及导致经济陷入困境的根源上进行探讨，就难以理解中国经济的运行机制，对症下药地提出有效的对策。循着这个思路，我们的研究深入探索了中国计划经济体制中各种制度安排形成的内因，并逐步拓展到中国经济改革的各个主要领域。

建立新中国的目的是为了把中国建设成强大的现代化国家，因而改革前的30年，中国一直冀图在一穷二白的农业经济基础上，发展出世界上发达经济体所拥有的产业和技术体系，在最短的时间内实现赶超世界上最发达经济体的目标。但是，这些现代化的大产业资本很密集，违反了当时中国资本极端短缺、劳动力非常丰富的基本国情所形成的比较优势。这些产业中的企业在开放竞争的市场中缺乏自生能力，为了保护、补贴缺乏自生能力的企业，把这些现代化大产业建立起来，中国采取了在宏观上扭曲各种要素和产品的价格，在中观上以行政手段直接配置资源，在微观上不给国有工业和集体农业中的经营主体人财物产供销自主权的计划经济体制。因而中国虽然同大多数努力赶超发达经济体的发展中国家一样，建立了一整套先进的产业，甚至能够在上世纪60年代就试爆原子弹，70年代就让卫星上天，但经济发展绩效不佳，人均收入水平长期难以提高，和发达经济体的差距不断扩大。

为了扭转上述局面，中国于1978年底开始实行改革开放政策。具体的做法是：从着眼于提高农民、工人积极性的微观经营机制着手，在农村以家庭联产承包经营取代农业集体经营，在工业上实行放权让利，将被旧体制压抑的数亿农民和工人的生产积极性释放出来；并实行价格和资源配置的双轨制，除继续给予大型国有工业企业必要的保护和补贴外，允许乡镇企业、私营企业和合资企业进入符合中国比较优势的劳动密集型产业，将中国要素禀赋结构的比较优势充分发挥出来；同时通过经济快速增长和资本积累，为发展资本密集型产业创造条件，逐步实现产业结构升级。

改革前后经济绩效的鲜明对比，加深了我们对经济增长的本质和决定因素的认识，而世界性的改革浪潮和成效之间的鲜明对比则对提炼中国经济转型经验的普遍意义提供了条件。正是这两方面的条件，使我们有幸在本书中自成体系地提出了一套经济发展和转型的理论框架，并以此较好地分析和预测了中国的发展和转型过程中取得的成绩、出现的问题和进一步解决的方案。

1992年我们开始构思、写作这本书时，中国正在邓小平同志南方谈话的推动下开始新一轮改革，在实现了改革开放后连续13年年均9.0%的增长以后，中国经济同时也面临"活乱"循环、腐败、地区差距扩大、国企改革举步艰难、体制复归等一系列问题。当时，国外经济学界乃至国内一些经济学家认为，从计划经济体制向市场经济体制转型应该采用"华盛顿共识"所倡导的休克疗法，一步从计划经济体制跨越到市场经济体制。当时，主流的观点认为，中国采取的双轨渐进的改革方式是最糟的转型路径，并且把当时中国经济中出现的诸种问题作为佐证。⑧对于中国改革开放以来的经济快速增长则认为不过是中国农业劳动力所占的比重高，把劳动力从农业向工业转移的结果，不会具有可持续性。⑨正是在针对这些疑问的探讨和辩驳中，我们越来越感受到中国改革中出现的诸多现象不能简单地套用现有的主流理论来分析，特别是对双轨渐进的改革方式不能简单地嗤之以鼻。

在和国内外经济学界前辈和同行们的争论中，我们的认识不断深化，一个以要素禀赋结构为分析的出发点，以政府的发展战略为分析的切入点，以企业自生能力为分析的微观基础的经济发展和转型的理论框架逐渐形成并丰满起来。我们高兴地发现这个理论框架可以“一以贯之”地解释中国传统经济体制形成的逻辑和绩效欠佳的原因，以及改革开放后经济的稳定和快速发展、改革中出现的“活乱”循环、收入分配差距的扩大、腐败现象的恶化的机理，并可以较好地勾画出进一步深化改革的方向和路径，以及中国经验对经济发展和转型的一般意义，整个理论体系具有内部逻辑的自洽，并能较好地解释过去发生的现象和预测未来发展的趋势。因此，我们抱着野人献曝的心情，不揣冒昧地开始了这本书的写作，总结历经数年的研究心得，以就教于经济学界的同行和关心中国经济改革的各界读者。

三、两种转型路径结果的比较

1. 渐进转型：成绩与存在的问题

中国的改革从微观农户和企业的放权让利以提高农户和企业的经营积极性开始，以沿着双轨渐进的方式展开：一方面给予在改革前形成的违反比较优势、缺乏自生能力的大型国有企业必要的转型期保护、补贴，使中国经济在转型期避免了崩溃；另一方面，为鼓励乡镇企业、民营企业、外资企业进入符合中国比较优势、在转型前受到抑制的劳动密集型产业，各级政府经由经济特区、高新技术开发区积极地招商引资，为三资经济克服转型期中国经济在软硬基础设施上的瓶颈限制，为中国经济利用后发优势来进行技术创新和产业升级创造了因势利导的条件，使得中国经济在转型期维持了稳定和快速发展，并为进一步改革创造了条件。这种务实的转型方式使得中国经济创造了连续35年年均增速9.8%的增长奇迹，6.8亿人脱贫，生活水平大幅提高，并且中国在2010年超过日本成为第二大经济体，超越德国成为第一大出口国，2013年超过美国成为世界最大贸易国，以PPP计算2014年可能超越美国成为第一大经济体，持续增长期间还对走出1997—1998年的东亚金融危机和世界经济从2008年的国际金融危机中复苏作出了巨大贡献。

最近30多年中国的国际贸易规模快速扩张，说明改革以来新成长起来的产业符合比较优势，在国内外市场中具有竞争优势。由此表明，即使在各种体制、机制不完善的环境下，发展中国家只要解放思想、实事求是，能够从自身有什么(也就是要素禀赋),能做好什么(也就是比较优势)的国情出发,靠渐进、双轨的方式创造局部的有利条件也能使其产业在全球化的激烈竞争中胜出。

中国经济改革的不断深化,不仅带来经济总量的快速扩张和基于人均GNI标准的经济发展阶段的跃迁,而且使得中国稳定地由计划经济体制向市场经济体制逐步逼近。中国学者按照欧美反倾销调查中的市场经济地位标准、测度体系以及中国的市场经济状况,确定了33项市场化测度指标。测度的结果表明,2002年中国市场化指数为72.8%,2003年为73.8%,远远超过60%的临界值,中国已经从总体上成为一个发展中的市场经济国家。[10]从长远看,虽然中国的市场经济发展在不同领域尚不平衡,极个别子因素的市场化程度变化不大,但中国市场化测度的各个子因素和类因素的评分走向是正向的,总体市场化程度趋于上升。

中国经济的市场化转型得到了越来越多经济体的认同。2003年的4月14日,新西兰成为第一个承认中国完全市场经济地位的国家。到2004年底,有37个国家承认中国完全市场经济地位,到2005年底和2006年底,承认中国完全市场经济地位的国家分别增加到52个和66个。目前,包括俄罗斯、巴西、新西兰、瑞士、澳大利亚在内的81个国家承认中国完全市场经济地位。按照世界贸易组织(WTO)规则,中国加入WTO 15年后的2016年,将自动获得完全市场经济地位。

双轨渐进式的改革固然带来了中国过去30多年的发展奇迹,但是,国民经济中也出现反对渐进改革者所诟病的收入分配恶化和腐败等影响社会稳定的现象。本书中我们已经指出这种现象的出现是由双轨制改革所遗留下来的一些扭曲所致。在双轨制的转型过程中,为了保护、补贴没有自生能力的大型国有企业,我们保留了一些价格信号的扭曲。比如,通过金融抑制人为压低资金价格,将金融资源主要分配给国有和少数非国有的大型企业。这相当于给大型国有企业和这些比较富裕的群体提供了补贴,而补贴这些大企业的是把钱存入金融体系。却得不到金融服务而且相对比较穷的中小企业、农户和一般家庭。对于能拿到资金的企业来说,因为资金价格相对便宜,所以投资的是资本相当密集的产业,这样的产业创造的就业机会相对少,从而会抑制劳动需求和工资,进一步恶化收入分配。此外,资源价格也偏低，谁能拿到资源开采权谁就能马上致富。这些扭曲都创造了制度租金，有了制度租金就有了寻租的行为，从而导致腐败。

在改革开放初期，中国是一个极端贫穷的国家，资本十分匮乏。当时以对市场的干预、扭曲给这些资本密集型大型企业保留一些保护、补贴是维持经济和社会稳定的必要，属于“雪中送炭”。经过35年高速发展，我们现在已经是中等偏上收入的国家，资本已经不再那么短缺，很多原来不符合比较优势的资本密集型重工业现在已经符合比较优势，在国内国际市场上具有竞争优势。在这种状况下，继续保留那些保护、补贴就从“雪中送炭”变为了“锦上添花”，导致的结果只能是收入分配恶化和腐败蔓延。

中共十八届三中全会与时俱进地强调市场在资源配置中起决定性作用，这意味着需要消除对市场所遗留的一些干预、扭曲，让资源由市场进行配置，这样一方面能够让经济更好地按比较优势发展，另一方面可以解决改革开放以来遗留的社会、经济问题。在这个过程中，政府还应该发挥好的作用，保护产权，维持宏观稳定，克服市场失灵，因势利导地推动技术、产业、制度等的变迁。

如果能这样做，中国经济就还可以持续、稳定、健康而且比较快速地发展，到2020年前后实现城乡居民人均收入在2010年的水平上翻一番，加上人民币升值，中国就很可能会跨过高收入国家的门槛，成为第二次世界大战以后第三个从低收入变成中等收入再进入到高收入的经济体，为实现中华民族伟大复兴的中国梦迈出坚强的历史性一步。

2. 激进转型：崩溃、停滞和危机不断

如下图所示，相对于采取双轨渐进式改革的中国、越南、柬埔寨、老挝经济的稳定和快速发展，采用激进式改革策略的东欧和前苏联国家，在转型以后普遍出现了经济崩溃，东欧国家在10年后人均国内生产总值才达到转型前的水平，前苏联国家则在15年后才恢复过来。由欧洲复兴开发银行和世界银行在2006年联合做的一项调查发现，包括蒙古在内的东欧和前苏联29国中有70%的人认为转型后的生活比转型前差。⑪根据欧洲复兴开发银行的转型指标，许多东欧和前苏联转型国家“陷于转型之中”(stuck in transition)：价格放开、小规模的私有化、贸易和外汇市场的自由化在20世纪90年代末基本已经完成，但是治理结构、企业重组和竞争政策方面的改革则落后于发达国家的标准。⑫在同一时期，大多数的发展中国家按照国际货币基金组织和世界银行的建议推行了新自由主义的“华盛顿共识”改革，但是，经济增长率在20世纪80年代和90年代比改革前的60年代和70年代低，经济危机出现的频率也更高，以致有的经济学家认为，在“华盛顿共识”指导下的20世纪80年代和90年代是发展中国家“迷失的二十年”。⑬

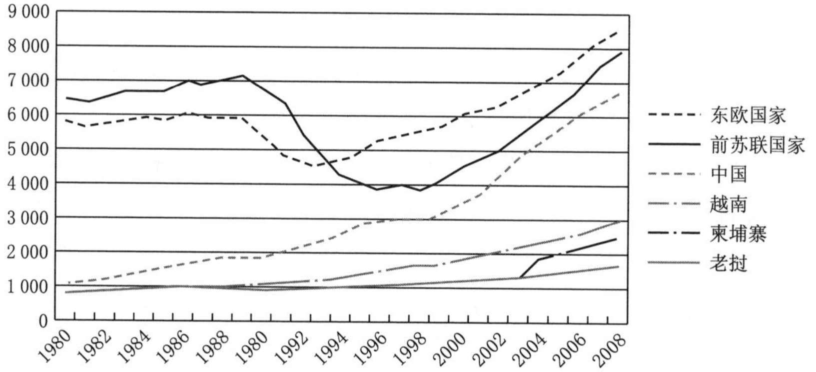

人均国内生产总值(1990年国际元)

资料来源：Angus Maddison, 2010, *Historical Statistics of the World Economy: 1—2008 AD*。

3. 采取两种不同转型路径及其绩效差异的原因

在我们开始探索中国转型问题时，主流经济学界以“不能分两步跨过一个沟坎”的形象比喻，作为其倡导转型国家采取激进的休克疗法一步转型到位的理由。其实，现实世界中的沟坎并非都能一步跨过。面对一个过宽、过深的沟坎，采用一步跨过的策略必然掉入沟底；更为安全的做法是采用逐渐填平沟坎、逐步走过沟坎的策略。深入了解传统计划经济体制形成的原因以后，我们认识到转型经济中的各种扭曲遍及宏观、中观和微观各个层面，并且充满内生性，忽视这种内生性的改革措施经常会导致事与愿违的结果，采用逐渐为消除这些内因创造条件的渐进式的改革策略看似较慢，其实可以维持稳定并积小胜为大胜。

中国文化历来有“尽信书、不如无书”的传统，在政策上求实求稳。从儒家的“中庸之道”到毛泽东的“实事求是”、邓小平的“解放思想”、江泽民的“与时俱进”、胡锦涛的“求真务实”和习近平的“空谈误国”，文化底蕴是一脉相承的。其中,“中庸之道”针对的是按照理想条件不顾现实情况施政的激进思潮,倡导的是稳中求进的政策方针;“解放思想”、“实事求是”、“与时俱进”、“求真务实”和“空谈误国”针对的是教条主义和经验主义,倡导的是不受现成外来理论和已有经验的束缚,根据自己的发展实践不断形成新的认识和行动纲领的文化。这是中国选择渐进式改革策略的一个重要原因。

中国改革的第一代领导人曾经是计划经济体制的推动者,他们既想尽快消除计划经济体制中的诸多弊端,又不愿完全否定计划经济体制,这是中国选择渐进式改革策略,着力纠正计划经济体制的偏误而不是迅即放弃计划经济体制的又一个重要原因。

推行激进式改革的转型国家,大多是由新上台的政治家主导改革。他们策动激进式改革和彻底否定原有体制,除了试图扭转国民经济停滞不前的局面外,还有迅即获得已经在思想上认为欧美体制具有优越性的国民的普遍认可的考虑。美国和西欧资本主义国家经济的强势,使得欧美的经济和政治体制对于发展中国家尤其是东欧和前苏联国家的知识分子和一般民众具有极大的吸引力。主流经济理论认为渐进式改革是比保持原来的计划经济体制还糟的改革路径,而转型国家的政治家和知识分子又总想毕其功于一役,希望在最短的时间里同最先进的国家并驾齐驱。在这种急于求成的思想的指导下,按照主流经济理论的主张,甚至请发达国家的专家来做改革的顶层设计也就不足为奇。

发达国家的政府总体上干预较少,市场运作比较有效率。并且,主张政府干预的凯恩斯主义未能解决发达国家在20世纪70年代的滞胀和失业问题,于是以强调政府失灵、减少的政府干预的新自由主义到了80年代成为发达国家的主流思潮。[14]鉴于转型前发展中国家政府的过多干预,导致了要素和产品价格扭曲、资源配置效率低下和整体发展绩效很差等一系列问题,于是,以减少政府干预、建立完善的市场经济体系为内涵的新自由主义成为转型理论的依据,并在发展中、转型中国家广为流传。根据新自由主义形成的转型政策的主要内容有四:一是私有化,通过明晰产权把资源配置的权利和责任界定清楚;二是市场化,让价格根据市场供需状况而定,政府不干预价格形成;三是平衡预算,避免财政赤字和多发货币造成通货膨胀;四是自由化,让市场按照比较优势组织生产和进行国际贸易。这些做法都合乎主流经济学的基本原理，且一环扣一环，论述逻辑是严谨的。经济学界常说，同一个经济问题问5个经济学家会有6个不同的答案。对于社会主义国家的转型，曾任美国哈佛大学校长、美国财长和世界银行首席经济学家的萨默斯的评论是，经济学界对社会主义国家如何实现转型有一个出乎意料的共识，就是取消政府的所有干预，建立一个完善的市场经济体系，唯有如此，发展中国家才可能改善经济发展的绩效。[15]主流经济理论的这一揽子改革措施原先是在华盛顿的国际发展机构为帮助拉美国家应对危机而形成的，所以，这些改革主张也被称为“华盛顿共识”。[16]

为何同样是实行改革开放，同样是减少政府对经济的干预，推行从主流经济理论来看最糟的双轨渐进式改革的中国和越南、柬埔寨、老挝等国以及20世纪70年代初就开始改革的非洲小岛国毛里求斯取得的是经济的稳定和快速增长，而推行从主流经济理论来看最优的休克疗法的东欧和前苏联国家的改革结果却是经济的崩溃和危机不断？关键在于思路决定出路。改革开放之初，整个主流经济学界看到的是计划经济国家有太多的政府干预和扭曲，与发达国家相比市场制度不够完善，同时从主流的经济理论模型中不难推导出只要对市场有干预，不仅资源会错配，而且会产生由行政干预所导致的制度租金和寻租行为，行贿、受贿、贪污等问题不可避免。根据这种理论模型的推论，自然是如果要建立完善的市场经济体系，就必须价格全部放开由市场决定，资源完全由市场配置，产权私有。

但是，根据本书中的逻辑，我们认识到计划经济时代优先发展的重工业中那些大型企业所在的产业违反比较优势，在开放、竞争的市场中没有自生能力，需要国家的保护、补贴才能生存。如果按“华盛顿共识”把所有补贴都取消掉，这些企业就会经营不下去而破产。由于一来转型中国家还认为这些企业所在的产业是先进产业，是实现国家现代化和维护国防安全的需要，不愿意让这些企业破产，二来让其普遍破产也会造成大量失业和社会不稳定，政治上不可行，因此，在施行了休克疗法的私有化以后，许多政府还会从后门又引进其他更为隐蔽的保护、补贴。到底是国有时的补贴多，还是私有时的补贴多？我们在完成本书之后合作的《充分信息与国有企业改革》[17]中认为：在国有时，大企业的厂长、经理是国家的公务员，企业会拿没有保护、补贴不能生存向国家要保护、补贴，拿到保护、补贴后也可以多吃多用，但不能把拿到的保护、补贴直接放在自己的口袋里，那是犯法，顶多只能偷偷地干，抓到会被判刑；私有化后，企业拿到的保护、补贴越多，厂长、经理放在自己的口袋里就越多，这是天经地义，因此，寻租的积极性会更高，保护、补贴的数量也就会更多。上述观点在上世纪90年代时只是理论上的推论。现在有大量的实证研究证明，前苏联和东欧等前社会主义国家在把大型国有企业私有化后，实际上提供的保护、补贴比原来还多，所以，腐败、收入分配的恶化和发展绩效的不佳也就不可避免。⑱

与东欧和前苏联国家的休克疗法不同的是，中国推行的是双轨、渐进式的改革：一方面承认原来的国有大型企业没有了保护、补贴就不能生存，继续给予必要的转型期保护、补贴；另一方面，放开原来受到抑制的劳动力比较密集的、符合中国比较优势的产业的市场准入和发展。这种务实的转型方式由于对市场干预的保留确实如主流经济学家所批评的那样会导致腐败现象的滋生，但依靠对原有缺乏自生能力的企业的保护、补贴，维持了经济稳定，同时，放开符合比较优势、能够形成竞争优势的产业的准入，使经济快速发展，资本快速积累，原来不符合比较优势的资本密集型产业也逐渐符合比较优势，为最终去除保护、补贴及其遗留的扭曲的改革创造了条件。现在看来，世界上转型比较成功的国家，中国、越南、柬埔寨、老挝和毛里求斯，推行的都是这种被主流经济学界认为是最糟的转型方式，特别值得一提的是毛里求斯，其2012年人均国民总收入按现价计算达到8 770美元，在所有非洲国家中，属经济发展水平最高的国家。

从这本书出版以后20年的经验事实来看，渐进、双轨的改革确实存在不少问题，但是在那些试图以休克疗法一次性地从计划经济跳跃到市场经济的国家，不仅经济崩溃、停滞、危机不断，而且，发生在双轨、渐进式转型国家广受诟病的腐败和收入分配差距扩大等问题也存在并有过之而无不及。在这些事实面前两种转型路径孰优孰劣应该是很清楚的。

四、为何我们的预测正确

20年前出版的《中国的奇迹：发展战略与经济改革》这本书对中国这20年来经济增长的预测和中国经济实际的表现高度一致，所提出的这20年来中国经济从计划经济体制向市场经济体制的转型中所出现的问题和根除问题的思路也和中国经济转型的实际进程基本吻合。理论的目的就在于认识真实世界所出现的现象，再经由这种认识对出现的问题提出改进的方案，并根据这种改进预测真实世界未来的发展。为何我们这本书中所形成的理论能够较好地把握中国转型中出现的问题，提出我们的改革建议并预测了未来的发展？最主要的原因在于面对中国转型期出现的各种现象和问题时，我们没有简单地对号入座，拿现成的理论作为分析的框架和判断的基础，而是深入了解中国出现的现象背后的内在生成机制，由此形成自己的分析和理论框架。在对中国未来发展的预测中，我们直接抓住现代经济增长的本质是技术不断创新、产业不断升级以及发展中国家具有后发优势，指出只要中国经济能够维持稳定，并在沿着比较优势的发展过程中充分利用后发优势，即使中国经济还存在许多体制、机制问题，经济仍然能维持高速增长。

我们三位作者对转型问题的研究从1988年开始。我们在研究当时出现的通货膨胀问题时认识到，存在于计划经济中的各种对市场的干预、扭曲，不像主流经济学所认为的那样是由政府的无知或错误的认识外生造成的，而是内生于保护、补贴政府要优先发展但因违反比较优势而缺乏自生能力的大型重工业企业的需要。我们在研究中发现，中国传统经济体制形成的逻辑起点是重工业优先发展战略。由于重工业资本密集的特征与当时中国资本稀缺的要素禀赋状况有矛盾，重工业中的企业在开放竞争的市场中缺乏自生能力，因而无法采用市场配置资源的办法推动重工业优先发展，不得不由政府以行政手段，人为压低利率、汇率、能源和原材料的价格以及工人工资，以降低重工业发展的成本。工资水平被人为压低后，为保证工人的生存，生活必需品的价格也同样被人为压低。在扭曲要素价格和产品价格的宏观政策环境下，各种要素和产品供不应求，只能采用计划配置资源的办法来保证能够优先配置资源给重工业，而为了控制工业剩余的使用和农业剩余的集中，又不得不实行工业的国有化和农业的人民公社化，形成与宏观政策环境和资源配置机制相配套的微观经营机制。也就是说，扭曲的宏观政策环境、高度集中的计划配置制度和没有自主权的微观经营机制这种三位一体的传统经济体制是内生的，是相互依存、互为条件的。现有的主流经济理论只看到保护和补贴造成的资源错配和预算软约束、寻租等问题，而没有认识到这种保护和补贴的内生性，在要优先发展的产业违反比较优势、企业缺乏自生能力的问题尚未解决之前，贸然地采用激进的改革战略即休克疗法，取消各种保护和补贴，其结果不是原来的大型企业倒闭，造成大量失业，导致社会、政治不稳定，就是为了避免那样的问题或仍然认为资本密集型的大型企业是维护国防安全和实现国家现代化不可或缺的基础，而继续给私有化后的大型企业各种隐性的保护和补贴。由于私有企业寻租的积极性更高，所以补贴会更大，效率会更低，其结果和主流经济理论所想要达到的改革目标正好背道而驰，前苏联和东欧国家的转型和遵循"华盛顿共识"的许多发展中国家的实际情形正是如此。⑲

展望未来，中国虽然已经经历了 35 年的高速经济增长，但是，反映平均劳动生产率的人均国民总收入水平所代表的平均技术和产业水平与发达国家仍然具有相当大的差距，中国经济仍然有很大的后发优势。根据麦迪逊(Angus Maddison)的最新数据，按照 1990 年的不变价国际元计算，2008 年中国人均 GDP 6 725 元，为美国当年的 21%，相当于 1951 年的日本、1967 年的新加坡、1975 年的中国台湾地区和 1977 年的韩国同美国人均 GDP 的差距水平。在这一差距水平上，日本维持了 20 年年均 9.2%的 GDP 增长率，新加坡为 8.6%，中国台湾为 8.3%，韩国为 7.6%。如果同美国的这个差距所蕴含的后发优势能够让日本等几个东亚经济体实现年均 7.6%到 9.2%的 GDP 增长率，那么，从后发优势的潜力来看，中国从 2008 年开始应该还有 20 年平均每年 8%的 GDP 增长潜力。

中国从计划经济向市场经济的转型还没有大功告成，资金、资源等各种要素的价格仍然受到扭曲，金融、电力、电信等服务业仍然在垄断经营，这些扭曲形成了巨额的租金，由此带来了寻租、腐败和很大的收入分配差距。但是中国现在已经是一个中等偏上收入的国家，除了极少数和国防安全有关的产业外，绝大多数原来不符合比较优势的产业，像家电、汽车、造船、大型装备业等已经符合比较优势，其产品在国内外市场具有竞争力，保护、补贴的性质已经从改革开放初期的"雪中送炭"变为"锦上添花"，所以，应该与时俱进地消除各种保护和补贴，让市场在资源配置中起决定性作用。对于极少数国防安全产业，则和发达国家一样由财政拨款来直接进行保护、补贴。上述举措正是中共十八届三中全会全面深化改革决议的主要内容。如果中国能够沿着这个方向推进改革，就能消除双轨制遗留下来的各种扭曲，建立起一个具有“有效市场”的体系，并在有为政府的因势利导下按比较优势发展经济并充分利用后发优势，尽可能将年均8%的GDP增长潜力变为现实的经济增长率，中共十八大提出的两个“百年”目标就能实现，中国将可在超过美国成为世界上最大的经济体后继续前进，进而创造中华民族由衰至盛的历史奇迹，在新中国成立100周年时实现把中国建设成现代化强国的中华民族伟大复兴的中国梦。

五、中国转型和发展的一般意义

在渐进的双轨制改革和激进的休克疗法改革呈现强烈反差的绩效面前，不少学者认为中国、越南等国家改革的成功具有很强的特殊性，是很难复制的个案，没有理由也没有必要将其背后的经济逻辑上升为可供其他发展中国家和转型国家借鉴的发展经济学和转型经济学理论。形成这种想法的主要原因是：发达国家的学者总是从发达国家的经验和理论视角来看问题，他们对中国、越南等发展中国家的问题形成的逻辑没有切身的体验，难以弄清渐进式改革对其他发展中国家和转型国家的意义，把中国转型期取得的成绩简单归因于政府干预的减少和市场力量的胜利；发展中国家的学者大多引用西方的理论来分析和评估自己国家的发展或转型的绩效，由于中国没有按西方主流的休克疗法一次性地把各种扭曲消除掉来进行转型，当转型过程中确实出现主流经济理论所预测的腐败和收入分配恶化等现象时，多数学者容易对号入座，只看到问题，而看不到成绩，因此忽视了成绩背后的一般逻辑意义，难以进行系统论述，把实际的经验提升到理论的层次。

二战以后发展中国家纷纷摆脱殖民和半殖民地位，取得政治独立，开始追求自己国家的现代化，发展经济学成为主流经济理论的一个子学科。第一波的发展经济学思潮为结构主义，这种理论思潮以发达国家的产业为参照系，认为发展中国家要达到发达国家的收入水平就必须和发达国家有同样的劳动生产率水平，其前提则是拥有和发达国家同样的资本、技术密集的产业。由于这种产业在发展中国家依靠自发的市场力量不能发展起来，因此，强调通过政府直接动员资源、配置资源，以“进口替代战略”来克服“市场失灵”，优先发展这种现代化的资本、技术密集型产业。结果是虽然建立起来了一些先进的产业，但是资源错配和寻租、腐败盛行，经济发展的绩效很差，危机不断，跟发达国家的差距越来越大。上世纪七八十年代兴起的发展经济学的第二波思潮遵循当时发达国家主流的新自由主义，这种理论思潮以发达国家的市场体制和机制为参照，认为发展中国家经济发展绩效欠佳的原因是政府干预太多，缺乏像发达国家那样完善的市场体制，主张在经济转型过程中采用休克疗法，推行私有化、自由化、市场化来取消政府的各种不当的干预。结果是推行新自由主义所倡导的"华盛顿共识"改革的国家的经济普遍崩溃停滞，危机不断，发展的绩效比改革前还差。

其实，不管哪个发展中国家或转型国家，农民、工人的想法是一样的，都希望通过自己的努力使自己和后代生活得更好；知识分子的追求是一样的，都希望为自己国家的现代化作出贡献；政府领导人的愿望也是一样的，都希望为官一任、造福一方，使自己的国家成为受世人尊敬的国家。但是，从二战结束到 2008 年的 60 多年里，在主流经济理论的指导下，全世界 200 多个发展中经济体中，只有韩国和中国台湾地区从低收入经济体升级到中等收入经济体再变成高收入经济体，只有日本、亚洲"四小龙"和西欧周边的 8 个国家从中等收入经济体升级到高收入经济体，只有 28 个经济体的人均收入水平和美国的差距缩小了超过 10 个百分点，另外有 18 个经济体的人均收入水平和美国相比减少了超过 10 个百分点，也就是绝大多数的发展中经济体自第二次世界大战结束以来虽然经过近三代人的多方努力仍然一直陷在低收入、中等收入陷阱之中。这种状态表明，现有的经济学理论在指导发展中国家经济发展和转型方面的作用还很有限，需要进一步加以完善。[20]

二战以来少数几个发展和转型成功的经济体，并没有按照主流的发展和转型理论来制定政策。其中，20 世纪 50 年代到 20 世纪 70 年代，日本和亚洲"四小龙"都实施"出口导向战略"，以传统的劳动密集型的产业为切入点，发展中小企业，靠出口赚取外汇，积累资本，一步一步地实现产业升级，而先后成长为新兴工业化经济体。这种成功是无法用当时的结构主义发展经济学理论来解释的。上世纪 70 年代以后发展中国家普遍推行改革开放，在转型过程中实现了经济稳定与快速发展的中国、越南、柬埔寨、老挝和毛里求斯等推行的则是渐进的双轨制改革。这些在发展和转型上获得成功的经济体的共同点是，一方面推行市场经济体制或转向市场经济体制，另一方面发挥政府积极有为的作用，既不像结构主义发展经济学那样片面强调政府而忽视市场的作用，也不像新自由主义发展经济学那样片面强调市场而忽视政府的作用。如何用一个新的理论框架来总结这些经验，对出口导向、政府和市场共同发挥作用这些因素以及成功和问题并存的经验作出解释，显然是有志于对中国的现代化作出贡献的中国经济学家应尽的责任，也是具有近水楼台先得月优势的中国经济学家对现代经济学理论的发展作出贡献的千载难逢的机遇。

在《中国的奇迹》一书中我们进行的探索初步形成了一个新的理论框架，认为：每一个国家在每个发展阶段有竞争力的产业内生决定于该阶段的要素禀赋结构，按照比较优势发展产业并充分利用后发优势小步快跑是发展中国家追赶发达国家的最佳途径；以及在过去赶超战略的失误造成发展路径偏离最佳路径的转型过程中，双轨渐进的改革相比休克疗法的改革有有利于取得经济稳定和快速发展的成绩，转型的最终完成则有赖于赶超战略向以有效市场和有为政府为基础的比较优势战略的体制和机制的回归。这一框架在我其后的一系列的研究和著作中逐步完善成新结构经济学的理论体系。[21]

我们的研究是遵循亚当·斯密在《国民财富的性质和原因的研究》(《国富论》)一书中所倡导的研究方法来进行的，但却是从现代经济增长的本质和决定因素入手，而非遵从《国富论》所主张的以分工为切入点来研究。经济快速增长的现象是在18世纪以后才出现的。根据麦迪逊的研究，18世纪以前西欧国家人均收入的年平均增长率只有0.05%，人均收入需要1 400年的时间才能翻一番；18世纪以后到19世纪中叶，其人均收入的年平均增长率提高到1%，人均收入翻一番所需要的时间缩短到70年；从19世纪中叶到现在，其人均收入的年平均增长率为2%，人均收入翻一番的时间降至35年。

上述增长加速的现象是从18世纪中叶开始的工业革命的结果，因为经济增长和人均收入水平提高的不断加速，主要决定于劳动生产率的不断提高，其前提则是技术创新、产业升级的速度不断加快。由此带来的经济规模的快速扩张，则对能降低交易成本的硬的基础设施如电力、道路、港口的改进提出了要求，这是让现代生产得以进行和将产品销售到更为广阔的国内外市场的必要条件。而交易范围的扩大，则导致陌生人之间的交易不断增多，于是合同和法律就变得很重要。同时，为了提供产业规模扩大和资本密集度提高所需的资本，金融体系也必须不断提高其动员资金和分散风险的能力，同金融相关的法律法规等制度安排也必须不断完善。上述合同与法律法规等制度安排即软的基础设施的完善能降低交易成本和交易风险。因此，劳动生产率不断提高，技术结构和产业结构不断升级，软硬基础设施不断完善是现代经济增长的本质。

按照经济学的分类方法，对于用现代的、新古典的方法研究经济结构及其变迁的决定因素的经济理论，应该称之为“结构经济学”，将它称为“新结构经济学”，则是因为发展经济学的第一波思潮是“结构主义”，称其为“新结构经济学”便于同结构主义相区分。这样的做法在现代经济学里也有先例。道格拉斯·诺思在20世纪60年代以新古典方法研究制度，其理论被称为“新制度经济学”，以便同20世纪初期在美国盛行一时的“制度学派”区分开。

新结构经济学的核心假设是：一个国家或地区，它在每个时点上的经济结构是由那个时点的资本、劳动、自然资源等要素禀赋及其结构决定的。对于特定的经济体，每个时点上的要素禀赋及其结构是给定的，不同时期的要素禀赋及其结构又是可变化的。

每个时点上的要素禀赋就是该经济体在特定时点上的总预算，而要素禀赋结构决定要素的相对价格，相对多的要素价格相对便宜，相对少的要素价格相对高昂。所以，一个经济体在不同的经济发展阶段的资本、劳动、自然资源的相对价格是不一样的。

不同要素的相对价格决定不同的比较优势。比如，一个经济体处于劳动力相对丰富、资本相对短缺时，具有比较优势的产业是劳动密集型产业，这个经济体在这类产业上的生产要素成本就会比劳动力相对短缺、劳动力价格相对较高的经济体的生产要素成本低，这样就具有了竞争优势，所以，按照比较优势发展经济是实现竞争优势的前提。如果一个经济体的所有产业都符合它的比较优势，这样的产业结构就是最优的、最有竞争力的结构。

一个经济体只有到了资本相对非常丰富的阶段，在生产过程中每个劳动者可以运用很多的资本，才会在资本密集型产业上有比较优势，劳动生产率和收入水平才能提高。所以,经济发展的最终目标是提高收入水平,中间目标是发展资本密集型产业,措施则是加速资本积累。一个低收入经济体只有加速资本积累,才能使资本更快地由相对稀缺变为相对丰富,使资本密集型产业具有比较优势。也就是说,收入水平的提升依赖于产业结构的提升,而产业结构的提升则依赖于要素禀赋结构的提升。

一个经济体的要素禀赋结构不能提升,产业结构和技术结构就不能升级,劳动生产率和收入水平就不能提高,就会跌入“低收入陷阱”或“中等收入陷阱”。因此,要超越中等收入陷阱和低收入陷阱,就必须不断提升要素禀赋结构,让每个劳动者拥有更多的资本。要快速增加每个劳动者可以使用的资本,最好的方式是在每个时点上都发展同当时的要素禀赋结构相一致、进而符合比较优势的产业。产业结构的比较优势发挥得越充分,竞争力越强,投资回报率越高,经济剩余就越多,积累意愿越强,要素禀赋结构的提升就越快。而要素禀赋结构提升越快,比较优势变化和产业结构升级就要越快,相应的软硬基础设施的完善也要越快。借助于这个逻辑,就把现代经济增长的本质和决定因素论述清楚了。

企业家关心的是利润。要让企业家自发地按照比较优势来选择技术和产业,就要有一个能够反映特定时点各种要素相对稀缺性的价格体系,使企业家在追求利润最大化时会选择能多用相对便宜的要素而少用相对昂贵要素的技术和产业。这种价格体系只有在竞争性市场中才能形成,所以,有效的市场是一个国家经济发展成功的前提。

在经济发展过程中,产业升级是由先行企业推动的,先行企业家进入新产业要承担很多风险,如果失败了,说明这个产业不符合比较优势,其他企业就不会进入,先行企业则要承担失败的所有成本;如果成功了,证明这个产业符合该经济体新的比较优势,其他企业就会跟进产生竞争,先行企业就不能有垄断利润。由于先行企业要承担很大的失败的风险,却很难得到成功时的垄断利润,为了鼓励企业家成为先行者,需要政府为他们提供激励。同时,先行企业是否成功除了取决于进入的产业是否符合要素禀赋结构变动所决定的新的比较优势外,还决定于各种软硬基础设施是否随着产业的升级以及资金、市场规模和风险的扩大作出相应的完善。这种软硬基础设施的完善超乎任何单个企业的能力,所以在经济发展过程中,政府也需要协调相关企业的投资决策来改善软硬基础设施，或利用其可动用的有限资源来提供相应的完善。所以，有为的政府同样是一个国家经济发展成功的前提。

在政府可动用的资源有限，每个新的产业所需要的软硬基础设施不完全一样，政府无力为所有产业的发展提供必要的软硬基础设施的前提下，以产业政策来为先行企业家提供必要的激励，并为其进入的新产业提供必要的软硬基础设施，应该是有效的做法。然而，在过去的发展过程中，绝大多数国家的产业政策失败了，其原因在于，根据结构主义发展理论所制定的产业政策试图去发展超越经济发展阶段、违反比较优势的资本密集型产业。于是主流经济学界在20世纪80年代以后受到新自由主义转型理论的影响，形成了反对政府采用产业政策的共识。然而，政府不发挥因势利导的作用，即使建立了完善的市场经济体制，企业家仍有可能没有成为先行者的积极性，或是，即使成为了先行者，也会因为缺乏必要的软硬基础设施而失败。例如智利，其市场化的改革很彻底，按照世界银行公布的“企业营商环境指标”，智利在全球营商环境排名中名列世界前茅，但是按照华盛顿共识改革了30年没有任何新产业涌现而陷入中等收入陷阱。实际上，少数发展成功的国家的政府都发挥了有为的作用，以产业政策来因势利导地协助企业向新的产业升级。所以，不宜以绝大多数国家的政府过去的产业政策的失败为理由否定政府在经济发展过程中发挥积极有为作用的必要性。

从新结构经济学的视角来看，一个有效的产业政策除了为先行企业提供必要的激励外，还应该根据新产业的需要有针对性地改善基础设施、金融环境、法制环境等来降低交易成本，以帮助经济体中具有“潜在比较优势”的产业变成具有竞争优势的产业。所谓具有“潜在比较优势”的产业，是指在生产要素成本上具有优势，但因缺乏软硬基础设施使得交易成本过高而无法形成竞争优势的产业。新结构经济学还从近现代以来努力实现追赶的发展中国家的经验中总结出发展中国家甄别具有潜在优势的产业的方法：成功追赶发达国家的发展中国家的产业政策的共性是帮助这些国家的企业进入到跟其发展程度相差不远，人均收入差距在一倍左右，发展绩效良好的国家的成熟产业中去；经济发展不成功而未能实现追赶的发展中国家的产业政策也有一个共性，即在人均收入不到发达国家的20%甚至更少的情形下，就直接把发达国家的产业作为学习和模仿的对象。这些经验背后的道理是：发展水平差距不大则比较优势差距也不大；收入水平较高而发展良好的国家的产业会因资本快速积累而不断升级到新的产业，这些国家成熟的产业就成了和其发展水平差距不大的国家的具有潜在比较优势的产业。基于上述经验和理论分析，新结构经济学为发展中国家提出政府“增长甄别和因势利导”的六个步骤，作为制定产业政策的框架。

第一步：选择一个目前人均收入比自身高一倍左右，并已维持了20—30年快速经济增长的国家，或是20年前人均收入和自身处于同一水平而20年来发展很好的国家，作为本国产业升级参照与学习的对象。这个国家成熟的可贸易部门就可能是本国具有潜在比较优势的部门。

第二步：考察国内企业是否已经自发地进入这些可能符合本国潜在比较优势的产业。如果已经进入，就要分析为什么较低的工资和生产要素成本的优势仍然无法使这些企业同作为参照系的国家的企业竞争。其原因通常是交易成本过高，然后分析交易成本高是因为基础设施不好，还是因为人力资本不足、物流不好或金融支持不够，从中找到本国政府应该帮忙解决的主要问题。

第三步：倘若国内企业尚未进入这些可能符合本国潜在比较优势的产业，除了培育、支持国内企业进入外，政府可以积极地招商引资，引导作为参照系的国家的企业到本国来投资。由于那些产业已是作为参照系的国家的夕阳产业，这个国家的相关企业家一定有积极性把生产转移到发展水平差距不大，工资相对比较低的国家。本国政府的主要责任是改善各种软硬基础设施，并通过招商引进那些企业。

第四步：当代技术的变化和创新速度都非常快，有些新产业20年前尚未出现，但因为技术创新现在出现了，国内具有创新能力的企业家发现了机会，已经进入新产业并且表现出获利能力。比如20世纪80年代印度的信息服务业。印度的信息服务企业最初给美国做信息服务外包时靠的是卫星通信，成本很高；印度政府就建设光纤通信网，帮助企业降低成本，使印度的信息服务业成为该国在国际上具有竞争优势的产业。也就是说，如果企业已经发现新的技术带来了新的机会，政府的责任就是帮助企业克服瓶颈限制，降低交易成本，使其进一步发展。同样道理，每个国家都有一些特殊的资源，如果国内的企业家发现由这些资源所生产的产品或服务具有市场价值和广阔的前景，政府也应该为这些企业的扩大生产和其他企业的进入消除瓶颈限制。

第五步：在基础设施和企业经营环境普遍不好的发展中、转型中国家，政府可以设立工业园、加工出口区或经济特区等，通过改善园区内的软硬基础设施，创造局部优势条件，吸引国内外企业向具有潜在比较优势的产业投资，使政府的有限资源在经济发展中发挥最大的杠杆效应。

第六步：政府向先行者提供必要的激励以补偿先行企业所创造的外部性。这里的比较优势战略下的补偿不同于赶超战略下的补偿。赶超战略下的补偿旨在解决企业缺乏自生能力的问题；比较优势战略下因势利导的补偿则旨在克服外部性问题，企业自身是有自生能力的，政府通过改善软硬基础设施来帮助企业降低交易成本，企业必须依靠改善经营来获得利润。所以，前者所需的补偿数额大、时间长，政府不得不以扭曲各种价格信号的方式来进行；后者所需的补偿数额小、时间短，政府只需给企业一定的税收优惠，或者在有金融抑制时给予企业优先获取金融服务的机会，在有外汇管制时给予企业获得外汇配额以进口必要的技术设备的机会。

上述“增长甄别和因势利导”的框架可以帮助收入较低的发展中国家在有效的市场的基础上，发挥政府积极有为的作用，以支持上述六个步骤的第二步到第四步中有企业家精神的企业利用后发优势来加速经济发展。对于中等发达国家而言，其多数产业和发达国家仍有差距，少数产业则可能接近或已经达到国际先进水平。对于前类产业的升级，上述六步法依然适用。对于后类产业，若要有新技术或新产品，企业需要自己开发。发展中国家的政府则和技术、产业都已经处于国际前沿的发达国家的政府一样，需要对开发新技术、新产品所需的基础科研给予支持。另外，也还可以像发达国家的政府那样用税收和政府采购等来支持新技术、新产品的创新。[22]对于已经失掉比较优势的可贸易制造业，政府则可以帮助这类产业中有条件的企业转型到从事附加价值比较高的研发、品牌、营销的微笑曲线两端，或将附加价值比较低的加工生产环节转产到工资水平比较低的地区或国家，使企业继续依靠其技术、管理、资金、市场渠道的优势在海外创造第二春。

根据上述新结构经济学的“有为政府”的框架，一个发展中国家即使在总体的基础设施差、企业经营环境不好的情况下，也能经由政府动用其可用的有限资源，创造局部的有利条件，为企业根据要素禀赋结构和比较优势的变化不断推进产业升级和利用后发优势来加速经济发展提供支持，并由此为整体基础设施和经营环境的改善创造条件。一个发展中国家的经济就有可能快速发展，克服低收入或中等收入陷阱，在一两代人之间成为发达经济体。

新结构经济学也为结构主义的进口替代战略和新自由主义的“华盛顿共识”休克疗法的失败和渐进、双轨的改革的成功提供了解释。结构主义的失败是因为进口替代战略所要优先发展的产业违反比较优势，企业缺乏自生能力，政府必须以价格扭曲和各种对市场的直接干预给予保护、补贴，以致资源错配，寻租、腐败盛行，导致经济发展的绩效很差，危机不断。新自由主义的失败则是因为发展中、转型中国家的诸多扭曲内生于原先错误的产业政策，在经济中有一大批违反比较优势的产业，这些产业中的企业在开放竞争的市场中缺乏自生能力，如果按“华盛顿共识”进行改革，以休克疗法取消所有保护和补贴，必然出现大量的企业破产和失业，造成经济崩溃和社会、政治不稳。而实际上为了社会稳定或是不愿让某些先进的企业破产影响国防安全，在私有化以后还是要继续给予这些企业各种更加隐蔽、效率更低的保护和补贴，经济效率的下滑和危机不断也就不可避免。渐进、双轨的转型方式则一方面给予原先优先发展部门中缺乏自生能力的企业一定时间的转型期保护和补贴，以维护社会稳定；另一方面放开产业准入并支持原先受到抑制的符合比较优势的产业的发展，以加快经济发展。符合比较优势的产业的快速发展，加快了资本积累，使得原先违反比较优势的产业逐渐变得符合比较优势，原先缺乏自生能力的企业获得自生能力。当现实中除了极少数和国防安全有关的企业可以用财政直接给予补贴外，绝大多数的企业都具有自生能力时，原有的以各种扭曲来进行的保护、补贴就可以取消，向市场经济体制的转型就完成了。所以，从主流的新自由主义转型理论来看最好的休克疗法，从新结构经济学的角度来看是最糟的；而从新自由主义转型理论来看最糟的渐进、双轨的转型方式从新结构经济学的角度来看则是最优的转型路径。中国与前苏联和东欧国家以及其他发展中国家的转型经验符合新结构经济学的理论分析和预测。

六、结语

自1978年底中共十一届三中全会开始改革开放以来，中国经济实现了连续35年年均9.8%的高速增长，中国也从一个人均收入不及非洲国家平均数三分之一的贫穷落后国家，变为世界第二大经济体、第一大出口国，2013年人均收入达到6 800美元，期间6.8亿人脱贫，并对走出1997—1998年的东亚金融危机及世界经济从2008年的国际金融经济危机中复苏作出了不可磨灭的贡献。一个人口这么多、底子这么薄的国家维持了这么长时间的快速增长、取得了这么多成绩，毫无疑问这是人类经济史上不曾有过的奇迹，但是在中国的转型过程中“中国崩溃论”和“唱衰中国”的论调在海外却此起彼伏、不绝于耳。国内也有不少学者和评论家只看到中国作为一个发展中、转型中国家必然存在的各种体制、机制问题，忽视了上述成绩，以及中国的发展、转型经验的一般意义。

在巨大成绩面前出现上述认识上的反差，究其原因在于目前国内社会科学各个领域的教材直接翻译自发达国家通用的教科书或以发达国家的教科书作为范本来编写，介绍的是西方主流的理论。国内舆论界、知识界也以西方主流的理论作为参照系来理解、认识出现在中国的各种社会经济现象和问题。中国的改革开放并没有照搬西方主流理论所倡导的“休克疗法”，试图以“私有化、市场化、自由化”一次性地消除计划经济时代遗留下来的各种扭曲，而是按照“解放思想、实事求是、与时俱进、求真务实”的科学发展观的精神，根据中国社会的承受力和可动用的资源以双轨渐进的方式来推进，随着条件的成熟，不断深化改革，逐步建立起完善的社会主义市场经济体系。但是，长期以来西方主流的理论认为：计划经济不如市场经济，要向市场经济体制转型就必须一次性地消除各种扭曲，最糟糕的经济是改革不彻底的双轨制经济。受此理论的影响，国内外不少人把中国社会、经济中存在的一切问题都归结于没有按照西方主流的理论来进行改革所致。不过问题是，上世纪80年代以来，按照西方主流理论来进行转型的前苏联和东欧国家以及亚非拉的其他发展中国家普遍出现经济崩溃、停滞、危机不断，少数在转型中取得经济稳定和快速发展的中国、越南、柬埔寨、老挝和非洲的毛里求斯，推行的却都是双轨渐进的改革。并且，出现在中国转型期的收入分配不均、腐败等广受人们诟病的问题在推行休克疗法的国家也普遍存在，甚至更为严重。

不仅在转型问题上，在发展问题上也是如此。发展经济学是二战以后因应于发展中国家经济建设的需要而出现的一个新的现代经济学子学科。发展经济学的第一波思潮主张实施进口替代战略，由政府直接动员、配置资源，建设发达国家所拥有的现代化的大产业。受此思潮影响，二战以后新独立的发展中国家普遍推行这种战略，虽然在头几年取得了投资拉动的经济增长，但其后不约而同地经济出现增长停滞且危机不断。二战以后经济发展取得成功的日本和亚洲“四小龙”等少数几个东亚经济体推行的则是出口导向战略，从传统的劳动密集型产业着手发展经济，这种发展战略在当时被主流发展经济学认为是错误的。

根据西方主流的理论来进行转型和发展的国家不成功，而少数成功国家的转型和发展的道路却违背了西方主流的理论，原因在于社会科学的理论来自对社会经济现象的总结，总结于发达国家社会经济现象的理论并非“放之四海而皆准，百世以俟圣人而不惑”的真理。理论的适用性决定于条件的相似性，即使在发达国家适用的理论，拿到发展中国家来也常有“淮南为橘、淮北为枳”的缺憾。而且，发达国家本身的社会不断在发展、条件不断在变化，发达国家的理论也不断在演进，盛行一时的理论常被后来出现的理论所扬弃。如果未能认识到发达国家主流的理论运用于发展中国家必然存在的局限性，照搬这些理论于发展中国家的实践，则结果经常会事与愿违，以其为参照系来观察社会的结果也经常会使发展中国家的知识分子变为社会批评家而难以提出建设性的意见。只有总结于中国自己和其他发展中国家成败经验的理论创新，才能真正揭示中国过去能够在转型期维持经济的稳定和快速发展的原因，以及当前问题的根源和解决的路径，只有这种来自中国自身的创新性理论才能真正推动中国的进步和发展，实现中华民族伟大复兴的中国梦。

从二战结束到 2008 年，只有中国台湾地区和韩国从低收入经济体升级到中等收入经济体，再进一步发展成为高收入经济体，如果我们能够实现中共十八大提出的到 2020 年两个翻一番的目标，那么建党一百年时中国就有可能成为二战结束以来第三个从低收入进入到高收入的经济体。从二战结束到2008年，只有13个经济体从中等收入经济体发展成为高收入经济体，其中只有日本和亚洲“四小龙”不是原本和发达国家差距就不大的西欧周边国家，其他180多个发展中经济体绝大多数长期陷于低收入或中等收入陷阱。

新的理论来自新的现象，只有以常无的心态而不以现有理论为考察问题的出发点，深入理解出现在中国的新的社会经济现象，才有可能提出真正能够解释中国现象的新理论，《中国的奇迹：发展战略与经济改革》这本书在这个方向上迈出了第一步。

《中国的奇迹》初版1994年由上海三联书店出版后，获得学界一定的肯定，张曙光老师写了一篇高度评价的书评。除了香港中文大学出版社出了英文版外，日、俄、法、韩、越等国的出版社也各自翻译出版了本国语言的版本，并且这些外文版成了许多海外大学中国经济课程的教科书。1999年上海三联书店和上海人民出版社出版了《中国的奇迹》增订版。

1994年我到北京大学中国经济研究中心工作，开设中国经济专题课，以《中国的奇迹》为教材。2008年我到世界银行工作前，将上课讲义整理成书，以《中国经济专题》为书名由北京大学出版社出版。该书2012年则由英国剑桥大学出版社翻译出版了英文版，并改名为*Demystifying Chinese Economy*。该书在国外获得了很好的反响，诺奖得主詹姆斯·赫克曼称：“此书在很多层面都取得了成功。它以宏大的历史视角展示了中国经济实力两千多年来的跌宕起伏和戏剧性复兴。它以具有分析性的资讯，解读了中国经济增长的源头以及未来增长的前景。林毅夫以他富有见地的比较优势战略观点将中国注重实效的经济发展提升到了理论的高度。这本书向很多传统的新古典理论的信条提出了挑战，并解释了在现实中照搬这些原理是如何对转型国家造成灾难性后果的。”诺奖得主罗杰·迈尔森称：“这本书探讨了中国从一个贫困的发展中国家向一个现代经济增长的全球领导者进行巨大转变时的一些根本性问题。这些问题属于我们这一时代最为关键的问题。林毅夫是最有资格帮助我们理解这些问题的人。在书中他向我们提供了一个看待中国以及世界现代经济发展前景的全部而重要的视角。”诺奖得主埃德蒙·菲尔普斯称：“这本书对中国过去的落后根源以及后来的超凡成功进行了清晰而富有见地的研究，对任何想要了解中国经济发展的人来说，这都是一部必读的著作，一部早就应该出现的重要著作。”

建立在《中国的奇迹》一书的分析框架的基础上而进一步发展起来的《新结构经济学》，总结了工业革命以后，尤其是二战结束以后，中国和其他发展中国家经济发展的成败经验，从要素禀赋结构、比较优势和企业自生能力出发，探讨了经济发展和转型的本质，提出了有效市场和有为政府的理论框架，为市场和政府在经济发展过程中应该起到什么作用和如何发挥作用提供了参考。理论的适用性决定于条件的相似性，发展中国家之间有较为相同的条件、挑战和机遇，来自中国的理论创新不仅能够较好地认识中国的问题、解决中国的问题，为中华民族伟大复兴的中国梦的实现作出贡献，也将会对其他发展中国家的经济发展有较好的参考借鉴价值，帮助它们摆脱低收入、中等收入陷阱，实现习近平同志所提出的“百花齐放春满园”的愿景。

2007 年我有幸获得英国剑桥大学的邀请去做一年一度的马歇尔讲座。我利用这个机会梳理了二战以来的发展理论，并以《中国的奇迹》一书中提出的经济体制内生于发展战略的理论框架为基础构建了一个数理模型，用二战以来发展中国家的经验数据对这个理论模型的各个推论做了经验检验。演讲的内容后来整理成书以《经济发展与转型：思潮、战略与自生能力》为书名由英国剑桥大学出版社出版。[23]这本书总共有 5 位诺奖获得者写推荐序，创下了剑桥大学出版社的纪录。诺奖得主贝克尔写道：“林的观点是有争议的但是发人深思的。”诺奖得主福格尔则说：“林不仅影响了中国政府和企业界的思想，而且影响了美国和西欧的经济分析。”诺奖得主诺思指出：“林的马歇尔讲座不仅提供了一个难得机遇去了解东亚经济体过去几十年波澜壮阔的崛起，而且对经济学家关于经济发展的标准解释投以了质疑的眼光。”诺奖得主斯宾塞评价：“这是一本在多个方面来讲都重要的书……他的分析以贸易理论和比较优势为基础，但是，将其转化为自成体系的增长战略和政策的动态分析则是一个重要的成就。”诺奖得主斯蒂格利茨则称赞：“这是一本充满智慧的、具有革命性意义的书，解释了为何一些发展中国家取得成功而其他国家失败。”

2012 年我在世行的工作结束前将我的有关新结构经济学的论文集结成册，以《新结构经济：反思经济发展与政策的理论框架》为书名由世界银行出版社出版。并以新结构经济学的理论框架，结合我在世行工作的经验和访问非洲等发展中国家的所思所见，写成《繁荣的求索：发展中经济如何崛起》一书，于2013年由普林斯顿大学出版社出版。此两书出版后在国外获得学界的好评。对《新结构经济学》，诺奖得主斯宾塞称："《新结构经济学》是一部真正重要且富有雄心的作品……将成为全球学者和政府制定者的重要参考，在发展中国家是如此，在发达国家中也将得到越来越多的重视。"诺奖得主斯蒂格利茨称："世界银行一直致力于实现一个没有贫困的世界。在这部杰出的著作中，其首席经济学家林毅夫，勾画了一个让这个梦想成为现实的经济路线图……林毅夫的观点已经激起了讨论和争辩，这本书的贡献将确保他的观点在发展政策的反思中继续成为焦点。"对《繁荣的求索》，诺奖得主阿克尔洛夫称："在这部著作中，林毅夫将他研究东亚起飞中获得的智慧，与250年来的经济思想编制在一起。他为我们提供了一个视角：在全球范围内终结贫困是可能的。不会再有别的经济学家能写出比这更优秀、更重要的作品了。"诺奖得主福格尔则称："《新结构经济学》是一部重要的著作。全书写作上充满热情且条理清晰，折射出作者对全球经济议题的深刻理解。同时还提出了务实的解决方案。"诺奖得主谢林称："这确实是一部令人振奋的作品……林毅夫提出了一个令我信服的新结构经济学。"

更让我高兴的是新结构经济学的理论框架得到了许多发展中国家的实践者的接纳和重视。2012年9月，卢旺达总统保罗·卡加梅访问中国，为了和我讨论如何将新结构经济学的思路应用于卢旺达的经济发展，特地在中国多停留了两天，以便等我从乌兹别克斯坦参加会议回来和他面谈。2013年2月，我率领北大国家发展研究院的教授到坦桑尼亚访问，坦桑尼亚的总统贾卡亚·基奎特邀请我担任顾问，为新建立的工业园区出谋划策。2014年1月，塞内加尔总统麦基·萨勒为表彰我对发展学理论的反思和推动非洲国家经济发展的贡献，授予我国家功勋勋位高级骑士团司令勋章。在2014年7月我访问埃塞俄比亚时，新任总理海尔马里亚姆·德萨莱尼给我颁发奖牌表彰我对埃塞俄比亚经济发展的贡献。

自1901年严复翻译出版亚当·斯密的《国富论》以来，现代经济学在中国的传播已有100多年的历史了。在这100多年里，经济学研究在中国社会科学理论研究中独占鳌头，但中国经济学家对现代经济学的思潮和发展方向的影响还很有限。

社会科学的理论在本质上是一个用来解释社会现象的逻辑体系。解释的现象越重要，理论的影响就越大。因此，研究世界上最大、最重要国家的经济现象并将之总结成理论的经济学家们的成就越容易被认为是世界级的成就。从18世纪工业革命到第一次世界大战为止，英国是世界上最大、最强的经济体，同时也是世界上经济理论的研究中心，成长或生活在英国的经济学家近水楼台先得月，世界著名的经济学家当然多出于此。第一次世界大战结束以后，世界经济的重心和经济理论的研究中心逐渐转移到美国，世界著名的经济学家也逐渐出自美国。[24]中国只要沿着中共十八届三中全会提出的全面深化改革的方向，建立有效的市场并发挥有为政府的作用，挖掘增长的潜力，中国成为世界最大经济体和发达国家已经指日可待。随着中国成为世界上最大、最有影响的经济体，世界上经济理论的研究中心也很有可能转移到中国来，21世纪很可能是中国经济学家的世纪。盼望经济学界的同仁们能以此为目标，一起努力为中国经济学科的发展和中华民族伟大复兴的中国梦的实现作贡献。

林毅夫

2014年8月29日

于北京大学朗润园

注 释

① 根据 Angus Maddison 的 *Historical Statistics of the World Economy：1—2008AD*，1950年时东亚地区的人均GDP按1990年的国际元计算为666元，低于拉美的2 510元，也低于非洲的889元。

② 参见国际货币基金组织官方网站：http://www.imf.org/external/data.htm。

③ 参见《世行：中国今年或将成全球最大经济体》，http://www.ftchinese.com/story/001056024。

④ 根据世界银行《世界发展指标2012》的分类标准，人均国民总收入在1 035美元以下为低收入经济体，在1 036—4 085美元之间为下中等收入经济体，在4 086—12 615美元之间为上中等收入经济体，在12 616美元以上为高收入经

济体。

⑤ Robert W. Fogel, "Capitalism and Democracy in 2040: Forecasts and Speculations", NBER Working Paper, No.3184, 2007.

⑥ Kevin M.Murphy, Andrei Shleifer, and Robert W.Vishny, "Industrialization and Big Push", *Journal of Political Economy*, (1989) 97: 1003—1026. Jeffrey Sachs, Wng Thye Woo, and Xiaokai Yang, "Economic Reforms and Constitutional Transition", *Annals of Economics and Finance*, (2000)1:435—91.

⑦ 此次重印的是1999年的增订版。

⑧ Murphy, Kevin, Andrei Shleifer, and Robert Vishny, "The Tradition to a Market Economy: Pitfalls of Partial Reform", *Quarterly Journal of Economics*, Vol.107, No.3(1992), pp.889—906.

⑨ Sachs, Jeffrey D., and Woo, Wing Thye, "Structural Factors in the Economic Reforms of China, Eastern Europe, and the Former Soviet Union", *Economic Policy*, Vol.9, No.18(1994), pp.101—145.

⑩ Xiaoxi Li, *Assessing the Extent of China's Marketization*, Ashgate Publishing, Ltd., 2006.

⑪ European Bank for Reconstruction and Development(EBRD), *Life in Transition: A Survey of People's Attitude and Experiences*, London: European Bank for Reconstruction and Development, 2007.

⑫ European Bank for Reconstruction and Development(EBRD), *Transition Report 2013*, London: European Bank for Reconstruction and Development, 2013.

⑬ Easterly, William, "The Lost Decades: Developing Countries' Stagnation in Spite of Policy Reform 1980—1998", *Journal of Economic Growth*, Vol.6, issue 2 (2001), pp.135—157.

⑭ 但认为发达国家的政府除了保护产权、维持社会治安和推行法治外,其他的事都不干预或参与的观点,其实不符合事实。发达国家的产业和技术位于全球的前沿,其产业升级和技术创新需要对基础知识的研究(R)和新产品和新技术的开发(D),固然在D上主要是企业来做的,在R上则主要靠政府的支持。美国目前在世界具有领先地位的信息、航天、纳米、生物工程、医药等的基础研究的投入基本上都是由政府支持的。另外,政府除了通过专利保护外也通过采购等方式直接支持新技术和新产品的开发。

⑮ Summers, Larry, "Comment", in Blanchard, Oliver Jean, Kenneth A.Froot, and Jeffrey Sachs(eds.), *The Transition in Eastern Europe*, Vol.1, Chicago: Chicago University Press, 1994, pp.252—253.

⑯ Williamson, J., "What Washington Means by Policy Reform", in J.Williamson (ed.), *Latin American Readjustment: How Much Has Happened*, Washington, D.C.: Institute for International Economics, 1989.

⑰ 参见上海三联书店与上海人民出版社 1997 年中文简体版,香港中文大学出版社 1997 年中文繁体版,香港中文大学出版社 2000 年英文版,东京日本评论社 1998 年日文版。

⑱ World Bank, *Transition: The First Ten years, Analysis and Lessons for Eastern Europe and the Former Soviet Union*, Washington, D.C.: World Bank, 2002.

⑲ World Bank, *Transition: The First Ten years, Analysis and Lessons for Eastern Europe and the Former Soviet Union*, Washington, D.C.: World Bank, 2002.

⑳ Lin, Justin Yifu and David Rosenblatt, "Shifting Patterns of Economic Growth and Rethinking Development", *Journal of Economic Policy Reform*, Vol.15, No.3 (2012), pp.1—31.

㉑ 具有里程碑意义的著作包括林毅夫:《经济发展与转型:思潮、战略与自生能力》,北京大学出版社 2008 年版;林毅夫:《新结构经济学:反思经济发展与政策的理论框架》,北京大学出版社 2012 年版。

㉒ 需要指出的是,发达国家的政府由于预算有限,对基础科研的支持是需要有所选择的,所以,虽然形式不同,发达国家的政府其实是一直在用产业政策来支持经济发展的。以大家津津乐道的乔布斯为例,1976 年推出的苹果 I 型计算机是建立在 20 世纪 60 年代和 70 年代以美国政府的公共资金支持的计算技术的研发成果上,2001 年推出的 iPod 和其后的 iPhone 也是建立在政府资金支持而研发出来的大规模储存技术上的,乔布斯的天才在于把这些新技术组合开发成消费者喜爱的新产品。值得一提的是苹果公司在上市之前,除了得到风险投资的资金之外,也得到美国小企业局 50 万美元的风险股本投资。同样,Google 的计算技术也是来自政府资助的研究项目。对美国政府支持的基础研究在美国的各种新技术、新产品的开发上所发挥的重要作用感兴趣的读者可参考 Mariana Mazzucato 2014 年出版的新著 *The Entrepreneurial State: Debunking Public vs. Private Sector Myths*。

㉓ 中文版由北京大学出版社于 2008 年出版。

㉔ 林毅夫:《本土化、规范化、国际化——庆祝〈经济研究〉创刊 40 周年》,《经济研究》,1995 年第 10 期。

增订版序

本书的第一个版本是以《中国的奇迹:发展战略与经济改革》为名,于1994年由上海三联书店和上海人民出版社联合出版的。次年,以同样的书名在香港由中文大学出版社用繁体字出版。1996年由香港中文大学出版了该书的英文版。随后,日文版、韩文版、法文版、越南文版也纷纷面市。目前俄文版也正在翻译之中。这次,我们对本书进行了修改和增删,作为增订版出版。

从本书的第一个版本面市至今,五六年的时间已经过去了。这期间,中国经济发展与改革不断向前推进,地区性经济乃至世界经济也发生了诸多大事。由于这本书拥有使用不同语言的十分广泛的读者群,特别是在中国大陆、中国香港、美国、日本和韩国,本书广泛地被采用为经济系学生学习中国经济和发展经济学的教科书,因此,能够得到相当充分的反馈意见,这也是作为本书作者的一种荣幸。针对经济学理论、政策与实践中所发生的新情况,直接或间接地针对经济学界朋友们赞同的与批评的意见,在一些文章中,以及另一部拙著《充分信息与国有企业改革》(在香港以《中国国有企业改革》为书名出版)中,我们已经或多或少地进行了一些反思和补充。我们自己怎样看待这部书，以及根据什么原则或在何种程度上修订它，有必要在这里作一个扼要的交代，以期有助于读者理解我们书中的理论逻辑和政策涵义。

本书的各种版本出版后，海内外发表了许许多多的评论，大都十分肯定该书理论逻辑的严密性，即从发展战略选择与资源禀赋之间的矛盾出发，分析了中国传统经济体制模式内生地形成的逻辑，并将这种分析方法及其结论扩展到所有其他国家和地区，指出发展战略的选择是否和资源禀赋的比较优势一致，是决定经济体制模式进而决定经济发展绩效的根本原因。实际上，当我们把在一定的资源禀赋条件下发展战略的选择，到宏观政策环境的形成，进而资源配置体制和微观经营机制的产生，这样一个分析逻辑应用到中国以外的其他国家和地区经济上时，总是可以大大提高对于特定的经济体制运行绩效的解释力，从而赋予了这本关于中国经济改革和发展的著作一种荣幸，能够对发展经济学理论作出一定的贡献。在修订过程中，我们对大部分章节进行了增补，以期进一步明确本书的特色。

我们很高兴地注意到，中国经济学家开始越来越重视本书中提出的问题，特别是人们开始从发展战略的角度分析中国经济的转轨问题。如果说，人们以往曾经习惯于就经济体制的某个方面就事论事地分析问题和提出解决方案的话，现在经济体制模式的内在逻辑越来越表现出来，经济学家的认识从而更进了一步。

当然，我们并不认为对于如何认识中国经济的一般性质、传统体制的形成以及如何进一步改革等问题，在经济学界已经取得了一致的看法。事实上人们的认识还远远没有达成一致，分歧不仅是很大的，而且将是长期存在的。我们也希望这种分歧与争论能够帮助我们进一步完善自己的理论。在这次修订过程中，正是由于过去的争论，使我们能够有意识地、有针对性地对一些理论和政策问题作了更深入的阐述。例如，本书出版后，北京的《战略与管理》杂志就书中提出的重要观点开展了长达两年的讨论。通过在这家杂志上与经济学界以及其他学科的学者们展开争论，我们进一步回顾了发展经济学发展的脉络，特别是以往的发展经济学家是怎样解释国家经济发展或不发展的，从而完善了我们的理论，也使其更具有针对性。作为这次讨论的结果，在这个增订版中，我们重写了第4章："比较优势战略"。

我们这本书的主题是探索一个落后经济为什么选择以赶超为战略而不能如愿以偿，以及怎样才能实现成功的发展。而讨论主要是以中国的经验为基础的。毋庸置疑，中国经济改革过程还远远没有完成。就在本书出版之后的短短几年里，中国经济改革与发展又经历了一系列重要的进展。对照本书提出的问题以及提供的理论解释，回顾近年来中国改革与发展的进程，我们增强了对自己理论的信心。

在作者看来，中国传统经济体制是为了在资金稀缺的条件下实现资金密集型重工业优先发展战略的目标，以扭曲产品和生产要素价格的宏观政策环境、高度集中的资源计划配置制度，以及没有自主权的微观经营机制为特征的三位一体模式。作为一种具有帕累托改进性质的渐进式改革，中国的改革是从微观经营机制的放权让利入手，以改进激励机制、提高微观效率为目标。这种改革破坏了原有体制内部的一致性，为了落实放权让利的措施，改革逐渐向资源配置制度和宏观政策环境推进，并越来越触动传统的发展战略。近年来的改革，越来越清晰地向人们显示了这个逻辑。

然而，我们也指出，在这种渐进改革的方式下，宏观政策环境的改革往往滞后于微观经营机制和资源配置制度的改革，从而出现经济体制内部各种制度安排之间不配套的问题，造成一系列特殊的改革与发展难题。突出的表现是由于国有企业未能摆脱传统发展战略所赋予的政策性负担，因而不仅其自身的改革难以深化，还导致经济周期性波动、寻租和腐败行为泛滥、金融体制改革举步维艰、地区间发展差距扩大和粮食生产不稳定等问题的产生。而摆脱这种种困境的一个首要前提就是必须认识到经济体制内部各种制度安排之间以及经济体制与发展战略之间的逻辑关系。鉴于在这方面的认识还存在着种种疑惑，我们在修订的过程中，在第7章和第8章中，花费了较大的篇幅进一步强调了这种观点。尽管作为经济学家，本书的作者并没有生活在世外桃源，但过去几年来世界上发生的事件，仍然足以使我们有“洞中才数日，世上已千年”的感慨。在本书的写作中，我们把中国大陆和亚洲“四小龙”的发展经验，以及中国渐进式改革的道路与前苏联和东欧国家的改革方式作了比较，提出了中国发展和改革经验的一般性。世界银行在以“从计划到市场”为主题的《世界发展报告·1996》中引用了我们这本书，并称之为“关于社会主义经济的杰出著作之一”。然而，在很长的时期里经济学家都相信，尽管中国经济改革方式是成功的，但由于中国所具有的特殊条件，这种改革方式不适用于其他国家。不过，那些采取了激进式改革或"休克疗法"的国家，经济困难重重，其中许多国家如俄罗斯不仅迄今不能品尝到改革的果实，反而遭受了金融危机的进一步伤害，以至越来越多的经济学家和政策制定人开始对过去的改革道路进行反思。与此同时，对中国成功经验的兴趣也越来越浓厚。

此外，1997 年以来亚洲所遭遇的金融危机也发人深省。"物必自腐，然后虫生"，我们认为，亚洲金融危机的发生，归根结底根源于这些国家与地区所倡导的经济发展战略，以及相应的经济体制特别是金融体制中所存在的问题。尽管我们在书中所倡导的比较优势战略主要是从日本以及中国台湾、中国香港和韩国、新加坡这亚洲"四小龙"的发展实践中总结出来的，但我们也看到了，东亚诸国家和地区的经济内部始终隐含着实行赶超战略的动机。特别是当韩国逐渐步入新兴工业化国家的行列后，就开始忽视其当前的资源比较优势，赶超的愿望有增无减，从而背离了曾经为其自身经验所验证是成功的发展战略，过度扩张在资金和技术上属于赶超型的大企业集团，最终在金融风暴中遭受最为惨重的损失。所以，亚洲金融危机的发生，不仅没有动摇我们对自己理论的信心，反而增强了它的解释力。这次修订时，在有关的章节中(如第 4 章和第 8 章)，我们增加了相应的内容，以图对世界经济和地区经济中发生的新情况作出解释。

本书以经济学的分析方法讨论中国的资源结构、发展战略、经济体制和经济改革的问题。为了使本书的分析逻辑更加鲜明，主题更加突出，一系列与一般发展及改革有关的问题，如环境与可持续发展问题、全球化问题、法制化问题、政治体制改革问题等等都未予涉及，希望读者见谅。

ABSTRACT

Since the economic reforms and open-door policies began in the late 1970s, China has become the fastest growing economy in the world. The average annual growth rate of GDP in the past two decades after the reform was close to 10 percent, rivaling the record achieved by the four Small Dragons—the creators of the East-Asian Miracle—in their fast growing period. In particular, in China's coastal provinces where the area and population are, respectively, five and four times of those of the four Small Dragons, the annual growth rate reached 12 percent, out-performing the records of the four Small Dragons. China is likely to become once again the world's largest economy in the 21st century.

Chapter 1 of this book provides a general picture of China's reforms and development and forecasts when China is likely to become the world's largest economy. The chapter also outlines the four main questions that the book attempts to address: Why China's economic performances in the pre-reform era and post-reform period are so much different? What are the fundamental causes for the boom-and-bust cycle in spite of the success of China's reforms, and what is the way out for the cycle? How can China—the awakening Giant—create the miracle of climbing up to the apex of human civilization after dropping to the trough from the pinnacle? Finally, what are the general implications of China's experiences of reforms for other reforming economies?

Chapter 2 to 4 compare, theoretically and empirically, two different types of development strategy and reach the main conclusion of the book that the growth performance in an economy depends crucially on the choice of development strategy in that economy. Chapter 2 provides a historical overview and a logic analysis of the formation of China's traditional economic system before the reforms. The trinity of the traditional economic system—namely the distorted macro policy environment, the planned resource allocation system, and the puppet-like micro management institution—was adopted to facilitate the development of heavy industries when China was a capital-scarce economy. In order to lower the costs for the development of heavy industries, the Chinese government artificially suppressed the prices of credit, foreign exchange, energy, raw material, labor and living necessities. Such a distorted macro policy environment resulted in overall economic shortages. A planned resource allocation system was adopted to secure the scarce resources for the development of heavy industries. Furthermore, to ensure that the surplus created by the distorted macro policy environment would be used according to the state's strategic goals, the institution of state ownership and people's commune was adopted. The micro unit was deprived of managerial autonomy in such an institution. The economic system resulted in a distorted industrial structure, poor work incentives, and low allocative efficiency.

Chapter 3 reviews the economic performance of China and other countries with a similar development strategy. The economic performance was dismal in all socialist countries because they all adopted a similar "forging ahead" development strategy. If a capitalist developing economy with a similar endowment structure adopted the same development strategy, it also had a similar macro policy environment, resource allocation system and micro management institution and similar development performance.

Chapter 4 analyzes the causes for the success of Japan and the four Small Dragons in Asia. The main reasons for their success are the following: they had put their own comparative advantages into full play in each stage of their development. Therefore, these economies were very competitive. After the reform started in the late 1970s, China's economic performance improved also because the economy had developed more consistently with the comparative advantages of the economy. The most important factor for an economy to realize its comparative advantages is a price system that can reflect the relative scarcities of factors and product in the economy. Such prices induce the producers, under competition pressure and profit motives, to make full use of the relatively rich, thus relatively cheap factors while making frugal use of the relatively scarce, thus relatively expensive ones. The sharp contrast between China's economic stagnation in the pre-reform period when the forging-ahead strategy was pursued and the rapid economic growth in the last 20 years when the economy relied more on its comparative advantages suggests that the change of development strategy is the key to a sustained growth in China.

Chapter 5 provides an overview of China's reform process. The ex post analysis shows, although China's reform is based on the philosophy of "groping stones to cross the river", the overall direction of the reforms has been fairly clear. First of all, the incentive structure in the micro management units was improved by delegating administrative power and allowing an increasingly larger portion of profits to be retained in the micro management units. Secondly, the rigidity of planned resource allocation system was relaxed and later reformed to allow the newly generated resources to be allocated to the sectors which had been suppressed under the traditional economic system. As a result, the economic structure was improved and the growth rate was accelerated. Finally, when the conflicts among the distorted macro policy environment and the reformed micro management institution and resource allocation system arose, the reforms were deepened to the macro policy environment.

Chapter 6 outlines the main achievements of China's economic reforms: (1) The improvement in the micro incentive mechanism greatly increased workers' work enthusiasm and thus labor's contribution to economic growth. (2) Prompted by competition pressure and profit motives, enterprises paid more attention to market conditions in their choice of products and technologies. The change turned around the trend of negative total factor productivity and the old pattern of growth that depended solely on increasing inputs. (3) The non-state-owned enterprises, which utilized better the comparative advantages of relative abundant labor, expanded rapidly after the gradual liberalization of commodity prices and foreign exchange rate, and the lifting of the ban on labor market. The rapid development of non-state-owned enterprises in turn solved the problem in the socialist system that the economy's employment structure lagged far behind its industrial structure. The chapter concludes that a big socialist country can also realize economic takeoff and prosperity by adopting the strategy of relying on her comparative advantages.

Chapter 7 devotes to a systematic analysis for the causes of the problems emerging in the period of the reforms, such as the vicious boom-and-bust cycle, rampant rent-seeking behavior, widening regional disparities, the deteriorating performance of state-owned enterprises, and so on. The traditional economic system consisted of a set of mutually consistent institutional arrangements. The reforms, starting from the micro management institution, will inevitably put pressure on the reforms in the resource allocation system, and further prompt for the reforms in the macro policy environment. However, the state has not completely abandoned the heavy-industry-oriented development strategy. It still attempted to protect the large and middle-sized state-owned enterprises, which embodied the goal of forging-ahead development strategy, by the low input prices. Because the reforms in macro policies, especially those regarding the interest rate policy, lagged behind the reforms in the resource allocation system and micro management institutions, the internal institutional arrangements become incompatible. The above mentioned problems were consequences of the institutional incompatibility.

Chapter 8 discusses the arduousness and the urgency of speeding up the change of development strategy. The fundamental solution for the problems outlined in Chapter 7 is to reform the macro policy environment so as to eliminate the institutional incompatibility, uproot the much stubborn economic malpractice, and prevent the possibility of a financial crisis. The change of development strategy is also required for a sustained dynamic growth in China.

Chapter 9 summarizes the experiences of China's reforms and its theoretical contributions. China's reform began from the micro management institution by increasing the managerial autonomy. The improvement in the micro incentives created a new stream of resources. On one hand, the allocation of the newly created resources by the autonomous micro management unit prompted for the reforms in resource allocation mechanism and macro policy environment and made the reform proceed in a way that is consistent with the internal logic. On the other hand, the allocation of resources to the suppressed sectors increased the micro management unit's profits and the state's tax without impinging on the benefits of any vested interest group, therefore, the reforms enjoyed overall support and became irreversible. When the reforms proceeded to the macro policy environment, the society had the ability to compensate the losers of the price reforms. Therefore, the price reforms were carried out safely by transforming the nature of reforms from "non-Pareto improvement" to "Kaldor improvement". The macro policy environment reforms were carried out in response to the demands arising from the reforms in the micro management institutions and resource allocation system. The price reforms adopted the dual-track systems as a transitional measure, under which the planned prices were adjusted and the market prices were allowed to grow. The price liberalization will not have great risk when the plan prices have been adjusted close to the market equilibrium level and the share of the resource allocated under the market price track have become dominant. Therefore, the approach makes it possible to across a chasm by two leaps. Such a gradual reform gives the society continuous opportunities for making choices. Therefore, the society can maintain a balance between speed and stability during the process of reforms and prevent the occurrence of political radicalism and social shocks. As the analysis in the book demonstrated, all the reforming economies adopted a similar development strategy in the past, which resulted in a similar economic system and similar economic problems. Therefore, the success experiences of China's reforms provide useful lessons for other reforming economies.

Chapter 10 is a summary of the whole book and answers the four questions raised in the first chapter: (1) The fundamental reason for China's dismal economic performance before the reform was the adoption of the heavy-industry-oriented development strategy. The key to the rapid growth after the reform was the increasing reliance on China's comparative advantages. (2) A series of problems appeared after the reform because the reforms in the macro policy environment lagged behind the reforms in other elements of the trinity of the traditional economic system. The key to a sustained growth in China is abandoning the heavy-industry-oriented development strategy and pushing the reforms further to the macro policy environment. (3) As long as China can carry out the reforms along the direction of exploiting her comparative advantages, China will be able to overcome the obstacles for sustained growth. It is likely that China will overtake the United States and Japan to become the largest economy in the world. The Chinese civilization may thus become the first civilization in the human history to drop from the pinnacle to the trough and then recover to the apex. (4) All the reforming economies adopting a similar development strategy had a similar economic system and encountered similar economic problems. Therefore, the experience of China's reforms provides useful lessons for other reforming economies.

目　录

CONTENTS

3

4

5

1

绪 论

在前现代时期，技术发明和科学发现依赖于工匠、农夫的经验和思维敏捷的天才对自然的观察。中国因人口众多而拥有更多的能工巧匠、耕织能手和智慧过人的天才，因而在推动科学技术进步方面具有比较优势，一度在科学发现、技术创新、生产率提高、工业化程度和财富创造等方面占据领先地位，成为世界上最强盛的经济。一直到两三百年前，与中国相比，“西方国家基本上是一个贫穷落后的农业经济”。①

随着世界历史向现代时期演进，科学发现和技术发明的基本方式逐渐改变，进入借助于科学实验获得的阶段。中国依靠人口众多体现出来的推动科技进步的比较优势就丧失掉了。而中国科举制度中的以君君臣臣的道德规范为目标的课程设置及其激励结构，又阻碍了中国累积起发动一场科学革命所必需的人力资本，因而这个曾经极度辉煌过的古老国家，在近代科学革命的历程中变得无声无息，对于科学革命所带来的快速发展的机会也失之交臂。②其结果是，西方世界得益于科学革命的成果实现了经济起飞，最终完成了经济现代化，而中国这个文明古国却由盛到衰，大大落后于西方国家。

进入 20 世纪后，推动经济发展所必需的科学、技术要素不再要求一定由每个发展经济的国家独立创造出来，后起的发展中国家可以通过学习和技术转让，利用他人创造出来的成果来发展经济，从而为每一个经济的发展提供了新的机会。从50年代起中国开始加快工业化建设的步伐，并试图通过一系列政治运动来迅速实现经济现代化的目标。然而，经济发展仍不尽如人意，不仅没能赶上发达国家，反而拉大了差距。例如，1950年，中国的国内生产总值尚为日本的两倍有余，而1980年仅仅约为日本的90%。③

70年代末中国开始了一场从农村到城市的全面经济改革，并取得了令世人瞩目的成效。从1978年以来的20年间，国内生产总值平均每年增长9.8%。是中华人民共和国成立以来发展最快的时期，也成为世界上增长最快的经济。同期，人均国内生产总值平均每年增长8.4%，达到创造“东亚奇迹”的亚洲“四小龙”在快速发展时期的增长速度。特别是在面积和人口分别为亚洲“四小龙”5倍和4倍的沿海5个省份，连续保持高达12%的经济增长速度，超过了亚洲“四小龙”最快速发展时期的增长速度，创造了人类经济增长历史上前所未有的奇迹。

可以预计，如果中国经济增长赖以支撑的条件能够持续不变或进一步改善，那么，不久的将来中国经济总规模将超过美国和日本，成为世界上最大的经济。中国是占世界人口2/3的发展中国家的一员，又是一个处于经济改革实践中的国家，她的经济从计划向市场过渡和发展成功，并将成为世界上唯一的一个经历了由盛到衰，再由衰到盛的大国的可能性，不能不引起世界范围的关注和学术上的好奇。本书的目的就是试图从经济学的角度，分析和考察中国上述奇迹产生的原因，并由此得出中国进一步改革的方向，以及对于其他处于同样发展和改革过程中国家的借鉴意义。

1.1 改革以来的增长与下个世纪的展望

20世纪70年代末，中国开始对高度集中和低效率的经济体制进行改革。第一步是在农村实行家庭承包制；对国有企业实行以放权让利为主要内容的各种改革，并允许非公有制经济合法存在。在对高度集中的计划配置制度进行改革的同时，逐渐调整或部分放开了对产品和生产要素价格的控制。对外则实行开放政策，引进外资、扩大贸易，允许外商在中国直接投资，建立独资或合资企业。经过十几年的改革，提高了经济效率，调整了经济结构，把一个典型的中央计划经济转变为市场在资源配置上发挥主要作用的经济，使中国成为世界上发展最快、增长最有活力的经济之一。

根据世界银行《世界发展报告(1997)》中公布的有关数据计算：1980—1995年期间，中国的国内生产总值和人均国民生产总值的年均增长率分别为11.1%和8.2%，在世界经济中独领风骚。人均国民生产总值比同期世界年均增长率高6.5个百分点，比发达国家高7.3个百分点，比发展中国家高4.8个百分点，比同期的新加坡、韩国、马来西亚和印度尼西亚高出1.9—3.5个百分点。农业、工业和服务业的年均增长率分别为5.4%、13.4%和12.4%，都显著地高于发展中国家、发达经济和世界的平均水平。从图1.1可以看出，上述这几个重要的经济指标，中国少则比它们高出1倍左右，多则高出2倍以上。④

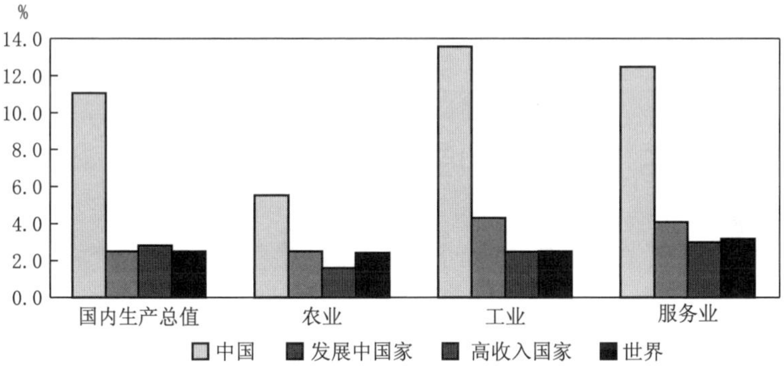

图1.1 中国、世界和其他类型经济的年平均增长率(1980—1995年)

资料来源：世界银行：《世界发展报告(1997)》，北京：中国财政经济出版社1997年版，第234—235页。

与改革后经济近乎崩溃的东欧和前苏联国家相比，中国经济增长的绩效表现更为突出，差异更加显著。从表1.1和表1.2中可见，最近10年(1988—1998年)前苏联和东欧国家面临的大多是经济负增长和高通货膨胀率并存的格局。事实上，就这些国家中的绝大多数来说，1998年的真实国内生产总值尚未恢复到1989年的水平。

表 1.1 东欧及波罗的海国家和独联体国家国内生产总值的实际增长率(%)

国　　别	1988	1989	1990	1991	1992	1993	1994	1995	1996	1997	1998	估计	预测
合　计				−11.0	−9.5	−4.7	−5.4	−0.1	−0.2	2.0	−1.0	73	72
东欧及波罗的海国家				−11.0	−3.8	0.4	3.9	5.5	4.0	3.6	3.1	96	99
阿尔巴尼亚				−30.0	−7.2	9.6	9.4	8.9	9.1	−7.0	10.0	80	88
保加利亚	2.5	−1.9	−9.1	−12.0	−7.3	−1.5	1.8	2.1	−10.9	−6.9	4.0	63	66
克罗地亚				−29.0	−11.7	−8.0	5.9	6.8	6.0	6.5	4.8	76	80
捷克	2.5	1.4	−0.4	−14.0	−3.3	0.6	3.2	6.4	3.9	1.0	−0.5	98	98
爱沙尼亚				−13.0	−14.2	−9.0	−2.0	4.3	4.0	11.4	5.0	73	77
马其顿				−11.0	−21.1	−9.1	−1.8	−1.2	0.8	1.5	5.0	56	59
匈牙利	−0.1	−0.2	−4.0	−12.0	−3.1	−0.6	2.9	1.5	1.3	4.4	4.6	90	95
拉脱维亚				−8.0	−34.9	−14.9	0.6	−0.8	3.3	6.5	4.0	56	58
立陶宛				−13.0	−21.3	−16.2	−9.8	3.3	4.7	5.7	3.0	61	63
波兰	4.0	0.2	−11.6	−7.0	2.6	3.8	5.2	7.0	6.1	6.9	5.2	112	118
罗马尼亚	1.4	−6.9	−7.4	−14.0	−8.7	1.5	3.9	7.1	4.1	−6.6	−5.2	82	78
斯洛伐克	2.5	1.4	−0.4	−16.0	−6.5	−3.7	4.9	6.9	6.6	6.5	5.0	95	100
斯洛文尼亚				−9.0	−5.5	2.8	5.3	4.1	3.1	3.8	4.0	99	103

（续表）

国　别	1988	1989	1990	1991	1992	1993	1994	1995	1996	1997	1998	估计	预测
独联体国家				−11.0	−14.2	−8.9	−13.1	−4.6	−3.4	0.9	−3.6	57	55
亚美尼亚				−12.0	−52.6	−14.8	5.4	6.9	5.8	3.1	6.0	38	40
阿塞拜疆				−2.0	−22.6	−23.1	−19.7	−11.8	1.3	5.8	6.7	40	42
白俄罗斯				−3.0	−9.6	−7.6	−12.6	−10.4	2.8	10.4	5.0	71	75
格鲁吉亚				−25.0	−44.8	−25.4	−11.4	2.4	10.5	11.0	9.0	32	35
哈萨克斯坦				−8.0	−2.9	−9.2	−12.6	−8.2	0.5	2.0	1.0	63	63
吉尔吉斯斯坦				−5.0	−19.0	−16.0	−20.0	−5.4	7.1	6.5	4.0	57	60
摩尔多瓦				−12.0	−29.1	−1.2	−31.2	−3.0	−8.0	1.3	−2.0	35	34
俄罗斯	4.5	1.9	−3.6	−11.0	−14.5	−8.7	−12.7	−4.1	−3.5	0.8	−5.0	58	55
塔吉克斯坦				−9.0	−29.0	−11.0	−18.9	12.5	−4.4	1.7	3.4	40	41
土库曼斯坦				−7.0	−5.3	−10.0	−18.8	−8.2	−8.0	−26.0	5.0	42	44
乌克兰	2.3	4.1	−3.4	−14.0	−13.7	−14.2	−23.0	−12.2	−10.0	−3.2	0.0	37	37
乌兹别克斯坦				−1.0	−11.1	−2.3	−4.2	−0.9	1.6	2.4	2.0	87	88

注:估计是以 1989 年为 100,1997 年的真实国内生产总值水平;预测是以 1989 年为 100,1998 年的真实国内生产总值的水平。
资料来源:*Economics of Transition*，Vol.1，No.2，1993，pp.370—378；*Economics of Transition*，Vol.6，No.2，1998，p.545.

表 1.2　东欧及波罗的海国家和独联体国家的通货膨胀率(%)

国　　别	1988	1989	1990	1991	1992	1993	1994	1995	1996	1997
东欧及波罗的海国家										
阿尔巴尼亚				36.0	236.6	30.9	15.8	6.0	17.4	42.1
保加利亚	2.2	10.0	64.0	334.0	79.4	63.8	121.9	32.1	310.8	578.5
克罗地亚				123.0	938.2	1 149.0	−3.0	3.5	3.4	3.8
捷克	0.2	2.3	10.8	57.0	12.7	18.2	9.7	7.9	8.6	10.0
爱沙尼亚				212.0	953.5	35.6	42.0	29.0	15.0	12.0
马其顿				115.0	1 925.2	229.6	55.4	9.0	−0.6	2.6
匈牙利	16.1	17.0	28.9	91.0	21.6	21.1	21.2	28.3	19.8	18.4
拉脱维亚				172.0	959.0	35.0	26.0	23.1	13.1	7.0
立陶宛				225.0	1 161.1	188.8	45.0	35.5	13.1	8.5
波兰	60.2	251.1	585.7	70.0	44.3	37.6	29.4	21.6	18.5	13.2
罗马尼亚	2.6	0.9	7.4	161.0	199.2	295.5	61.7	27.8	56.9	151.4
斯洛伐克	0.2	2.3	10.8	61.0	9.1	25.1	11.7	7.2	5.4	6.4
斯洛文尼亚				115.0	92.9	22.8	19.5	9.0	9.0	8.8
中位数					199.2	35.6	26.0	21.6	13.1	10.0
平均数				85.0	510.2	165.6	35.1	18.5	37.7	66.4

（续表）

国　别	1988	1989	1990	1991	1992	1993	1994	1995	1996	1997
独联体国家										
亚美尼亚				100.0	na	10 896.0	1 885.0	31.9	5.8	21.8
阿塞拜疆				138.0	1 395.0	1 293.8	1 788.0	84.5	6.5	0.4
白俄罗斯				80.0	1 159.0	1 996.0	1 960.0	244.0	39.0	63.0
格鲁吉亚				81.0	1 176.9	7 487.9	6 474.4	57.4	14.3	7.1
哈萨克斯坦				91.0	2 984.1	2 169.0	1 160.0	60.4	28.6	11.3
吉尔吉斯斯坦				85.0	1 259.0	1 363.0	95.7	31.9	35.0	14.7
摩尔多瓦				98.0	2 198.0	837.0	116.0	213.8	15.1	11.2
俄罗斯		2.0	5.6	93.0	2 506.1	840.0	204.4	128.6	21.8	10.9
塔吉克斯坦				103.0	1 364.0	7 344.0	1.1	2 133.0	40.5	163.6
土库曼斯坦				90.0	644.0	9 750.0	1 328.0	1 262.0	446.0	21.5
乌克兰	0.3	2.2	4.2	91.0	2 730.0	10 155.0	401.0	182.0	39.7	10.1
乌兹别克斯坦				82.0	910.0	885.0	1 281.0	177.0	64.0	50.0
中位数					1 364.0	2 082.5	1 220.5	100.8	31.8	13.0
平均数				101.0	1 666.0	4 584.7	1 391.2	363.0	63.0	32.1

注：1997 年为估计数。
资料来源：*Economics of Transition*，Vol.1，No.3，1993，pp.370—378；*Economics of Transition*，Vol.6，No.2，1998，p.545.

改革前后的中国经济增长发生了很大的变化。1978—1997年，国内生产总值由3 624亿元增加到74 772亿元，人均国内生产总值由379元增加到6 079元，按可比价格计算，平均每年分别增长9.81%和8.36%；比1952—1977年间的国民收入总额和人均国民收入年均增长率（5.74%、3.60%）⑤分别高出71%和132%。同期，第一产业、第二产业和第三产业的年平均增长率为5.03%、11.87%和10.62%，比1952—1977年间农业、工业和服务业⑥的年平均增长率（1.77%、10.81%、4.45%）分别提高了184%、10%和139%。⑦1978—1997年，对外贸易增长得更为迅速，进出口总额由206.4亿美元增加到3 250.6亿美元，年均增长15.6%，其中出口总额由97.5亿美元增加到1 827.0亿美元，年均增长16.7%，进口总额由108.9亿美元增加到1 423.6亿美元，年均增长14.5%，⑧双双超过了国民生产总值年均增长率，它标志着中国经济正朝国际经济一体化的方向迈进。

在经济快速增长的同时，城乡居民收入成倍增长。农村居民纯收入由1978年的133.6元提高到1997年的2 090元，城镇居民家庭人均可支配收入由343.5元增加到5 160元，扣除价格上涨因素，年均增长8.1%和6.2%，分别比改革开放前的26年高5.6和5.1个百分点。在城乡居民收入总额中，金融资产性收入比重逐渐提高。1997年底城乡居民储蓄存款余额达46 280亿元，比1978年的211亿元增长218倍，年均递增32.8%，仅此一项，利息就达2 000多亿元。此外，城乡居民还拥有400多亿美元的外币存款，4 000多亿元的各种债券，2 500多亿元股票，1 000多亿元的内部职工股票，以及8 000亿元的现金，金融资产总额超过6万亿元。⑨

人民的生活水平也有大幅度的提高，生活质量明显改善。居民消费水平由1978年的184元增加到1997年的2 677元，按可比价格计算，平均每年增长7.7%，是1952年至1977年间年均增长率（2.2%）的3.5倍。⑩消费结构也发生了变化，城市和乡村居民的恩格尔系数（食品消费支出占生活消费支出的比重），分别由1978年的57.5%、67.7%下降到1997年的46.4%和55.1%，各下降了11.1个百分点和12.6个百分点。

作一些历史的对比更有说服力。在1952—1978年期间，主要食品中的粮食、食用油人均消费量不仅没有上升，而且有所下降，家禽的人均消费量基本上没有变化，肉类、鲜蛋、水产品人均消费量的增长率在100%以内，绝对增长量不足或略高于1千克；只有基数很小的食糖和酒的人均消费量增长率分别达到276%和125%，绝对增加量为2.5千克和1.4千克。在1978—1992年间，除人均粮食消费量受粮食需求的收入弹性低的影响而增长较慢外，其他主要食品都增长得非常快，少则翻了一番，多则超过了两番。卫生部门的调查与统计资料表明，目前中国的平均营养水平已达到中等收入国家的水平。

耐用消费品不仅数量上快速增长，而且结构发生了显著变化。统计部门所作的统计调查表明，70年代的耐用消费品以100元左右的手表、自行车、缝纫机、收音机为主；80年代的耐用消费品以1 000元左右的电视机、冰箱、洗衣机、照相机为主；进入90年代以后，耐用消费品已开始以5 000元左右的空调、电话、录像机、摄像机和万元左右的电脑为主，最近几年，10万元以上的公寓住宅、小汽车也开始进入居民家庭。

最近20年的经济快速增长和具有继续快速增长的能力与内外部条件，为中国再次成为世界上最强盛的经济之一带来了希望。事实上，中国发展态势的明显好转已使具有战略眼光的国外经济学家发现：中国这头沉睡了数百年的“雄狮”正在觉醒，并有可能在下世纪初叶再次成为世界上最大的经济。⑪中国这头沉睡了数百年的“雄狮”是否真正觉醒，并创造出从人类文明的顶峰跌入谷底之后，又从谷底升至顶峰的奇迹呢？对此，需要作一个简单的预测和分析。

1997年，中国国内生产总值74 772.4亿元，若按当年人民币对美元的平均汇率计算，为9 020亿美元，位于美国（78 193亿美元）、日本（42 234亿美元）、德国（21 154亿美元）、法国（13 938亿美元）、英国（12 784亿美元）和意大利（11 462亿美元）之后，居世界第7位。

改革以来，中国数次大幅度地下调汇率，人民币与美元的比价已由1978年的1.7∶1下降到1997年的8.28∶1，这一变化对按官方汇率计算的国内生产总值的增长产生了很大的影响。而且一个经济中有许多产品和服务是非贸易品，其价格在发达国家和发展中国家差异悬殊，也会使按官方汇率计算的发展中国家的经济规模趋于偏低。一些从事国际经济比较研究的经济学家认为，中国目前实际达到的经济总规模大大超过了按官方汇率计算的总规模，并对中国实际达到的经济总规模作了新的估算。

例如，国际货币基金组织的经济学家采用购买力平价方法，计算出1992

年中国国内生产总值为 17 000 亿美元,相当于按官方汇率计算的同年国内生产总值的 4.7 倍;⑫而世界银行按购买力平价方法所作出的估算是,1993 年中国国民生产总值为 27 404.40 亿美元,相当于按官方汇率计算的总规模的 4.8 倍。⑬澳大利亚经济学家部若素等利用“在生活消费习性相同的经济类型中,相同的生活消费水平意味着具有相同的人均国民生产总值”这一假说,就中国大陆和其他生活消费习性相同的东亚国家和地区,尤其是台湾、香港、新加坡等华人社区作了全面的比较,在此基础上推算出中国目前实际达到的国内生产总值约为按官方汇率计算的国内生产总值的 3 倍。⑭

使用购买力平价法,存在着因选择的样本、依据的资料和估算的方法不同,得出的数值各不相同的问题,但毕竟有相同的结论,即用汇率估算的国内生产总值低估了实际购买力(参见表 1.3)。从表 1.3 可以看出,按照赫斯顿·萨默斯和克拉维斯的估计,用购买力平价法估算的国内生产总值是汇率换算法的 7—8 倍左右,兰德公司和国际货币基金组织的估计在 2—3 倍左右,而世界银行和北京航空航天大学任若恩的估计在 4 倍左右,介于它们之间。基于此,我们选用世界银行的有关数据再作进一步的分析。

表 1.3 中国人均国内生产总值的估算(美元)

	折算年份	汇率换算法	购买力平价	购买力平价/汇率换算法
赫斯顿·萨默斯	1986	300	2 444	8.15
克拉维斯	1988	330	2 472	7.49
兰德公司	1990	370	1 031	2.79
劳伦斯·萨默斯	1990	370	2 140	5.78
北京航空航天大学	1991	370	1 680	4.54
国际货币基金组织	1992	470	1 600	3.40
世界银行	1993	485	2 120	4.37
澳大利亚外交部	1994	530	1 500—2 500	2.83—4.72
世界银行	1995	620	2 920	4.71

资料来源:郑京平:《中国人均 GDP 到底为多少美元》,《经济学消息报》1996 年 9 月 13 日;世界银行:《世界发展报告》,北京:中国财政经济出版社,1990—1997 年各卷;Wu, Harry X., “Measuring China's GDP”, EAAU Briefing Paper Series No.8, Department of Foreign Affairs and Trade, Australia, 1997。

从表 1.4 可以看出,1991 年,按照汇率换算法,中国的经济总规模位于世界第 10 位,而按照购买力平价法,则位于第 3 位;1995 年,这两个指标分

表 1.4 世界上经济总规模最大的 10 个国家(亿美元)

1991 年							1995 年						
汇率换算法(1)			购买力平价换算法(2)			差 异 (2)/(1)	汇率换算法(1)			购买力平价换算法(2)			差 异 (2)/(1)
位 次	国 别	GNP	位 次	国 别	GNP		位 次	国 别	GNP	位 次	国 别	GNP	
1	美 国	56 100	1	美 国	56 100	1.00	1	美 国	70 984	1	美 国	70 984	1.00
2	日 本	33 600	2	日 本	23 700	0.71	2	日 本	49 629	2	中 国	35 046	4.71
3	德 国	15 700	3	中 国	16 600	3.86	3	德 国	22 531	3	日 本	27 682	0.56
4	法 国	12 000	4	德 国	12 500	0.80	4	法 国	14 519	4	德 国	16 437	0.73
5	意大利	11 500	5	法 国	10 400	0.87	5	英 国	10 940	5	印 度	13 012	
6	英 国	10 100	6	印 度	1 000		6	意大利	10 879	6	法 国	12 218	0.84
7	加拿大	5 800	7	意大利	9 800	0.85	7	中 国	7 441	7	意大利	11 366	1.04
8	西班牙	5 300	8	英 国	9 000	0.89	8	巴 西	5 795	8	英 国	11 267	1.03
9	巴 西	4 500	9	巴 西	7 900	1.76	9	加拿大	5 736	9	巴 西	8 597	1.48
10	中 国	4 300	10	墨西哥	6 000		10	西班牙	5 323	10	印 尼	7 345	

资料来源:李京文主编:《走向 21 世纪的中国经济》,北京:经济管理出版社 1995 年版,第 48 页;世界银行:《世界发展报告(1997)》,北京:中国财政经济出版社 1997 年版,第 214—215 页。

别为第 7 位和第 2 位。最近两年，中国大陆的经济增长率显著高于位于前 10 位的其他国家，这种上升趋势没有改变。如果这种趋势继续保持下去，中国就有可能成为世界上总规模最大的经济。这种趋势要保持多长的时间，即中国大概在什么时候会成为世界上总规模最大的经济呢？这显然是一个十分有意思的问题。

如果中国经济可以在未来一段相当长的时间里维持自 1978 年底改革开放开始以来所达到的增长速度，中国经济将可以如国内外许多学者所预期的那样，在下个世纪成为全世界最大的经济。如果中国面对国内外经济环境的制约，能够继续推进其未竟的改革，经济完全有可能再保持 20—30 年的快速增长。

一般来说，一国经济增长的速度主要决定于以下三个因素：(1)各种生产要素（尤其是资本）的增加。(2)生产结构从低附加值的产业向高附加值的产业的升级。(3)技术的进步。在这三个因素中，最重要的是技术进步。在各种生产要素中，一个经济拥有的自然资源的量可以看作是给定的，各个经济之间劳动力的增加差别则不大，差异较大的是资本积累的速度。而资本积累和产业结构的升级则受到技术变迁的速度的制约。如果技术不进步，资本的不断积累必然会出现边际报酬递减的情形，积累意愿就会下降。同样，一个经济中如果没有技术的升级，也就不会有产业结构的升级。

中国经济能够继续保持高速度增长的判断，首先在于其所具有的很高的资本积累率。这种高资本积累率能为经济快速发展提供有力的支持。根据一般经验，技术结构的改进是和资金密集度提高联系在一起的，即持续的技术进步从而快速的经济增长，要有相对充裕的资金积累作保证。中国经济是少数能保持较大数额的资金积累的经济。改革以来，中国的经济流量越来越大，而且资本的年积累率高达 GDP 的 40%左右，中国所具有的这一特征将会对经济保持快速增长产生显著的作用。

其次是产业结构升级特别是伴随着这个过程而发生劳动力转移，能为经济快速增长提供有力的支持。随着人均收入水平的提高，劳动力从第一产业向第二和第三产业转移，是一个基本的规律。由于长期推行重工业优先发展战略，中国劳动力资源的配置严重地受到扭曲，目前 70%的劳动力仍集中在附加价值低的农业部门。随着中国经济的进一步发展，以及劳动力市场的发育和其他制度环境的改善，劳动力将会在市场机制的诱导下从低附加价值部门转移到高附加价值部门，并对经济增长作出重要的贡献。由于总体发展水平较低和地区间发展差异很大，劳动力从边际生产力低的农业部门转移到边际生产力高的非农部门的过程至少可以持续几十年，从而将会对中国经济保持快速增长作出积极的贡献。

第三来自所谓技术进步的“后发优势”。技术进步有两种实现方式：(1)自己投资进行研究和开发；(2)向其他国家学习、模仿，或者说花钱购买先进技术以实现本国的技术进步。最尖端的技术开发研究的特点是成功率很低，一般而言，95%的科研投资没有取得任何成果，而在取得成果的技术中也仅有一小部分具有商业价值，因此开发尖端新技术的投入很大而失败的概率很高；相对而言，模仿和购买技术所需的成本就要低得多。发达国家由于处于技术的最前沿，因此必须通过自己从事研究和开发新的尖端技术才能实现技术进步，因而这些国家实现技术进步的成本高，总体的进步慢；而像中国这样的一个发展中国家，由于同发达国家在技术上存在着很大的差距，因此在选择技术进步的实现方式上具有后发优势，可以采用模仿、购买等方式来实现技术进步。许多研究证明，就是用买专利的方式，其成本也只是原来开发成本的三分之一左右，更何况，购买的技术一定是已经证明是成功的、有商业价值的技术。

日本经济从20世纪50年代开始到80年代维持了将近40年的快速增长，亚洲“四小龙”的经济从60年代开始直到最近也维持了将近40年的快速增长，这些快速增长被认为是奇迹，它们依靠的就是和发达国家的技术差距，并以引进技术来实现技术快速的进步和经济快速的转型与增长。

中国大陆的经济从实行改革开放开始，才走上和日本及亚洲“四小龙”同样的以引进技术为主导的快速增长的道路。在1978年时中国大陆的技术水平与发达国家的差距远大于日本于50年代以及亚洲“四小龙”于60年代与发达国家的技术水平的差距。如果利用同发达国家的技术差距能使日本和亚洲“四小龙”维持近40年的快速增长，那么单单利用这个技术差距，中国大陆的经济应该就有可能维持近50年的快速增长。而且，即使到了90年代，中国大陆的农业人口仍比50年代的日本和60年代的亚洲“四小龙”多，资源从低附加值的产业向高附加值的产业转移的潜力很大；同时，中国大陆的资本积累率每年高达 GDP 的 40%左右,为全世界最高的经济体之一。这些因素表明,中国发展的潜力大,至少可以有 50 年的快速增长。从 1978 年底的改革到现在才 20 年,因此,中国应该有可能再维持 30 年左右的快速增长。

除了上述支持中国经济持续高速度增长的因素之外,还有另外两个因素为这个增长提供了潜力和保障。第一是改进制度效率的潜力还很大。中国自实行渐进性的改革开放政策以来,已经取得了举世瞩目的成就,但改革的任务进而经济转型的任务至今还没有完成,通过深化改革,使资源配置效率向生产可能性曲线靠近,将被传统体制压抑的生产力释放出来,还有相当大的潜力。虽然制度改进的作用是一次性的,但意义非常重大。改革初期从改进农业资源配置制度入手,将被人民公社制度压抑的生产力释放出来,使农业生产效率向生产可能性曲线靠近,一举解决了农产品供不应求的局面;可以相信,从创造公平竞争的市场体系入手深化国有企业改革,也将有力地促进生产效率向可能性曲线靠近,将被传统体制压抑的生产力释放出来。

第二,大国优势也是中国能够将快速增长继续维持下去的重要保证。一般来说,经济规模小的国家或地区,内部的差异相对较小,缩小内部技术结构差异所需的时间相对短一些;大国则不然,由于内部差异非常大,缩小内部技术结构差异所需的时间会很长。中国是一个大国,地区间的发展差距很大,缩小技术结构差距的努力首先是在东部沿海地区展开的,并对中国最近 20 年的快速增长作出了非常大的贡献;但东部的技术结构与发达国家相比还存在很大的差距,利用技术结构差异的潜力还很大。中西部地区的技术结构不仅同发达国家相比差距极大,同中国东部相比差距也很大,所以增长的潜力也更大。在一个经济的内部,技术转移的成本会更低一些,对经济增长的贡献则会更大一些。

中国人口众多在推动科学技术进步方面的比较优势,曾因没有跟上科学发现和技术发明进入借助于科学实验获得的阶段的历史步伐而丧失掉了。最近 20 年,中国的正式教育和非正式教育发展得都非常快,同发达国家的差距正在逐步缩小。在这种情形下,人口总量大,不仅能工巧匠的绝对数量多,有天分的科学家的绝对数量也会多;科学家越多,科学家群体的结构优势越强;经济规模越大,科学家个人能力的辐射范围越大,开展技术创新进而推动经济发展的条件越好。这种大国优势,或许是在四大文明古国中由衰至兴的奇迹率先发生在中国的重要原因。

事实上，许多学者和研究机构已经对中国经济总量的预测作了研究。例如，据美国兰德公司的预测，到2010年，中国国内生产总值将达到8万亿美元，超过美国和日本。澳大利亚外交与外贸部估计，到2015年前后，中国经济总量超过美国，成为世界上最大的经济。研究长期经济发展的著名学者麦迪逊所作估计与此相近。世界银行的经济学家估计，如果中国保持当前的发展速度，到2020年，如果美国的国内生产总值是109个单位，日本是43个单位的话，中国的国内生产总值将达到140个单位。[15]即使我们使用汇率法作最保守的估计，即如果中国、美国和日本的经济增长率分别保持1980—1995年期间的平均水平，即9.6％、4.0％和2.7％，[16]中国的经济总规模将会在2035年前后超过美国和日本，成为世界上最大的经济。一言以蔽之，如果中国经济能够保持持续的快速增长，就能够在21世纪上半叶成为世界上最大的经济。[17]

1.2 长期增长所面临的政策障碍

在当今世界的整个经济格局中，中国经济连续20年以接近10％的速度超高速增长，可谓“一枝独秀”。如果中国能够保持50年的快速发展，在下个世纪前期达到中等发达国家水平的目标就能够实现。诚然，要把中国经济保持长达半个世纪的快速增长的可能性转为现实，从而使中国经济在21世纪上半叶成为世界上最大的经济，完成一个人类历史上由盛变衰，再由衰至盛的奇迹，是有很大难度的。无论体制转型上的延误还是发展政策上的失误，都有可能使这种可能性的实现延缓或成为泡影。

特别是改革20年来，虽然国民经济增长十分迅速，但在这种快速增长过程中也出现了一系列令人深感忧虑的问题。

(1) 经济的周期波动。从1978年底改革开放以来，中国经济的年平均增长速度很快，但年际间的增长差异也很大，年增长率有时高达13％—14％，有时只有3％—4％。最近20年已经历了4个周期，平均每4—5年就有一个。如果周期波动是平稳的或是收敛的，其负面影响也许还可忍受。

不幸的是,这种周期波动有幅度加大的趋势,它不仅会伤害稳定高速的经济增长,而且使人产生国民经济将在周期波动中有可能突然崩溃的担心。如果经济发生崩溃,中国经济到下个世纪中叶前成为全世界最大经济的预期当然是不可能实现的。

(2) 腐败现象不断滋生。最近20年,市场在资源配置方面的作用越来越大,但到目前为止,政府仍掌握或控制着相当一部分资源(包括资金、许可证等)的配置权或定价权。政府价格与市场价格之间的价差,就是制度租金。靠各种手段追逐制度租金的活动就是"寻租"(rent seeking)行为。对于政府官员来说,由于这种职能是其隐性收入的来源,所以决不会轻易放弃这种权力,他们会利用各种机会强调这种职能的重要性,甚至把它称为社会主义市场经济的特色。对于企业来说,随着改革的不断深化,会越来越重视通过市场竞争得到资源,但只要存在着制度租金,它们就不会放弃对制度租金的追逐。近年来,中国经济中企业的寻租动机越来越强烈,寻租手段越来越不正当,造成了腐败现象,腐蚀了那些掌有资源配置权力的政府官员,败坏了改革的声誉,引起了国民的广泛不满。

(3) 银行体系的弊病。据估计,中国各商业银行目前的呆账、坏账比例在20%—25%之间,同发生金融危机的泰国、马来西亚、印尼、韩国的银行呆账、坏账相比,有过之而无不及。中国之所以免遭这场金融风暴的冲击,主要是因为银行业还没有开放,人民币还不能自由兑换。但是,如果呆账、坏账的比例继续提高,储蓄者总有一天会对银行体系丧失信心,银行体系遭受外国投机者冲击的风险则有可能随着金融市场对外开放程度的提高而增大,这两方面的因素合在一起,很可能会使中国发生银行恐慌和金融危机,从而威胁到整个经济的发展。

(4) 国有企业的亏损。改革前,政府财政收入主要来自国有企业上缴的税利。改革后,国有企业的盈利状况一直不佳,1997年甚至出现了全行业亏损,国有企业亏损和补贴成为政府财政捉襟见肘的重要原因。如果国有企业的盈利状况仍然不能改善,政府财政总有一天会背不起,一旦许多国有企业同时关闭、破产,国有企业的工人大量失业,社会稳定都无法保证,更谈不上经济的快速发展了。

(5) 地区差距的扩大。改革初期,东、中、西部和城乡收入差距不断缩小，1985 年以后，地区和城乡收入差距再度扩大，到 90 年代初期，地区和城乡收入的差距比改革前还大。地区差距的扩大造成东部和中西部对政策产生不同的需求，东部希望中央政府继续放权和进一步市场化，而中西部则希望中央政府加强集权，因此，中央政府难以制定和实施让大家满意的政策。地区间收入差距的扩大使许多中西部农民不安于农业生产，纷纷拥入东部地区打工。据估计，农民工的人数已达 8 000 万到 1 亿之间。在经济复苏和高涨期间，廉价的农民工一方面为东部经济发展作出了积极的贡献。另一方面，靠自己省吃俭用，将大部分收入汇回老家，成为中西部资金积累和收入增加的主要来源。然而，如果发生经济萧条，大批农民工滞留在城市里，将有可能成为社会不稳定的根源。

(6) 粮食生产的问题。"无粮不稳"是中国几千年历史积累下来的政治智慧，也是 70 年代末农村实行承包制的重要原因。改革以来，粮食生产仍有波动，但从总量上看已能满足国民温饱需求。然而，中国毕竟是世界上耕地最稀缺的国家之一，又将受到非农产业和基础设施发展占用耕地的冲击，同时，人口继续增长和饮食结构改善造成粮食需求的增加。中国能否生产出这些粮食，能否在不影响世界上其他地区的情形下利用国际市场调节生产波动，也是一个十分重要的问题。如果处理不好，就难以实现国民经济持续稳定快速的增长。

中国经济增长中的上述六大问题，首先对于中国在下个世纪的持续、高速增长至关重要。其中任何一个问题的恶化，都有可能使民族复兴的愿望功亏一篑。其次，上述问题之间具有紧密的内在联系，实际上共同表现出一种经济改革与发展的"活—乱"循环。因此，探讨经济发展前景和深化改革之路，不能不认真对待这些问题。本章提出的这个问题，将在第 7 章和第 8 章进一步论述。

1.3 本书所要回答的几个问题

20 世纪 70 年代末以来中国经济改革和发展所产生的奇迹，已经引起了世界范围的瞩目。近几百年来中国是世界民族之林中的落伍者，为何能在短短的十几年之中急起直追,取得经济发展的巨大成就,她能否保持快速发展的态势,在下个世纪立于世界发展进程的前列,实现几代人孜孜以求的“强国梦”,既是中国领导人和广大人民想弄清楚的问题,也是国外人士注目的所在。特别是,中国经济作为一个发展中的经济和改革中的经济,她在发展与改革中成功的经验是什么,是否具有普遍意义,对于处在相同的发展和制度转变境遇之中的其他经济来说,肯定也是极为关切的。作为中国的经济学家,无论从民族责任感还是从职业进取心来说,尽自己的努力寻求上述问题的答案,都是责无旁贷的。具体地,本书拟着眼于回答下列几个共同关心的问题。

第一个要回答的问题是,为什么在改革以前中国经济发展缓慢,而改革之后得到迅速发展。加快经济发展,赶超发达经济,是中国近代历史上许多仁人志士的“强国梦”。可是事与愿违,近代以来中国与世界发达经济的发展差距愈拉愈大。1949 年中华人民共和国成立以后,中国共产党更是明确树立了赶超西方发达经济的发展目标,并为此而建立了一系列旨在最大限度地提高资源动员能力的政策和制度。然而,到 70 年代末为止的 30 年中,经济发展仍然没有达到预想的目标,人民生活水平停留在温饱线上,改善甚微,到 70 年代末,全国仍有大约 2 亿农民食不果腹。中国从 70 年代末开始了经济改革,逐渐放弃了高度控制资源价格、按计划配置资源和剥夺企业经营自主权的传统经济体制,市场机制开始在资源配置方面发挥越来越重要的作用,国民经济不仅以中国历史上空前的速度增长,而且在世界总的发展格局中也属一枝独秀。无疑,改革是产生这种戏剧性变化的催化剂。因此,总结改革的经验,通过纵向的历史比较说明改革前中国经济发展缓慢,而改革后经济得以快速增长的原因之所在,是本书的首要任务。

第二个要回答的问题是,为什么中国改革的某些方面进展迟缓,甚至在过程中会出现上节中所概述的一系列问题。中国迄今为止的经济改革与发展并非尽善尽美、毫无跌宕。事实上,在深化改革和加快发展的进程中,始终伴随着以瓶颈对速度的制约、通货膨胀压力、腐败现象滋生和体制周期复归为内容的所谓“活—乱”循环。如果不能消除这种“活—乱”循环产生的根源,甚至使之成为一种非收敛型的周期现象,中国的改革和发展就会遇到极大的障碍,下个世纪重新崛起的理想宏图可能会功亏一篑。因此,探讨改革和发展中这种周期现象产生的原因，以及克服的途径，是本书不能回避的问题。

第三个要回答的问题是，中国的改革和发展势头能否得以持续。中国的改革和发展在过去的20年里取得了无可争辩的成功，但是，与已确立的建立社会主义市场经济体制的目标模式相比，中国的改革远远没有大功告成，而要实现经济增长的潜力，占据世界经济发展进程中的前列，更是任重道远。要实现这些目标，必须继续保持改革与发展的势头。然而，中国的改革和发展仍面临着诸多重大难点和障碍，如果不能克服这些难点和逾越这些障碍，改革与发展的势头就不能持续。因此，探讨中国经济改革的逻辑方向，依循这种逻辑找出克服上述改革难点的正确途径，归根结底是本书最为重要的使命。

第四个要回答的问题是，为什么中国的改革取得了巨大的成功，而前苏联和东欧国家的改革却步履维艰。前苏联和东欧都曾是高度集中的计划经济，与中国一样，经历了经济增长缓慢的前改革时期，尝尽了传统经济体制效率低下、激励不足的苦头。这也是它们纷纷进行改革的原因。然而，改革的效果却大不相同。中国在改革的进程中不断向市场经济体制趋近，不断化解严重的通货膨胀压力，克服瓶颈制约，消除政治风波的冲击，实现了持续高速的经济增长。而前苏联和东欧国家从改革伊始就宣称建立完全的市场经济国家，迄今为止却并没有建立起更有效率的新体制，经济增长速度上不去，面临着更为严重的通货膨胀、失业和政治上的不稳定。既然改革效果截然不同的对比双方，在改革起点和目标模式上没有根本的差别，则可能的判断就是，这种不同的改革效果产生于改革方式的相异性。因此，总结中国经济改革的经验，揭示其普遍意义，是本书的重要任务之一。

注　释

① Carlo M. Cipolla, *Before the Industrial Revolution: European Society and Economy, 1000—1700*, 2nd Ed., New York: Norton, 1980, p.171.

② 林毅夫：《李约瑟之谜：工业革命为什么没有发源于中国》，载《制度、技术与中国农业发展》，上海：上海三联书店1992年版，第244—273页。或见 Justin Yifu

Lin, "The Needham Puzzle: Why the Industrial Revolution Did not Originate in China", *Economic Development and Cultural Change*, Vol.43, No.2(January, 1995), pp.269—292。

③ Angus Maddison, *Monitoring the World Economy: 1820—1992*, Paris: OECD, 1995, p.183 and p.191.

④ 世界银行:《世界发展报告(1997)》,北京:中国财政经济出版社 1997 年版,第 234—235 页。

⑤ 中国国民经济统计中的国民生产总值指标序列始于 1978 年,因而无法用该指标进行改革前后经济增长的比较;在社会总产值、工农业总产值和国民收入三个可替代的指标中,社会总产值有重复计算的问题,工农业总产值除存在重复计算问题外,还有忽略建筑业、运输业和商业的问题,国民收入虽有忽略折旧的问题,但相比较而言,它与国民生产总值最为接近,故选择了国民收入指标。

⑥ 中国国民经济统计中的三次产业统计始于 1978 年,鉴于无法按三次产业进行改革前后经济增长的比较,选择最为接近的农业、工业、服务业加以替代。

⑦ 国家统计局编:《中国统计年鉴(1998)》,北京:中国统计出版社 1998 年版,第 57 页。

⑧ 国家统计局编:《中国统计年鉴(1998)》,北京:中国统计出版社 1998 年版,第 620 页。

⑨ 国家统计局编:《成就辉煌的 20 年》,北京:中国统计出版社 1998 年版,第 15 页。

⑩ 国家统计局编:《成就辉煌的 20 年》,北京:中国统计出版社 1998 年版,第 15 页。

⑪ "When China Wakes, A Survey of China", *The Economist*, November 28th, 1992.

⑫ 胡祖六:《走向富强——国际上怎样评估中国的经济地位》,《经济研究资料》, 1993 年第 21 期。

⑬ 世界银行:《世界发展报告(1995)》,北京:中国财政经济出版社 1995 年版,第 162、220 页。

⑭ Garnaut, Ross and Guonan Ma, "Grain in China", Canberra: East Asia Analytical Unit, Department of Foreign Affairs and Trade, 1992.

⑮ Harry X. Wu, "Measuring China's GDP", EAAU Briefing Paper Series No.8, Department of Foreign Affairs and Trade, 1997, p.25;徐滇庆:《世界格局与中国经济发展策略——世纪之交的理论思考》,北京:经济科学出版社 1998 年版,第 26—27 页;Angus Maddison, *Chinese Economic Performance in the Long Run*, Paris: OECD, 1998。

⑯ 世界银行:《世界发展报告(1995)》,北京:中国财政经济出版社 1995 年版,第 164—167 页。

⑰ 这一预测同前世界银行副总裁兼首席经济学家劳伦斯·萨莫斯教授的估计是一致的。萨莫斯曾经预言，如果中美两国各自维持过去 14 年的增长趋势，即保持两国增长速度差不变，那么到 2015 年，中国将超越美国，成为世界最大的经济。萨莫斯还认为，中国是唯一有潜力超过美国的国家（转引自胡祖六：《走向富强——国际上怎样评估中国的经济地位》，《经济研究资料》，1993 年第 21 期）。著名国际经济学家保罗·克鲁格曼在备受瞩目的《亚洲奇迹的神话》一文中，认为东亚的奇迹是纸老虎，但他同时也认为中国是唯一有潜力超过美国的国家（Paul Krugman，"The Myth of Asia's Miracle"，*Foreign Affairs*，Vol.73，No.6，November/December，1994）。

2

赶超战略与传统经济体制的形成

自鸦片战争以后,中国从一个文明鼎盛的天朝大国日益衰落,中国人竟被称作“东亚病夫”。因此,近代以来许多志士仁人满怀强国富民的抱负。1949年中华人民共和国成立之后,中国新政权的领导人面临着选择何种发展道路和管理体制组织经济建设,迅速实现强国富民理想的问题。

第一步是选择经济发展战略,即选择一种能够快速而且直截了当地实现强国、自立目标的发展途径。中国的领导人选择了以优先发展重工业为目标的发展战略。这种战略选择不仅决定于当时国际、国内的政治、经济环境,也十分直观地反映了政治领导人的经济理想。

然而,重工业作为资本密集型的产业所具有的基本特征,与中国当时的经济状况相冲突,使重工业优先增长无法借助于市场机制得以实现。解决这一困难的办法就是作出适当的制度安排,人为地压低重工业发展的成本,即压低资本、外汇、能源、原材料、农产品和劳动的价格,降低重工业资本形成的门槛。于是,适应于重工业优先增长的发展战略,一套以全面扭曲产品和要素价格为内容的宏观政策环境就形成了。相应的制度安排是对经济资源实行集中的计划配置和管理的办法，并实行工商业的国有化和农业的集体化直至人民公社化，以及一系列剥夺企业自主权的微观经营机制。

20世纪70年代末以来中国对之进行改革的传统经济体制，是为了在资金稀缺的经济中推行重工业优先发展战略而形成的，其主要内容是扭曲产品和要素价格的宏观政策环境，高度集中的资源计划配置制度和毫无自主权的微观经营机制。因此，无论是为了理解传统经济体制、解释经济现实中出现的“活—乱”循环，还是探讨进一步改革的策略、预测改革和发展的前景，了解传统经济体制形成的这种逻辑关系和历史顺序都是必要的。

2.1 逻辑起点：重工业优先增长目标

中国经济发展的历史起点很低，这成为影响经济发展战略选择的一个重要因素。在1949年中华人民共和国成立之时，全国工农业总产值只有466亿元，人均国民收入为66.1元。在工农业总产值中，农业总产值比重为70%，工业总产值比重为30%，而重工业产值占工农业总产值的比重仅为7.9%。① 与此同时，由于以美国为代表的西方国家不满于中国大陆的政权更替，实行了一系列在政治上孤立、经济上封锁中国的措施，使其缺乏良好的外部经济联系，并且要随时作好战争的准备。这种状况使中国共产党的领导人明确地意识到，能否迅速恢复和发展经济、尽快自立于世界民族之林，是关系国家和政权生死存亡的头等大事。从当时的发展阶段和认识水平看，实现国家的工业化，几乎是发展经济、摆脱贫困和落后的同义语。

在新中国成立初期，中国工业的基础十分薄弱，即使按当时的标准看，现代工业也只占10%，农业和手工业占90%，将近90%的人口在农村生活和就业。② 在这样的经济中如何进行资本积累，借助于什么样的发展战略加速工业化，是必须作出的选择。当时，中国领导人选择以重工业优先增长为发展目标，带动整个工业化进程，实现经济发展的建设方针，主要有三个原因。

第一，从国际竞争的角度考虑。瓦尔特·霍夫曼对一些国家的工业结构的研究表明，工业化的发展程度是与重工业在工业结构中的比重相关的。③ 他以消费资料工业（即轻工业）和资本资料工业（即重工业）的比值作为划分工业化阶段的指标(即后人所称“霍夫曼系数”),发现工业化水平越高的国家重工业的比重就越高。或许中国领导人在选择重工业作为优先发展的部门时并不一定知道“霍夫曼定律”,但分析当时世界发达国家的经济结构,无疑可以很清楚地看到,重工业意味着现代化大工业,较高的重工业比重标志着国家经济发展水平和经济实力。

第二次世界大战后取得政治独立并走上自主的民族经济建设道路的发展中国家,企图跨越经济发展阶段,直接进入较高的工业化阶段,大多也以发展重工业或实行进口替代为基本发展途径,经济发展的竞争很大程度上成为提高重工业比重的竞赛。要在经济发展的竞争中取胜,迅速自立于世界民族之林,就需要采取赶超的战略。

第二,国际政治、经济环境的制约。1950 年 6 月,朝鲜战争爆发,同年 10 月美国已把战火烧到鸭绿江边,严重威胁着中国大陆的安全,因而中国出兵参战。在卷入朝鲜战争的同时,大陆又处于与台湾国民党政权的军事对峙状态。这种政治、军事态势要求新生的中华人民共和国迅速提高国防实力和整个国民经济的战争动员能力。此外,以美国为代表的西方资本主义国家对中国实行了政治上孤立、经济上封锁和制裁的措施,切断了正常的国际经济交往和贸易。这种国际政治、经济、军事格局,使中国迫切需要迅速建立比较完备、自成体系的工业结构,而重工业则是其中的关键。

第三,工业化积累方式的约束。囿于当时关于一个经济落后国家如何通过自身的积累,实现迅速的经济起飞的认识和经验,中国共产党的领导人认为,在一个农村人口占到人口总数 80%—90%,且大多数农村人口处于贫困状态的二元经济中,以轻工业或消费品工业为优先发展部门,会遇到市场狭小、需求不足,从而无从取得工业化所必需的资本积累的问题。中国经济建设的领导人和专家,似乎从前苏联的建设经验或中国的现实中悟出了重工业具有自我服务、自我循环的产业特征,因而发展重工业可以克服当时农民占人口绝对优势比重,极度的贫困使他们无法为工业发展提供有效需求这一条件的约束,从而超阶段地实行工业化建设。这一点在后面还要进一步分析。

这样一个发展战略目标的选择逻辑和过程,与前苏联历史上的类似时期极为相像。人们通常认为,中国经济建设方针和体制模式,是完全照搬或承袭自前苏联模式。④然而,这种判断并不完全正确。中国经济发展战略目标的选择，具有与前苏联相似的过程和结果，正是由于中国曾面临与前苏联类似的条件或选择空间。我们在后面将要论证：一旦经济发展的目标选定，沿着这一逻辑起点，根据中国自身的经济、社会特征，便形成了一套特有的经济体制。不过尽管如此，为了更好地理解中国重工业优先发展战略目标的选择背景，回顾一下前苏联在20年代的一场工业化问题论战，以及类似的战略选择过程，是有益的。

1921年至1924年根据列宁的思想实行的新经济政策，使苏联的国民经济得到迅速恢复。但是，当时苏联的现代工业比重仍然很小，原始、落后的农业经济和贫困的农民仍然在经济结构中占主导地位。在这种情况下，围绕如何积累工业化所需资金，如何解决工业增长市场需求的不足，以及国民经济应该运用何种机制来调节等问题，在苏联政治领导人和经济学家中展开了激烈的争论。当时，最有代表性的争论双方，是以布哈林为代表的“协调发展派”和以普列奥布拉任斯基为代表的“超工业化派”。⑤

布哈林十分强调农民问题和工农联盟的重要性，指出农业劳动生产率和农业商品率是工业积累和发展的基础。牺牲农民利益不仅不能加快工业化步伐，而且可能危及无产阶级专政。他主张工业化资金应依靠自我积累，以及吸收存款、征收公开税等正常积累方式取得；强调国民经济计划不能脱离市场机制，对于农民经济，应通过与之建立市场联系，将其引导到社会主义轨道上来；通过发展农业，扩大对轻工业产品的需求，从而促进轻工业的发展，增加消费品的供应，而轻工业的发展又扩大了对重工业产品的需求。这样，发展农业就为工业化创造了巨大的市场。

“超工业化派”看到的是迅速实现工业化的目标与国营工业部门规模微小，难以靠自身积累满足资本形成需求的矛盾。普列奥布拉任斯基提出在过渡时期存在着社会主义原始积累规律和价值规律两个对立的调节者，两者各有其自己的调节范围，并且原始积累规律和积累规律将逐渐取代价值规律。因此，计划与市场是对立的。他们主张由国家利用垄断地位，运用工农业产品不等价交换、对非社会主义经济成分征收高额赋税和实行通货膨胀政策等方法进行强制性工业化积累，为此就不能允许市场机制发生作用。

同时，“超工业化派”的经济学家还在理论上论证了一个小农经济比重极大的国家，工业增长如何取得市场的问题。这一理论对后来的社会主义传统经济体制的形成产生了极大的影响。当时在苏联国家计划委员会工作的菲尔德曼依据马克思和列宁关于生产资料优先增长规律的思想，构造了第一个社会主义经济增长模型。在这个模型中，经济发展靠冶金、机械及辅助工业（所谓重工业的综合体）的封闭循环推动，农业只是被动地为工业增长提供资金和劳动力。⑥

这场讨论从1924年开始，持续到1927年，以“超工业化派”经济学家纷纷被清洗出党而告终。但是，仅仅过了一年，加速和优先发展重工业的“赶超”战略重新提起，并且充分体现在1929年通过的五年计划中。优先发展重工业，牺牲当前的消费，成为这项计划的特征。例如，在计划中，规定要把净投资额提高到占国民收入的1/4至1/3的水平，其中3/4投资于重工业。⑦这样，典型的优先发展重工业的经济发展战略第一次得以实践，苏联的经济管理体制也由此形成。

在中国，重工业优先发展战略在以国民经济计划的形式正式确定下来之前并没有引起理论界广泛的讨论。⑧经过1950—1952年经济恢复以后，重工业优先发展的战略目标第一次集中反映在国民经济发展第一个五年计划中。当时的国务院副总理兼国家计委主任李富春在关于第一个五年计划的报告中明确指出：“社会主义工业化是我们国家在过渡时期的中心任务，而社会主义工业化的中心环节，则是优先发展重工业。”⑨第一个五年计划的制定是从1951年开始，计划执行期是1953—1957年。“一五”计划经过边制定边执行的过程，不断进行修正，于1955年上半年才编制完成，并分别经中国共产党的全国代表会议和第一届全国人民代表大会第二次会议通过，予以公布。

第一个五年计划的基本任务，是集中主要力量进行以苏联帮助设计的156个建设项目为中心、由694个重要建设项目组成的工业建设，建立中国社会主义工业化的初步基础；发展部分集体所有制的农业生产合作社和手工业生产合作社，建立对农业和手工业的社会主义改造的初步基础；基本上把资本主义工商业分别纳入各种形式的国家资本主义轨道，建立对私营工商业的社会主义改造的基础。并以此为中心，进行财政、信贷、物资三大平衡和安排人民生活。

在“一五”计划中，重工业获得了中心的战略位置。要求建立和扩建电力工业、煤炭工业和石油工业；建立和扩建现代化的钢铁工业、有色金属工业和基本化学工业;建立制造大型金属切削机床、发电设备、冶金设备、采矿设备和汽车、拖拉机、飞机的机器制造业。“一五”计划的工业建设核心和骨干是苏联帮助设计和建设的156项重点工程,这些建设项目全部是重工业,是一些填补工业的空白、健全工业体系的新兴部门。在第一个五年计划期间,重工业基本建设投资占工业基本建设投资的85%,占工农业基本建设总投资的72.9%。[10]

2.2　重工业的基本特征与中国经济现实

在利用市场机制配置资源的条件下,生产者根据产品和要素的价格来决定生产什么产品和采用什么技术。在中国经济发展的初期,资本供给严重不足,由市场所形成的资本价格或利率水平必然相当高,而劳动力极为丰富,因而相当便宜。也就是说,由于资本相对昂贵,发展资本密集的重工业部门的成本是极其高昂的,在开放和自由竞争的市场经济中,这样的产业是没有自生能力的。[11]如果依靠市场机制来配置资源,是不可能把投入导向重工业部门的;相反倒可能诱致轻工业为主导的工业化,从而无法实现重工业优先增长的目标。

重工业由其资本高度密集特点衍生出三个基本特性:第一是建设周期长;第二是在发展的早期,大部分设备需要从国外引进;第三是初始的投资规模巨大。而当时的中国经济发展水平很低,与资源禀赋相关,相应也有三个特征。这就是,第一,资金十分短缺,资金的价格或利率高昂;第二,可供出口的产品少,外汇短缺,由市场决定的汇率水平高;第三,经济剩余少,资金动员能力弱。重工业的特征与中国当时经济状况相冲突,一旦中国选择以优先发展重工业为经济发展的战略目标,这一目标与当时的经济发展水平下的资源禀赋特点及资源动员能力产生了直接的矛盾。

第一是重工业建设周期与资本禀赋的矛盾。重工业作为提供生产手段或生产资料的部门,形成生产能力的基本建设周期大大长于轻工业部门。又由于重工业的资本密集度高,在整个基本建设过程中,一方面需要不断投入巨额资本,另一方面资本的回报期也较长。这样,在重工业生产能力形成的过程中占用的资金很多,占用时间长,利息负担重。在新中国成立初期,中国经济发展处于很低级的阶段,1952年人均国民收入只有104元,这种低收入水平抑制了资本的积累,因此,在主要生产要素中,资本是最为稀缺的。稀缺的资本必然导致由市场形成的资本价格或利率相当高昂。50年代初期,市场资金月利率在2%—3%左右。以年利30%的复利计算,每投资1元,如果不能在短期内收回,则5年后本息将累计为3.71元,10年后则为13.79元。很显然,在当时的条件下,重工业的发展负担不起这样高的资金成本。

第二是重工业设备来源与外汇支付能力的矛盾。对于处在初级发展阶段的国家来说,不仅重工业部门的技术含量大,而且发展重工业所需的技术设备有很大部分要从国外进口。以发展重工业作为工业化的中心环节,就意味着大规模进口机械设备,从而对外汇支付能力提出很大的需求。当时中国的经济基本处于自给自足状态和封闭状态,可供出口的产品品种有限、数额小、换汇创汇的能力很低。再加上当时中国与资本主义发达国家的经济关系大都不正常,获取外汇的机会就更少了。这种外汇短缺或者说与进口设备的需要相比外汇支付能力的不足,在市场决定外汇价格——汇率的情况下,必然导致高昂的汇率水平。这种情形进一步提高了中国发展重工业的成本。

第三是重工业投资规模与资金动员能力的矛盾。重工业不仅作为资本密集型产业要求较长的投资期,还由于它所具有的规模经济的特点,要求比其他部门有较大的初始投资规模。不仅从一个建设项目来讲是如此,当以重工业作为工业建设重点时,一系列重工业建设项目的不断开工和在建,还对整个国民经济的资本筹集和投入能力提出了很高的要求。在中国开始经济建设的初期,不仅资本稀缺,而且经济剩余少,并分散在广大的农村,因而筹资能力很弱。例如,1952年国家银行的期末资产总额只有118.8亿元,存款余额93.3亿元,分别仅占到当年国民收入的20.2%和15.8%。⑫这种状况与国家发展重工业的要求极不适应。

2.3 推行赶超战略的宏观政策环境

不顾资源的约束而推行超越发展阶段的重工业优先发展战略,是一种“赶超”战略。⑬之所以称其为“赶超”,是相对于这种战略所确定的产业目标,与资源禀赋所要求的产业结构之间存在巨大的差异而言的。在一个开放的竞争性市场经济中，一个资本有机构成结构和资源禀赋结构相距甚远的产业（包括在资金相对稀缺的经济中资金相对密集的重工业，以及在资本相对密集的经济中劳动力相对密集的轻工业），在市场竞争中是无法获得社会可接受的利润水平的，甚或发生大量的亏损，因而是没有自生能力的。[14]以发展没有自生能力的产业为目标的战略就是赶超战略。

因此，实行赶超战略的难题是怎样动员资源来支持没有自生能力的重工业的发展。由于赶超的规模过于庞大，采用政府以财政方式给予直接补贴的支持办法，需要对产生经济剩余的部门课以很高的公开税。而当时经济剩余主要来自农业，经济剩余量少而且分散，政府在农村地区的收税能力低，要课以很高的公开税难以行得通。因此很显然，需要有一套不同于市场调节机制的宏观政策环境，使资源的配置有利于重工业的发展。具体地说，就是要人为地降低发展重工业的成本，同时提高资源动员能力，包括为重工业发展提供廉价的劳动力、资金、原材料，以及进口的设备和技术。这种与重工业优先增长战略目标相适应的宏观政策取向，其核心是全面排斥市场机制的作用，人为扭曲生产要素和产品的相对价格。这种政策环境包括以下几个方面。

（1）低利率政策。由于重工业资本密集度高、建设周期长，如果让资本价格在市场上自发形成，就会导致重工业的建设因利率很高而无法实现的结果。因此，要保证重工业以较低的建设成本迅速增长，首要的条件是降低资本价格，维持一个稳定的低利率水平。新中国成立以后的前几个月里，为了消除旧政权造成的恶性通货膨胀的影响，新政府采用了高利率紧缩银根的金融政策。从1949年到1950年初，中国人民银行的工业贷款利率最高达年利144%。到1950年上半年，通货膨胀局面得到遏止，利率也开始下调。如果我们以1950年5月份工业信用贷款利率月息3.0%为一个比较正常的起点或作为比较用的参照系，就可以发现，利率在很短的时间里进行了多次调整，利率水平大幅度降低。同样以国有工业信用贷款月利率为例，1950年7月31日被调到2.0%，1951年4月调到1.5%—1.6%，1953年1月调至0.6%—0.9%，1954年调至0.456%，并保持了很长时间。1960年6月曾将利率回调到0.6%，但到1971年8月，该种利率又被压低到0.42%的水平。[15]

(2) 低汇率政策。重工业的物质基础是资本密集型的技术设备,在经济发展的初级阶段,这些比较先进的技术设备的相当一部分需要从国外引进,即需要为此支付外汇。汇率是用本国货币表示的外汇价格,在资本缺乏和可供出口的产品并不丰富的条件下,外汇和资本同样稀缺,由市场调节形成的汇率水平将会高得使资本密集的重工业部门难以承受。因此,为了保证重点项目能够以较低的价格进口必要的关键设备,政府出面干预外汇价格的形成。高估本国币值,实行低汇率政策,成为重工业优先增长目标能够实现的一项重要保障措施。⑯

事实上,汇率抑制从 1950 年就开始了。在 1950 年 3 月召开全国财经工作会议到 1951 年 5 月的一年多时间里,连续 15 次压低人民币与美元的汇率,汇率由 1950 年 3 月 13 日 420 元人民币(由旧币折算成人民币新币)兑换 100 美元压到 1951 年 5 月 23 日 223 元人民币兑换 100 美元(参见表 2.1)。1952 年至 1972 年,中国的汇率不再挂牌,仅为内部掌握,且汇率一直稳定在很低水平上。1955 年 3 月 1 日至 1971 年 12 月,汇率水平始终保持为 246.18 元人民币折合 100 美元,没有发生变化。1971 年 12 月美元贬值 7.89%后,人民币汇率也开始发生变化,到 1978 年 7 月时,汇率为 172 元人民币折合 100 美元。⑰

表 2.1 统一汇率前后的汇率调整*(100 美元、100 英镑=人民币元)

时间	美元		英镑	
	汇率	调整幅度(%)	汇率	调整幅度(%)
1950 年 3 月 13 日	420.00	—	—	—
1950 年 7 月 1 日	375.00	−10.71	989.00	—
1950 年 7 月 8 日	360.00	−4.00	956.00	03.34
1950 年 7 月 26 日	360.00	0.00	932.00	−2.51
1950 年 8 月 7 日	350.00	−2.78	914.40	−1.89
1950 年 9 月 5 日	322.00	−8.00	812.20	−11.18
1951 年 5 月 23 日	223.00	−30.75	—	—
1971 年 12 月	246.18	10.39	—	—
1978 年 7 月	172.00	−39.07	—	—

注:* 这里将人民币按 1 万元旧币等于 1 元新币折合。

资料来源:《汇价手册》,北京:中国金融出版社 1986 年版;马洪、孙尚清主编:《现代中国经济大事典》,北京:中国财政经济出版社 1993 年版,第 960 页。

(3) 低工资和能源、原材料低价政策。在国民经济发展水平普遍较低的条件下,传统经济部门占到很大的比重,传统经济生产的剩余十分有限,整个社会的积累水平很低。此外,当时整个经济的货币化程度很低,剩余的部门间转移十分困难,因而融资能力很弱。为了巩固新生的政权及其与农民的联盟,在一定时期必须实行轻徭薄赋的税收政策。因此,发展重工业所要求的高积累率难以通过直接的剩余转移实现,而很大程度上需依靠其自身的积累能力。由于所能实现的积累率取决于利润率的高低,而利润水平又决定于总产出值与总投入成本之差,因而压低劳动投入成本和能源、原材料成本是重工业实现高积累的一个重要途径。

以工资水平为例。50 年代初开始实行统一的工资制度,根据国家下达的工资总额和平均工资计划,对生产工人采取八级工资制。从 1956 年起,全国实行统一的国家机关、企事业工资标准,职工的工资标准、工资定级和升级办法,以及工资增长幅度,全部由中央统一规定,地方、企业无权调整。这种统一规定的工资水平是十分低下的,一直到 1978 年,大多数年份的职工年平均货币工资都在 600 元以下。即使按扭曲的官方汇率 246.18 元人民币折 100 美元来换算,这些年份全国职工年平均工资水平也仅为 200 余美元(图 2.1)。低货币工资压低了工业发展的劳动成本,成为重工业优先发展战略的必要政策环境。

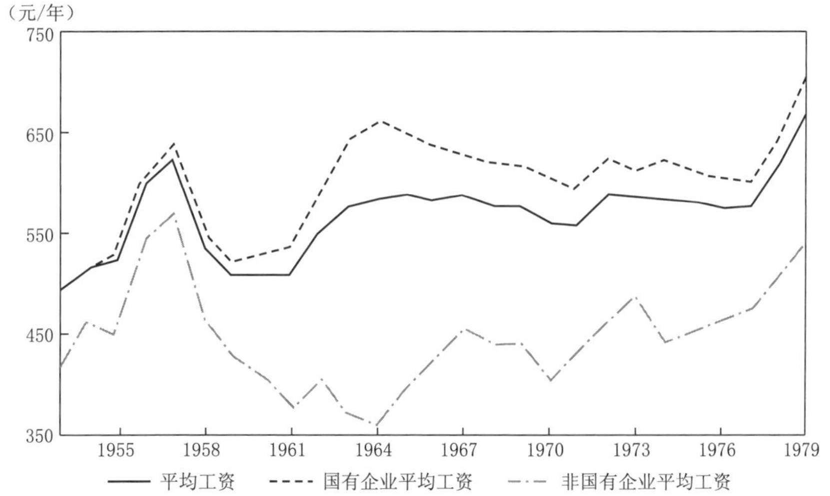

图 2.1　中国改革前的工资水平

(4) 低农产品和其他生活必需品及服务价格政策。低工资率降低了城镇工薪阶层购买生活必需品的支付能力,如果让他们面对由市场决定的生活必需品价格体系,较低的工资水平可能不足以购买其生活所必需的消费品和服务,劳动力再生产将会在萎缩的状态下进行,会引起社会的不安定,也影响重工业的劳动供给。解决这一问题的办法就是实行农产品和其他生活必需品、服务的低价政策,降低劳动力再生产的费用,使之与低劳动报酬相适应。这类生活必需品包括食品、日用品、住房、医疗、教育、生活用能源及各种生活服务等。由于大工业集中在城市地区,因此这种低生活费用的优惠政策是按地区而有所区别的,农村人口不享受在农产品价格、医疗、教育、住房以及城市公用设施收费方面的这种优惠待遇。事实上,通过这种机制,重工业高积累的成本的很大部分仍然被转移到农业等传统经济部门中。

为重工业优先发展战略服务的物价政策,扭曲了农产品等生活必需品的价格水平,并使这种扭曲制度化,长期保持不变。我们从1952—1978年间一些年份消费品价格指数比较,可以看出这种扭曲(参见表2.2)。这里暂且以集市贸易价格指数代表市场所要求的价格变动趋势,而全国消费品价格指数因受到宏观政策环境的压抑,变动趋势偏离了市场的要求。当我们考虑到1980年以前中国经济生活中消费资料的严重而普遍的短缺现象时,这种价格指数就能更多地反映出宏观政策环境所造成的扭曲。

表2.2 改革前消费品价格指数比较(1950年为100)

时 间	全 国	集市贸易(2)	扭曲程度(1)/(2)
1952年	113.3	111.0	1.02
1957年	122.5	120.9	1.01
1962年	155.6	354.8	0.44
1965年	138.2	192.3	0.72
1970年	137.8	197.7	0.70
1975年	143.0	259.5	0.55
1976年	143.4	269.8	0.53
1977年	147.8	263.3	0.56
1978年	150.0	246.0	0.61

资料来源:《中国统计年鉴(1992)》。

2.4 资源的计划配置制度

在一个竞争的市场环境中,产品和生产要素的价格是其供给与需求相等时形成的均衡价格。一方面,产品和要素的供给特征以及对它们的需求特征决定价格的形成,另一方面,价格水平反过来影响和调节供给和需求的水平。当一种产品或要素的价格被人为固定在低于均衡价格的水平时,会同时产生两种效果,一是刺激需求量,一是抑制供给量,这时产品需求和供给的数量偏离均衡,不再相等,产生了供不应求的缺口。

如果压低价格是一种稳定的制度安排,则供给与需求之间的缺口成为持续的现象,或者说短缺成为经济中的常态现象。[18]正是由于这种机理,扭曲产品和要素相对价格的政策环境造成了资金、外汇、原材料、农副产品及各种生活必需品的供给与需求严重不平衡,经济生活中的短缺成为普遍现象。为了替代市场的作用,在这种常态的短缺经济中配置资源,也为了保证紧缺的物资、资源能够配置到政府所要优先发展的产业,就需要建立一套与这种政策环境相应的资源计划配置制度。下面将讨论这种制度结构的形成逻辑和形成过程。

在上述旨在压低重工业发展所需要的投入品和生产要素价格的政策环境下,低利率一方面降低了储蓄意愿,减少了可贷资金的来源,另一方面却提高了企业对资金的需求;低汇率抑制出口积极性,鼓励进口冲动;低能源、原材料价格也造成原材料供给不足和需求过旺的趋势。这些情况形成资金、外汇、能源、原材料供求之间的巨大缺口。如果由市场来引导这些资源的使用方向,这种人为压低价格的政策便不能维持,同时也不能保证这些资源流入优先发展的战略部门中。因此,为了保证有限的资金、外汇和物资的使用符合重工业优先发展的目标,首先必须有一个计划,为多个产业的发展和投资项目确立优先序,同时用行政性的计划配置资源的手段代替市场配置的职能。

此外,超越阶段推行重工业化或进口替代,相应的产业缺乏足够的国际竞争力,为了保护这类产业并使它们获得稀缺的外汇,对外贸易就必须实行统制。为了与体现重工业优先发展战略的第一个五年计划的执行相配合,一系列计划配置资源的管理机构在50年代中期前后建立起来。随着这些机构职能的确定和完善,一个高度集中的资源计划配置制度就逐步形成了。

首先是金融管理体制的形成。在银行的金融业务中,存款利率低于资金的机会成本或影子价格,通常的结果是降低了持币者的储蓄意愿,银行所能吸收的资金就大大少于社会潜在的资金供给。在存在其他融资渠道的情况下,储蓄就会流到银行以外的渠道中。压低利率的政策既然是为发展重工业这个重点服务的,而国家控制之外的金融渠道又不能执行支持重工业的任务,所以必须实行金融的垄断。在贷款利率低于资金的机会成本或影子价格的情况下,所有企业都倾向于使用更多的资金。面对众多的资金需求者,把有限的资金配置到符合国家发展战略目标的企业和部门,要求有一套有效而集中的资金配置制度。

为适应这个要求,早在1949年至1952年,中国就已逐步实现了以中国人民银行为中心的金融体系和银行业的基本国有化。中国人民银行成为全国现金、结算和信贷中心,总揽了全部金融业务。随后,为了实施重工业优先发展的工业化目标和体现这一目标的第一个五年计划,1953年中国人民银行在所属各级银行建立了信贷计划管理机构,编制和实施综合信贷计划。银行内部则相应实行“统收统支”的信贷资金管理制度,即基层行吸收的存款全部上缴总行,贷款由总行统一核定计划指标,逐级下达。存款和贷款利率由中国人民银行统一制定。通过这种高度集中的金融体系和单一的融资渠道,把有限的资金优先安排到国民经济的计划重点产业和项目中,实现了资金配置与发展战略目标和低利率宏观政策环境的衔接。

其次是外贸外汇管理体制的形成。外汇价格被人为压低到均衡水平之下,会产生两种效果。对出口品的生产者来说,低汇率意味着其产品用外汇衡量的价格低于用国内货币衡量的价格,出口是不合算的事情。而如果没有人愿意出口,则外汇来源就会枯竭。对进口品的使用者来说,低汇率意味着使用进口品比使用国产品便宜,各行各业都倾向于尽可能多地从国外进口其投入品。为解决这个矛盾,就要求国家出面统一安排进出口业务。因而,国家对外贸的垄断和一套高度统制的外贸外汇管理体制便是十分必要的。

国家对外贸的统制早在1950年就开始实行了。1950年2月政务院颁布的《关于全国贸易统一实施办法的决定》规定，由中央贸易部统一管理对外贸易业务，各大行政区的大区贸易部、各省厅（或工商厅）兼管地方对外贸易。在中央贸易部领导下，设若干全国性对外贸易专业总公司。1952年成立对外贸易部以后，保持了这种外贸组织形式。

国家对于外贸活动的计划管理包括以下几个方面：(1)实行进出口许可证制度。许可证制度的目的是对进出口商品的数量、价格、贸易方式、支付方式和贸易期限进行统一管制，并对经营成分、贸易对象进行严格管制。(2)实行外汇管制。规定社会团体、企业和个人的一切外汇收入，都必须按国家规定的汇率卖给国家银行，一切外汇支出和使用，都必须经主管部门批准，向国家银行购买。(3)对（国有化前）私营进出口企业、外商企业实行登记管理办法。(4)实行保护性关税和进出境商品品质检验制度。从50年代中期开始，对外贸易全部由国营经济统一、集中经营。

从1958年起，国务院规定对外贸易由外贸部门独家经营，实行统一政策、统一计划、统一对外的原则，汇率则由中国人民银行统一制定，外汇由中国人民银行、对外贸易部和财政部实施集中管理。与低汇率政策相配套的外贸外汇管理体系从此形成。

第三是物资管理体制的形成。在物资短缺的条件下，完全竞争的市场通常用均衡价格将市场结清，使市场处于供给和需求相等的均衡状态。但是，在价格被人为压低的情况下，需求被人为地刺激起来，而供给的积极性反而受到抑制，造成了供需的不均衡。在供需不均衡成为一种常态的情况下，要保证物资首先满足重工业的需要，就要求建立高度集中、按计划运行的物资管理体制。

为了配合“一五”计划的实施和能源、原材料低价政策，1953年成立国家计划委员会后，开始在全国范围内对重要物资实行统一分配的制度，把各种物资分为(1)国家统一分配的物资（简称统配物资），(2)中央工业主管部门分配的物资（简称部管物资）和(3)地方管理的物资（简称三类物资）等三类进行管理。1953年到1957年，由国家计委直接分配的工业品由110多种增加到300多种，占工业总产值的比重提高到60％，统配物资则由227种增加到532种。[19]由此实现了国家对经济建设所需物资的直接配置。

最后是农产品统购统销制度的建立。农产品低价政策既压抑农民发展生产的积极性，又降低他们向国家出售产品的积极性。国营商业部门作为农副产品市场上的一个竞争者，以这种低价便不能完成收购任务。为了获得足够的粮食、棉花、油料等产品，保证城市居民的生活消费和加工企业的原料供应，就要对主要农副产品实行贸易垄断即统购派购的制度。为了确保在低价统派购的条件下农民仍然能把资源投入到国家工业化所需要的农产品生产中，就要求作出一种强制性的制度安排，使国家能够以行政力量直接控制农业的生产。按照这种逻辑，实行主要农产品的统购统销政策之后，农业集体化运动随之开始并不断加速，直至1958年建立人民公社体制。公社的领导为政府任命的干部，对政府负责。在农产品低价政策下产生的供求缺口，导致农产品供给的短缺。为了维持其低价政策，则要求建立城市农产品供应的计划销售制度。

新中国成立以后的一段时间里，国营商业组织曾在市场上与私商一道收购农副产品。随着工业化建设的加快，国营商业向城市居民提供农副产品的任务不断加重(参见表2.3)。而一旦采取农产品低价收购政策，国营商业则丧失了与私商竞争的优势，难以胜任调节供需关系，稳定市场物价，保障人民生活和国家建设的任务。

1953年秋收后，国家粮食收购计划在很多地区不能按期完成，粮食销售量却远远超过计划，形成购销不平衡的局面。在这种情况下，1953年11月，中共中央和政务院分别发布命令，决定对油料和粮食实行计划收购和计划供应。第二年9月政务院又发布了关于实行棉花计划收购的命令。1955年8月，国务院颁布《农村粮食统购统销暂行办法》，规定了具体的定产、定购、定销办法。继粮食、棉花、油料实行统购统销政策之后，国家又把烤烟、麻类、生猪、茶叶、蚕茧、羊毛、牛皮等重要副食品和工业原料先后指定为派购产品。1958年国务院颁布的农产品及其他商品分级管理办法，把农副产品的统购统销和派购等政策进一步制度化、法规化。把关系国计民生和生产集中、消费分散的重要商品及外销的某些重要商品，作为第一类商品，由中央集中管理；把一部分生产集中、供应面广，或者生产分散需要保证重点地区供应，或者必须保证特殊需要的商品，作为第二类商品，中央实行差额调拨；上述两类商品以外的各种农副产品和食品等商品，作为第三类，由地方自行管理,必要时由商业部组织交流。

表 2.3　实行统购统销前主要农产品产量和销售量指数(1936 年=100)

时　间	粮　食		棉　花		油　料	
	产　量	国营销量	产　量	市场销量	产　量	国营销量
1950 年	100	100	100	100	100	—
1951 年	110	192	123	133	—	100
1952 年	133	366	152	156	141	—
1953 年	135	542	139	231	约 141	150 以上

资料来源:根据王达夫编著的《过渡时期的商业》(新知出版社 1955 年版)第 47—49 页提供的数据计算。

2.5　以国有化和人民公社化为特征的微观经营机制

首先是国有经济占绝对主导地位的工业所有制结构的形成。低利率和低汇率政策的实行降低了工业经济的资本形成门槛,低能源、原材料价格和低货币工资政策的实行压低了工业企业的生产成本,因而可以提高已建成企业的利润率和积累率。这为经济发展初期的工业化建设创造了必要的宏观政策环境。但这还不是以重工业为中心发展工业的充分条件。如果企业为私人所有和经营,它就仍然保持着对利润分配的使用权和投资方向的选择权,企业积累方向未必能符合重工业优先发展的期望。

事实上,以利润为经营动机的私人企业,总是倾向于把资源投向能够产生最大收益的生产部门。例如,一方面由于市场稀缺程度高从而对轻工业产品的需求很大,另一方面轻工业技术结构也更加符合中国的比较优势,所以当政府以重工业为中心时,受到压抑的轻工业部门往往具有更高的赢利水平。不言而喻,为了取得剩余的支配权、把握积累方向,使之用于符合国家意图的发展目标上,就必须最大限度地把私人企业改造成国有制企业,使后者占据工业所有制结构中的绝对优势地位,并在此基础上建立统一的指令性生产计划体制和统收统支的财务体制。

1949 年前后,根据当时新民主主义政策的主张,在相当长的时期里,民族资本主义工商业将与社会主义工商业长期共存。[20]但随着“一五”计划的实施,重工业优先发展战略与工业经济中多种成分并存的局面越来越不相适应。因此,党和国家开始改变最初的设想和承诺。从1954年起,国家把许多规模较大的私营工厂逐步纳入公私合营的范围,对其投资并进行扩建、改建。对中小私营企业则通过个别企业的公私合营到全行业的公私合营,对整个行业进行改组,形成新企业。1956年初,从北京开始,随后遍及其他城市实行了全行业的公私合营。全行业公私合营后,随着每个企业单独进行盈利分配变为统一分配盈利的定息制度,原来的企业所有者便失去了管理企业的权力,企业事实上成为国营经济。1956年社会主义国营工业的产值占工业总产值的比重为67.5%,公私合营工业产值占32.5%,私人工业几乎全部消失。[21]

国家通过对国营企业下达一系列指令性指标,实行直接计划管理。在工业企业归国家所有的条件下,企业经理人员和职工的利益与国家利益产生了矛盾。国家的目标取向是最大限度地创造剩余,扩大积累,为重工业发展目标服务。而企业经理人员和职工则倾向于增加工资和福利。在可能的情况下,他们便会以扩大成本开支范围、低报产量等方式减少上缴利润,并将这些所得用于增加工资和福利的用途。其结果将是国有资产和利润被企业和个人侵蚀。由于信息结构的不对等,国家对此进行监督的成本十分高昂。而在宏观政策扭曲了价格、企业盈亏也不能真实反映其经营水平,以及消灭了私有经济并以计划的方式配置资源的条件下,企业经营好坏不能通过市场竞争间接表现出来。

在这种条件下,如果企业拥有生产和经营的自主权,国有企业剩余被侵蚀的现象就无法避免。为了防止这种情形,国有企业的自主权就被全面剥夺了。因此,生产资料由国家计划供应,产品由国家包销和调拨,财务上则统收统支。企业的利润和折旧基金全部上缴,纳入国家预算。企业所需基本建设投资、固定资产更新和技术改造基金、新产品试制费和零星固定资产购置费等,全部由国家财政拨款解决,企业生产的流动资金也由财政部门按定额拨付,季节性、临时性的定额外流动资金由银行贷款解决。企业用工和工资分配完全由国家计划安排。

其次是实现农业经营的人民公社化。建立农产品统购统销制度只是农村经济传统体制形成的第一步,人民公社化才是这套与宏观政策环境相配套的农村经济体制完全形成的标志。[22]根据过渡时期的总路线和总任务，土地改革以后真正符合农民组织起来、利用规模经济要求的生产组织形式是以家庭经营为基础的、于农忙季节临时组成的三到五户的生产互助合作。当时采取的主要是互助组的形式。但随着以重工业优先为特点的经济发展战略的推行，以及扭曲价格的宏观政策环境的形成，继统购统销制度形成后，为了便于执行低价收购并在低价下增加农产品收购数量的政策，农业集体化的速度便骤然加快。[23]

在全国范围的土地改革基本结束的1952年，参加农业生产互助组的农户占全国农户总数的39.9%，参加农业生产合作社的农户只占总农户数的0.1%，且全部为二三十户规模的初级社。以后农业集体化虽然有所发展，但直到1955年，农业生产互助组仍然是农业生产互助合作的主要形式。50.7%的农户参加互助组，只有14.2%的农户参加初级社。当时毛泽东估计农业社会主义改造的全部完成大约要到1960年以后。但1956年一年内这个任务就完成了。参加农业生产合作社的农户从1955年底的14.2%，增加到1956年初的80.3%，并进而增加到该年年底的96.3%。同时，200户左右规模的高级社迅速发展，参加的农户从1956年初的30.7%，增加到年底的87.8%。[24]

1958年推行经济建设的“大跃进”，提出要在短期内赶上并超过英国和美国的经济发展水平，并进一步强调重工业特别是钢铁工业的重要性，提出了一些不切实际的工业发展高指标。由于基本建设规模急剧扩张，全民所有制单位职工人数在一年里增加了85%。在积累和消费的比例失调，消费基金不足的情况下，农业的增产速度又不能满足需要，这就要求用加大征购比重的办法扩大粮食征购数量。这一年粮食产量比上年只提高2.5%，而征购量却增加了22.3%。

这种情况不啻是一次将重工业优先发展战略的政策扭曲加以放大的试验，对相应的微观经济管理体制的需求也更强烈，因而导致人民公社的迅速发展。几乎是在1958年8月至11月初三个月的时间里，就实现了从第一个人民公社诞生到全国范围的人民公社化的过渡，参加公社的农户达到1.27亿，占农户总数的99.1%。[25]

这个过程造成了灾难性的后果。从1952年至1958年的农业合作化运动期间，农业生产仍然得以稳定地增长。但从1959年开始，突然发生了一场连续三年的农业大危机。1959 年和 1960 年两年粮食产量都比上年减产 15%，而 1961 年的粮食产量仅维持了 1960 年的水平。其结果是爆发了一场空前的大饥荒。[26]在这场大饥荒中，估计非正常死亡者数以千万。[27]这场危机发生之后，人民公社并没有被取消，但实际上生产单位被划小了，即实行公社、生产大队、生产队三级所有制，以生产队为基本核算单位，实行独立核算，自负盈亏，直接组织生产和收益分配。通过这种制度安排，国家实现了对农业生产、农产品消费和分配的控制。

如上所述，执行重工业优先发展战略的宏观政策环境、相应的资源配置制度和微观经营机制在第一个五年计划期间已逐渐形成。50 年代末 60 年代初，针对当时经济上出现的困难，曾对微观经营体制作了一些调整。但这一点没有改变其与战略目标、宏观政策环境以及资源配置制度相配合的性质，反而通过一些有关“条例”、“决议”把这一体制进一步制度化和完善化。[28]因此，60 年代初是在重工业优先发展战略选择之下，宏观政策环境、资源配置制度和微观经营机制三位一体的传统经济体制完全确立的时期。

2.6　三位一体的传统经济体制：国际比较

从中国的传统经济体制的形成过程，可以比较清晰地看到从选择重工业优先发展战略，到形成扭曲产品和要素价格的宏观政策环境，以至建立高度集中的资源计划配置制度和毫无自主权的微观经营机制这样一个历史和逻辑的顺序关系。

图 2.2 概括了这种关系。图中表明，经济发展战略是外生的可以由政府选择的变量；而在资本稀缺的农业经济中，一经选定了重工业优先发展战略，就会形成相应的扭曲价格的宏观政策环境，以及以计划为基本手段的资源配置制度和没有自主权的微观经营制度。这三者是内生变量，在逻辑上是由特定的资源结构和发展战略的选择而诱发形成的，构成不可分割的或三位一体的传统经济体制；一定的资源配置方式必然相应导致特定的经济结构类型，而一定的微观经营机制也产生特定的激励效果，这两个方面就表现为一种经济绩效。中国传统经济体制下的经济发展绩效，将是下一章讨

论的内容。

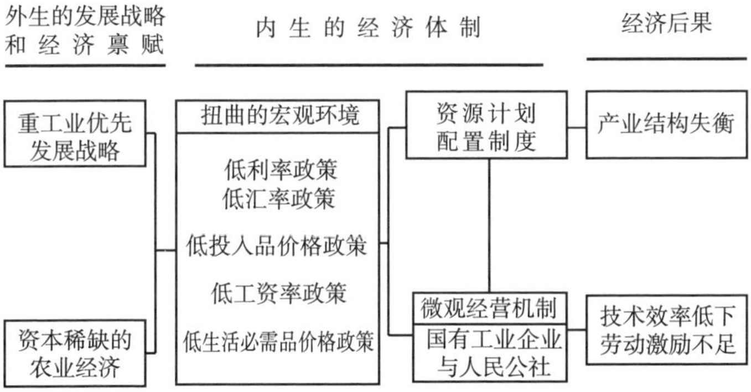

图 2.2 中国传统经济体制

不仅中国经历了以发展战略选择为起点的经济体制形成过程，对苏联的同一过程的简要回顾，也显示了同样的演进过程。进而，当我们把考察的眼界扩大到整个正在进行经济改革和经济调整的世界范围时，就将看到，事实上除了社会主义国家之外，在南亚、拉丁美洲等地区相当多的发展中国家也选择了类似的发展战略，从而形成了有同样特征的传统经济体制。除了前面论述中国的发展战略选择时已经提到的几个原因之外，我们还可以概括几个导致了这种发展战略及其相应的经济结构选择的共同的理论和实践因素。

第一，发展中国家政府的强烈赶超愿望。第二次世界大战后，一大批原来的殖民地、半殖民地国家获得了政治上的独立。如何独立自主地发展经济，实现迅速的经济起飞，以便在经济上摆脱贫穷、落后的局面，是摆在每一个民族政府面前的迫切任务。而从当时的世界经济格局来看，这些发展中国家已经大大地落后于工业发达国家的经济和社会发展水平。具体来说，与发达国家相比，这些发展中国家具有十分低下的经济增长率和人均收入水平、高的人口出生率和死亡率、教育程度低下、称职的管理人才缺乏、政治制度长期不变等特征。为了迅速改变面貌，相当多的发展中国家政府强烈希望能走一条快捷的工业化道路。

第二，在发展中国家占有重要位置的激进主义经济发展主张的影响。大多数发展中国家长期处于发达国家的殖民地或半殖民地统治之下。这些国家的领导人受到当时激进经济学家观点的影响，认为市场的作用将导致国内严重的两极分化和经济的不发达，而对外贸易带来的将是宝贵资源的廉价流失。特别是从这种认识出发，他们预计作为不发达国家主要出口构成的初级产品的贸易条件将呈现出不断恶化的趋势。因此，发展中国家领导人和经济学家倾向于认为，在世界经济发展十分不平衡的条件下，发展和不发展犹如一枚硬币的两面，如果发展中国家不建立自己独立的工业体系，而仅仅依赖于初级产品的出口，其结果只能是长期充当发达国家的“外围”，继续处于不发达的地位。[29]

第三，发达国家的发展经济学中政府干预主义倾向的影响。受凯恩斯经济主张的影响，当时发展经济学的主流倾向是，市场存在着不可克服的缺陷，而政府则是克服市场不足，加快发展步伐的有力工具。[30]从这种发展经济学的角度看发展中国家的现实，反对单一的经济学，强调发展中国家市场的不完全性，轻视市场和价格机制的作用，主张采取集中、周密的计划管理，以使国民经济顺利、合理地运转。这种发展倾向通过学术交流、发达国家的经济学家充当发展中国家的经济顾问，以及像世界银行这样的国际经济组织介入发展中国家的经济发展政策制定，而对这些步入独立自主发展经济的国家的发展战略选择，产生了重大的影响。

无论是发展中国家的激进发展理论，还是那些受凯恩斯思想影响的发达国家经济发展理论，都过分强调发展中国家不同于古典资本主义经济发展的特征。钱纳里概括了这些发展经济学理论的基本假设：(1)(生产)要素的价格无需准确地反映其机会成本；(2)部分地作为生产过程本身的结果，生产要素的质量和数量皆可随时发生重大变化；(3)在许多生产部门，与现有市场的大小有关的规模经济都是十分重要的；(4)商品之间的互补性强烈地影响着生产者和消费者的需求。由此产生的有关经济发展战略的观点，大都强调的是不断扩大经济增长的速度，从而扩大对生产要素的利用，而忽略市场机制的作用、对比较优势的利用和从对外贸易中获得发展的动力和源泉。[31]

由于有这样一些共同因素的影响，无论是中国、苏联和东欧这些实行社会主义制度的国家，还是亚洲和中南美洲的非社会主义发展中国家，都通过发展战略的选择、宏观政策环境的推行、资源配置制度和微观经营机制的建立，形成了大致相同的三位一体的传统经济体制。

首先，这种经济体制的逻辑起点是其赶超型发展战略选择。如前所述，中国和苏联在当时是典型地选择了重工业优先发展战略的国家。而其他许多发展中国家也明确提出了优先发展重工业的战略主张。

例如，在总理尼赫鲁的领导下，由马哈拉诺比斯制订了印度的重工业发展计划。在其第一个和第二个"五年计划"期间，重工业成为经济发展的主要目标。在此之后，印度政府的投资重点也放在重工业。从1976/1977年度中央政府的企业投资分配来看，钢铁工业占28.5%，化学和制药占18.7%，煤炭工业占11.5%，重型机器制造业占7.3%，采矿业占6.4%，石油工业占6.2%，合计为78.6%。[32]这种直接把重工业优先发展体现在经济计划或发展战略中的情形，经常被认为是实行重工业优先发展的战略。

以中南美洲为代表的一些发展中国家，将其经济发展战略称为进口替代型战略。这种发展战略旨在以本国生产的工业制成品来满足国内需求，取代进口品并通过进口替代工业的发展推动国家工业化。而重工业的优先发展则是这种战略的必然阶段即次级进口替代阶段。因此，重工业优先增长和进口替代本质上是同一种发展战略。我们称之为赶超战略。赶超战略这个用语，在中国曾经用来概括50年代后期提出的"超英赶美"的口号所诱导的经济发展方式。例如，1958年5月，中国共产党第八届全国代表大会第二次会议明确提出，在今后5年或稍长一些时间赶上或超过英国，15年或稍长一点时间赶上或超过美国，并将其作为经济发展的战略目标。由此导致了"大跃进"的经济增长方式和后果。

发展中国家在其发展初期，大都具有资本稀缺而劳动力或自然资源丰富的要素禀赋特点。不顾这种资源约束，以重工业以致整个工业体系去赶超发达国家，实际上是超越经济发展阶段，不顾自己的资源比较优势的战略设想。因此，"赶超"战略是重工业优先增长和进口替代战略的形象概括，我们用它来称谓所有类型的不顾资源比较优势而盲目赶超的发展战略。

其次，扭曲产品和要素价格的宏观政策环境是这种经济体制的核心。推行超越发展阶段和违背资源比较优势的发展战略，所要优先发展的产业在自由竞争的市场环境下缺乏自生能力，因此依靠市场和价格机制来发展是不行的。在所有推行赶超战略的国家，都不可避免地要用一系列政策手段来扭曲价格体系，以便为其工业化创造政策环境。这些政策通常包括压低利率、汇率，压低资本投入品价格、压低农产品价格等。比较研究表明，凡是推行赶超战略的发展中国家和中央集权的计划经济国家几乎无一例外地实行了有利于发展战略实施的价格抑制，我们称这样一套政策措施为扭曲政策或扭曲价格的宏观政策环境。

最后，高度统制的管理体制是扭曲政策的实施保障。人为扭曲产品和要素的价格就意味着限制或压抑市场机制的作用，排斥竞争，因而就需要以各种管制、歧视和保护来替代市场和价格的作用。这一套执行扭曲政策的管理体制包括：

第一，为控制经济命脉而推行经济的国有化或过高的国有经济比重。例如，印度的国有企业几乎在所有重要的工业经济部门占据主导地位，生产出了 80 年代国内生产净值的 22%。又如在典型地推行进口替代战略的巴西，1984 年最大的 200 家企业中，有 81 家为国有企业，其总资产占这 200 家大企业的 74.2%，纯收入占 56.3%。[33]

第二，政府参与稀缺资源的配置和实行贸易垄断，为扶持没有自生能力的工业而建立产业保护制度和设置进入障碍。实行赶超战略的国家几乎无一例外地采取了关税、多重汇率制、数量限额等贸易保护措施，以及诸如生产许可证及国家垄断等国内歧视政策。

第三，为了向处于战略优先地位的产业提供优惠的投入条件而订立利率上限并控制金融业，实行金融压抑。通过将典型的实行赶超战略的经济，与工业发达经济和实行不同的经济发展战略的经济作比较，从前者金融抑制的结果——银行业的不发达和可贷资金不足可以看到这一制度特征。表 2.4 的数字表明，由于实行低利率和金融压抑政策，这些经济中银行可贷资金率（M2 占国民生产总值的比重）大大低于其他类别的经济。

第四，为了鼓励工业发展和鼓励工业企业家而实行向城市倾斜的社会福利政策。同样，我们可以从衡量这种城乡歧视政策的结果之一——收入分配的不平等程度来看这个特性（参见表 2.5）。

表 2.4 实行不同发展战略的可贷资金率比较(M2 占国民生产总值的%)

国家和地区	年份	可贷资金率
实行赶超战略的经济		
巴 西	1960—1975 平均	0.168
阿根廷	1960—1975 平均	0.222
印 度	1960—1975 平均	0.276
菲律宾	1960—1975 平均	0.205
工业发达经济		
比利时	1960—1975 平均	0.573
法 国	1960—1975 平均	0.533
瑞 典	1960—1975 平均	0.638
美 国	1960—1975 平均	0.665
实行不同战略的经济		
日 本	1975	1.087
韩 国	1975	0.334
新加坡	1975	0.750
中国台湾	1975	0.702

资料来源:约翰科迪等主编:《发展中国家的工业发展政策》,北京:经济科学出版社 1991 年版,第 98—99 页。

表 2.5 实行不同发展战略的收入分配状况

国家和地区	年份	按家庭计算的基尼系数
实行赶超战略的经济		
阿根廷	1961	0.425
巴 西	1970	0.5
印 度	1964—1965	0.428
菲律宾	1971	0.49
实行不同战略的经济		
韩 国	1970	0.351
中国台湾	1964—1977	0.321
中国香港	1971	0.434

注:* 算术平均值。

资料来源:Jacques Lecaillon et al., *Income Distribution and Economic Development*, *International Labour Office 1984*, pp.26—27;胡胜益:《经济发展与社会福利》,"中央文物供应社"1980 年版,p.39。

由此可见,通过选择赶超型的经济发展战略而形成传统经济体制,既非中国特有的经历,也不是实行社会主义制度的结果。事实是,无论一个发展中国家采取了社会主义基本制度,还是采取了资本主义的基本制度,都有可能因选择赶超型发展战略而形成类似的经济体制。也正是由于这一点,分析中国传统经济体制的形成、实行的结果和改革过程,对于有类似经历的发展中国家和曾经实行社会主义计划经济的国家具有一定的借鉴意义。

注　释

①《1981 年中国经济年鉴(简编)》,北京:经济管理出版社 1982 年版,第Ⅵ—4 页。

② 廖季立:《关于中国经济体制改革的问题》,载《1981 年中国经济年鉴(简编)》,北京:经济管理出版社 1982 年版,第Ⅲ—37 页。

③ Walter Hoffmann, *Growth of Industrial Economics*, Manchester: Manchester University Press, 1958.

④ 中国著名经济学家薛暮桥就持这一观点(薛暮桥:《中国社会主义经济问题研究》,北京:人民出版社 1979 年版,第 181 页);世界银行也有类似观点,但提法上比较慎重:“中国采用了苏联的经济体制,但在许多方面进行了修改。”(世界银行:《中国:社会主义经济的发展》,华盛顿,1983 年,第 46 页)。

⑤ 争论的焦点和“超工业化派”的主要理论观点都反映在普列奥布拉任斯基的《新经济学》一书中(《新经济学》,北京:生活・读书・新知三联书店 1984 年版)。另外可参考西方经济学家的讨论(Sah, Raaj K. and Joseph E. Stiglitz, “Price Scissors and the Structure of the Economy”, *The Quarterly Journal of Economics*, Vol.1, 102:1987, pp.109—134; Sah, Raaj K. and Joseph E. Stiglitz, *Peasants versus City-Dwellers*, Oxford: Clarendon Press, 1992)。

⑥ 参见多马:《经济增长理论》,第九部分:“苏联的增长模型”,北京:商务印书馆 1983 年版;Jones, H. G., *An Introduction to Modern Theories of Economic Growth*, New York: McGraw-Hill, 1976。

⑦ 汤姆・肯普:《现代工业化模式——苏日及发展中国家》,北京:中国展望出版社 1985 年版,第 76 页。

⑧ 第一次关于生产资料优先增长理论问题的广泛讨论是在 50 年代后期至 60 年代中期。参见《建国以来政治经济学重要问题争论(1949—1980)》,北京:中国财政经济出版社 1981 年版。

⑨《中华人民共和国第一次全国人民代表大会第二次会议文件》,北京:人民出版社 1955 年版,第 160—161 页。

⑩ 国家统计局编:《中国统计年鉴(1992 年)》,北京:中国统计出版社 1992 年版,第 158 页。

⑪ Lin, Justin Yifu and Guofu Tan, “Policy Burdens, Accountability, and the Soft

Budget Constraint", *The American Economic Review*, Vol. 89, No. 2 (May, 1999).

⑫ 盛斌、冯仑主编:《中国国情报告》,沈阳:辽宁人民出版社 1991 年版,第 521 页。

⑬ 稍后几年,当这种发展战略格局初步形成之际,全国上下十分热衷的口号"超英赶美"更形象地印证了这一点。

⑭ Lin, Justin Yifu and Guofu Tan, "Policy Burdens, Accountability, and the Soft Budget Constraint", *The American Economic Review*, Vol. 89, No. 2 (May, 1999).

⑮ 郑先炳:《利率导论》,北京:中国金融出版社 1991 年版,第 115—120 页。

⑯ 低汇率政策的另一个作用是降低初级产品出口所获得的国内货币,从而实现向这些产业的间接征税。这同样可以用来为优先发展重工业服务。

⑰ 参见《汇价手册》,北京:中国金融出版社 1986 年版;马洪、孙尚清主编:《现代中国经济大事典》,北京:中国财政经济出版社 1993 年版,第 960 页。

⑱ 我们把短缺现象归因于为推行赶超战略而形成的宏观政策环境。以研究社会主义短缺现象著称的科尔内(J.Kornai)也承认,在非社会主义的发展中国家,也同样存在短缺现象(科尔内:《短缺经济学(上)》,北京:经济科学出版社 1986 年版,第 12 页)。

⑲ 刘国光主编:《中国经济体制改革的模式研究》,北京:中国社会科学出版社 1988 年版,第 238 页。还有另一种数据,1957 年统配物资和部管物资分别为 231 种和 301 种(李德彬:《中华人民共和国经济史简编(1949—1985 年)》,长沙:湖南人民出版社 1987 年版,第 272 页)。但这个时期计划配置物资的种类大幅度增加是大家都承认的。

⑳ 毛泽东 1950 年 6 月在中国共产党七届三中全会上就曾批评那种认为可以提早消灭资本主义、实现社会主义的认识,指出"这种思想是错误的,是不适合我们国家的情况的"(转引自赵德馨主编:《中华人民共和国经济史》,郑州:河南人民出版社 1989 年版,第 118 页)。

㉑ 薛暮桥:《中国社会主义经济问题研究》,北京:人民出版社 1979 年版,第 38 页。

㉒ 毛泽东当时承认:"统购统销是实行社会主义的一个重要步骤。"时隔不久,他又很符合逻辑地指出:还是办人民公社好,它的好处是可以把工、农、商、学、兵合在一起,便于领导(参见《毛泽东视察山东农村》,《人民日报》1958 年 8 月 13 日)。

㉓ 从经济学的基本道理可知,对农产品收购实行垄断的政策,只赋予政府低价收购农产品的权力。但如果要同时扩大农产品的收购数量,则必须对农业生产进行直接的控制。农业集体化便是提高政府对农业生产直接控制程度的一个制度安排。

㉔ 苏星:《我国农业的社会主义改造》,北京:人民出版社 1980 年版,第 156 页。

㉕ 赵德馨主编：《中华人民共和国经济史》，郑州：河南人民出版社 1989 年版，第 449 页。

㉖ 农业生产由于周期长、空间分布广大而监督不易，因此农业合作社的成功有赖于社员的自律。但自律只有在自愿形成的合作社中才能维持。林毅夫认为，从互助组到高级社阶段，农民有退社权，即参加合作社是自愿的。因而随着生产规模的扩大，农业生产得以不断发展。但从 1958 年底开始的人民公社化运动，剥夺了农民的退社权，入社成为被迫的行为。在这种情况下，社员自律的行为规范就无法维持，生产积极性降低，农业生产随之受到挫折，从而导致了 1959 年中国农业生产突然发生危机（参见 Justin Yifu Lin，"Collectivization and China's Agricultural Crisis in 1959—1961"，*The Journal of Political Economy*，Vol.98，No.6，December 1990）。围绕林毅夫的论文，在美国的学术界展开了一场争论，有关论文见 *Journal of Comparative Economics* 1993 年 6 月出版的第 17 卷第 2 期专集。

㉗ 参见 Basil Aoton，Kenneth Hill，Alan Piazza and Robin Zeitz，"Famine in China，1958—1961"，*Population and Development Review*，Vol.10（December 1984），pp.613—645。

㉘ 例如，1962 年 9 月中国共产党第八届十中全会通过的《农村人民公社工作条例修正草案》正式确立了人民公社体制，以及管理原则。

㉙ 参阅查尔斯·威尔伯主编：《发达与不发达问题的政治经济学》，第二编："从历史上看经济发达和不发达问题"，北京：中国社会科学出版社 1984 年版。

㉚ "直到 70 年代中期的时间里，发展经济学家的时尚态度是反价格机制、倾向于计划方式、倾向于干预和反贸易……他们作实证分析时，就要指出市场的无效，他们作规范分析时，通常便主张干预"，参见 Knight，*Current Issues in Development Economics*；Deepak Lal，*The Poverty of "Development Economics"*，MA：Harvard University Press，1985，pp.5—16。

㉛ Hollis B. Chenery，"Comparative Advantage and Development Policy"，*The American Economic Review*，Vol.51，March 1961，p.21.

㉜ 资料引自陈立成等：《发展中国家的经济发展战略与国际经济新秩序》，北京：经济科学出版社 1987 年版，第 147 页。

㉝ 陈立成等：《发展中国家的经济发展战略与国际经济新秩序》，北京：经济科学出版社 1987 年版，第 34 页。

3

经济绩效与发展战略

重工业优先发展战略以及与之相应的经济体制解决了在一个经济十分落后的发展起点上把积累率提高到15%以上的问题，① 并以较快的速度建成了比较完整的中国工业经济体系。但是，推行该战略步履艰难，所付出的代价是极其高昂的。

传统经济体制下的中国经济发展，受到了两个方面的抑制，一是扭曲的产业结构，二是低下的微观经济效率。由于违背资源比较优势，人为地推行重工业优先增长的发展战略，使经济结构遭到严重扭曲，由此丧失了本来可以达到的更快的增长速度；过密的资本构成抑制了劳动力资源丰富这一比较优势的发挥，加剧了传统部门和现代部门相互分离的二元结构现象，由此丧失了本来可以达到的劳动就业和城市化水平；依靠高积累维持的经济增长扭曲了国民收入的分配，致使人民生活水平提高缓慢；扭曲的产业结构还导致经济的封闭性，造成既不能利用国际贸易发挥自身的比较优势，又不能借助于国际贸易弥补自身的比较劣势的局面。由于实行生产所需的要素统一调拨、生产出的产品全部上调、发生的成本统一核算、创造的利润全部上缴的企业制度，企业发展与其经济效益没有联系，劳动者的收入与其作出的贡献没有联系，严重束缚了劳动者的生产积极性，造成微观经济效率极为低下的问题,以致生产只能在生产可能性边界之内进行。

推行以重工业优先增长为特征的赶超战略不仅是中国领导人的选择,也是诸多发展中国家决策者的选择。通过国际比较可以发现,实行这种战略的国家经济发展的绩效都不理想,不但未能实现赶超的初衷,而且面临着基本相似的难题。由此说明,改革前中国经济增长高成本、低效益的根本原因在于选择了错误的发展战略。

3.1 改革以前的经济增长

中国的经济总量水平经过20世纪50年代初到70年代末的增长有了巨大的提高。1952—1978年期间,中国的经济增长速度是比较高的。统计资料表明:这一时期中国大陆按可比价格计算的社会总产值、工农业总产值和国民收入的年均增长率,分别达到7.9%、8.2%、6.0%(参见表3.1)。这样的经济增长速度不仅高于世界平均水平,即使与发展较快的台湾地区、韩国相比也不低多少。以这样的经济增长速度,在近30年的时间里,中国在以农业部门为经济主体的基础上,建成了门类比较齐全的工业体系,经济结构发生了很大的变化。

表3.1 1952—1978年经济增长基本指标(%)

年　份	社会总产值	工农业总产值	国内生产总值	国民收入	积累率
"一五时期"	11.3	10.9	9.1	8.9	24.2
"二五时期"	−0.4	0.6	−2.2	−3.1	30.8
1963—1965	15.5	15.7	14.9	14.7	22.7
"三五时期"	9.3	9.6	6.9	8.3	26.3
"四五时期"	7.3	7.8	5.5	5.5	33.0
1976—1978	8.1	8.0	5.8	5.6	33.5
1953—1978	7.9	8.2	6.0	6.0	29.5

注:增长速度按可比价格计算,积累率按现价计算。

资料来源:国家统计局国民经济平衡统计司编:《国民收入统计资料汇编(1949—1985)》,北京:中国统计出版社1987年版,第2、45—46页。

同1949年相比,1978年国民收入中工业所占份额从12.6%上升到46.8%,农业份额由68.4%下降为35.4%,建筑业和运输业分别从0.3%、3.3%上升为 4.1%、3.9%，商业则从 15.4%下降为 9.8%。1952—1980 年工业投资累计 3 599.19 亿元，新增固定资产 2 734.5 亿元。按可比价格计算，1980 年中国工业总产值达 4 992 亿元，比 1952 年的 343.3 亿元增长 13.5 倍。②

但是问题在于，何以在这种较高的经济增长率之下，中国没有实现经济现代化，摆脱低收入发展中国家的位次？与周边的国家和地区作比较，在 20 世纪 50 年代初期，中国大陆和中国台湾地区与韩国的经济发展条件大致相同，在 50 年代至 70 年代，经济增长速度也非常接近。③然而，中国人均国民生产总值仍然很低，根据人均国民收入和官方汇率计算，1952 年的人均国民生产总值为 52 美元，1978 年为 210 美元④，一直未突破人均 265 美元这一低收入发展中国家的界限。⑤对于导致中国实际人均国民生产总值增长缓慢，未能实现赶超目标的深层原因，我们将在下面两节作较为细致的分析。这里仅试图对表面上的高增长率与实质上的低发展水平之间的关系作一简要解释。

在缺乏充分证据的情况下就冒昧否定关于中国 1952—1978 年期间的经济增长率数据的可靠性是不明智的。但是，仍然有以下理由使我们确信，这一期间的增长率数字不能完整地反映中国经济的实质性发展，或者说有助于我们理解这种表面上的高增长率事实上并没有实现可能的增长潜力。

首先，中国的经济增长是在一个非常小的基数上起步的。按 1952 年不变价格计算，中国工农业总产值的绝对额在 1949 年只有 466 亿元，1952 年也不过 827 亿元，人均工农业总产值仅分别为 86.03 元和 143.87 元。从国民收入、社会总产值和国内生产总值的绝对值和人均占有值来看，当时的基数也是非常低的。与许多战后独立的发展中国家比较，较小的基数成为中国发展条件的重要特征之一。显而易见的是，基数越小，越容易表现出较高的增长率；⑥而在增长率相同的情况下，基数较小的经济产生的经济结果明显就差一些。从表 3.1 所列出的各个发展时期的增长速度变动也可以看出，随着中国经济基数的加大，增长率趋于减缓，工业增长的阶段性水平更明显地表现出这种特征。1949—1952 年恢复时期，年均递增 34.8%，“一五”时期年均增长 18%，经过 60 年代初的大幅度下降之后，1963—1965 年又达到 17.8%，尔后逐渐减缓，1965—1980 年为 10%。

其次，中国经济增长率在各产业间的分布十分不平衡。由于推行重工业优先发展战略，国家在政策上实行倾斜式的投资和保护，工业特别是重工业的增长明显快于农业和第三产业，构成经济增长速度中起主导作用的因素。例如，1951—1980年期间，工业的平均年增长速度为11.0%，而农业仅为3.2%，商业为4.29%。⑦在工业中重工业又有较快的增长率，1949—1981年期间，平均年增长率为15.3%，重工业因具有较快的增长率而起到支撑国民经济增长和提高国民经济中工业所占比重的作用。但是，片面依赖重工业部门的发展速度，并不能产生各产业增长比较协调条件下的效果，因而这种较快的速度并不能代表实质性的经济增长。

第三，中国具有很高的积累率。在利用政府的计划手段配置资源的条件下，可以超越发展阶段地安排国民收入的分配和使用，即抑制消费基金份额，提高积累率。从表3.1可以看出，中国的积累率始终处于相当高的水平，不仅高于世界平均水平，也高于大多数实现了快速经济增长的发展中经济。用这种通过政府计划管制手段实现的高积累率，无疑有利于发动起较快的增长。但是，国民收入分配和使用结构的偏倚，造成居民收入和生活水平长期得不到提高；又由于产业结构向投资品生产倾斜，消费品短缺，人民生活水平提高缓慢，经济发展的一项重要内容在表面较快的经济增长中被忽视了。

最后，增长速度是在效率十分低下的水平上实现的。由于本章第3节将专门讨论传统经济体制下的效率问题，这里就不展开了。

3.2 传统战略下的畸形结构

推行重工业优先发展战略的主观意图，是想从突破资金稀缺对产业结构升级的制约入手，较快地克服经济结构中因重工业薄弱对增长与发展产生的影响，使国民经济尽快增长，进而用最短的时间达到赶超发达经济的目标。通过扭曲产品和要素的相对价格，以动员资源和降低重工业发展的成本，并建立相应的资源计划配置制度以保证资源优先流向重工业部门，中国的确实现了重工业优先于其他部门的增长。我们以重工业年平均增长率与轻工业年平均增长率的比值作为重工业增长的领先系数，可以看到1953—1979年期间重工业领先系数为1.47，其中恢复时期为1.68，“一五”时期为1.97，“二五”时期高达6.00，1963—1965年期间经过结构调整该系数下降到 0.70,“三五”和“四五”时期又分别达到 1.75 和 1.32。

推行这一战略造成中国产业结构的极大扭曲。从表 3.2 可以看出,“一五”期间重工业与轻工业的投资比为 5.7,1976—1978 年间该比值上升到 8.4。

表 3.2 1952—1978 年投资结构的变化(用现价计算)

年份	固定资产总投资(亿元)	基本建设总投资(亿元)	基本建设投资结构(%)			
			农业	轻工业	重工业	其他产业
“一五时期”	611.58	587.71	7.1	6.4	36.2	50.3
“二五时期”	1 307.00	1 206.09	11.3	6.4	54.0	28.3
1963—1965	499.45	421.89	17.6	3.9	45.9	32.6
“三五时期”	1 209.09	976.03	10.7	4.4	51.1	33.8
“四五时期”	2 276.37	1 763.95	9.8	5.8	49.6	34.8
1976—1978	1 740.96	1 259.80	10.8	5.9	49.6	33.7

资料来源:国家统计局:《中国统计年鉴(1992)》,北京:中国统计出版社 1992 年版,第 149、158 页;国家统计局固定资产投资统计司编:《中国固定资产投资统计资料(1950—1985)》,北京:中国统计出版社 1987 年版,第 97 页。

我们把这种未能充分利用劳动力丰富的比较优势并有效规避资金缺乏的比较劣势的资源配置所造成的后果概括为两点。

第一,产业结构中制造业部门的比例特别高,服务部门的比例又异常的小。从表 3.3 和表 3.4 中可以看出,在改革前的 27 年里,农业占国民收入份额持续下降,工业所占份额持续上升,但其他产业(建筑业、运输业和商业)占国民收入的份额从 1952 年的 22.75%上升到 1957 年的 24.5%以后,一直处于下降和徘徊状态,至 1978 年,仍比 1957 年低 6.7 个百分点。而工业占国民收入的份额虽从 1952 年的 19.52%上升到 1978 年的 49.4%,但在工业就业的劳动力份额却只从 1952 年的 6.0%上升到 1978 年的 12.5%。到 1978 年 73.3%的劳动力还在农业部门就业。这样的产业结构和劳动力就业结构的变化显然不符合经济发展的一般规律。

表 3.3 1952—1978 年各部门占国民收入份额的变化(用现价计算)

	1952	1957	1962	1965	1970	1975	1978
农业	57.72	46.81	48.05	46.21	40.39	37.79	32.76
工业	19.52	28.3	32.79	36.41	40.97	46.02	49.4
其他产业	22.75	24.5	19.15	17.37	18.64	16.18	17.84

资料来源:国家统计局:《中国统计年鉴(1992)》,北京:中国统计出版社 1992 年版,第 35 页。

表 3.4　1952—1978 年劳动力就业结构变动

年份	劳动力数量(万人)				劳动份额(%)				
	社会	农业	工业	其他产业	农业	工业			其他产业
						合计	轻工业	重工业	
1952	20 729	17 317	1 246	2 166	83.5	6.0	4.2	1.8	10.5
1957	23 771	19 310	1 401	3 060	81.2	5.9	3.6	2.3	12.9
1965	28 670	23 398	1 828	3 444	81.6	6.4	3.0	3.4	12.0
1978	40 152	29 429	5 008	5 715	73.3	12.5	4.6	7.9	14.2

资料来源:马洪、孙尚清主编:《中国经济结构问题研究》,北京:人民出版社 1981 年版,第 104 页;国家统计局编:《中国统计年鉴(1992)》,北京:中国统计出版社 1992 年版,第 97 页。

第二,在制造业中,粗加工的比例高,精加工的比例低。由于片面追求实物指标及其速度,致使粗加工能力的增长远远超过了精加工能力的增长。例如钢铁工业,属于粗加工的炼钢生产能力增长得非常快,而属于精加工的轧钢生产能力等却增长得极慢,造成了一方面积压大量钢锭,另一方面进口大量钢材的局面。

为了说明产业结构扭曲的严重性,我们用世界银行根据历史上一些国家产业结构演变过程而构造的“钱纳里—塞尔昆大国模型”来比照中国 1981 年经济结构的偏离状况。⑧“大国模型”分别提供了按 1981 年美元价格计算,处于典型的低收入水平(人均 300 美元)、下中等收入水平(600 美元)和中等收入水平(1 200 美元)的大国所具有的“典型的”经济结构。1981 年中国的人均国民生产总值估计为 300 美元或 350 美元。⑨这样,我们就可归纳出三种可供比较的经济结构状况(参见图 3.1)。比较表明,中国在较低的人均收入

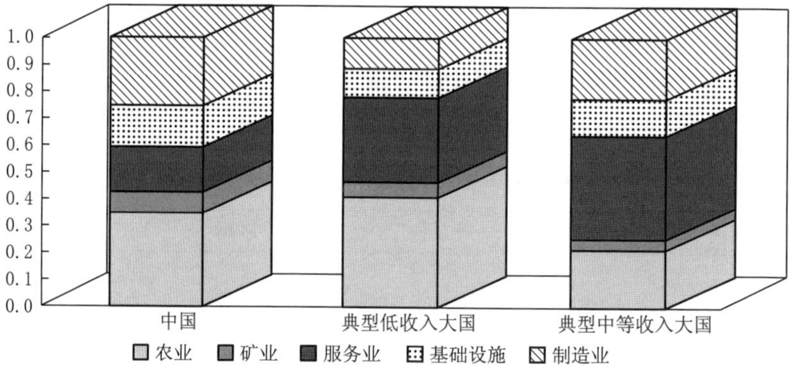

图 3.1　1981 年国内生产总值的部门结构

水平下达到了过高的制造业比重，与此相对应的是第三产业的发展极其不足，占国内生产总值的比重过低。

这种过重的产业结构背离了中国的资源比较优势，⑩给中国经济的发展和人民生活的改善带来了一系列的障碍。这也是推行传统经济发展战略造成的一个重大弊端。为了把问题分析得更清晰直观，我们暂且不考虑传统经济体制中经济效率的损失（这是下一节所要考察的内容），并且假设政府的计划安排能够达到有效地实现其优先发展的目标，仅对扭曲产业结构造成的经济结果作出概括。

（1）产业结构背离资源比较优势压抑了经济增长速度。在中国所处的发展阶段上，资本是稀缺的要素，而劳动力十分丰富。如果由市场来诱导产业结构的形成，由于劳动力价格较低，劳动密集型产品的相对成本较低，在国内和国际市场上都比资本密集型产品更富有竞争力。在利润动机的驱使下，生产者会将资源投向劳动密集型产业，并热衷于采用节约资本和使用劳动的技术。

以图 3.2 表示，这种符合比较优势的产业结构表现在生产可能性边界上，适宜的生产组合在 E 点，即位于生产可能性边界和没有扭曲的相对价格线的切点上。生产 OY_0 的劳动密集型（轻工业）产品和 OX_0 的资本密集型（重工业）产品。由于超越阶段地推行重工业优先发展战略和人为扭曲要素价格，资本反倒成为一种相对便宜的要素，政府通过计划手段将其配置到给予优先发展权的重工业部门，就抑制了具有比较优势的轻工业部门的发展（这

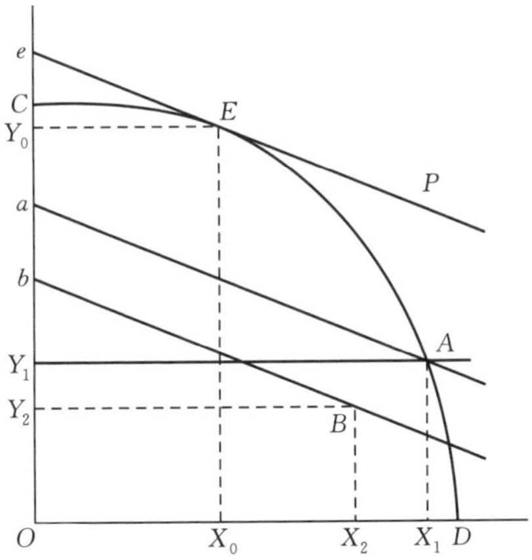

图 3.2 发展战略与生产效率

种抑制表现在图 3.2 中的 Y_1A 线）。结果，实际的生产可能性边界曲线从原来的 $CEAD$ 缩小为受限制的 Y_1AD。形成的产品生产组合在生产可能性边界上的 A 点，相应的劳动密集型产品产量为 OY_1，资本密集型产品产量为 OX_1。

由图 3.2 可以看出，压抑具有比较优势的产业部门的静态结果，是按不变价格计算的国民收入损失一个 ea 的绝对量或 ea/eO 的相对量。国民总收入的减少就意味着可供投资的剩余的减少。假设国民总收入按一定的比例用来投资，则一方面减少的投资额会按一个乘数效应进一步减少总投资，这个乘数则为社会边际积累率的倒数。另一方面，假设政府的倾斜性产业目标是通过劳动密集型和资本密集型产业之间的一个固定的比例关系来达到的，则每一期再生产都会同样产生一个相对量为 en/eO，而绝对量不断大于 ea 的收入损失，从而通过乘数效应减少社会总投资。这种情形大大地抑制了整个国民经济的发展速度，或者说虽然重工业得到较快的增长，但却是以牺牲能加以利用的总体经济增长潜力达到的。由此可以得出的结论是，推行重工业优先增长的战略，从整体上看并不必然导致经济增长的高速度。相反，实行这种战略的结果往往与最初的期望背道而驰。

（2）扭曲的产业结构降低农业劳动力转移速度，造成城市化水平的低下。重工业是资金密集型的产业，也就是说一定的资金，在重工业中容纳的就业量要低于其他产业。有关中国统计资料的分析表明，重工业部门每亿元投资提供 0.5 万个就业机会，只及轻工业的 1/3，国有企业每亿元投资提供 1 万个就业机会，只及非国有企业的 1/5；然而在这一时期，重工业企业职工增长的人数为轻工业的 4.1 倍，国有企业职工增长的人数为非国有企业的 3.1 倍。[11] 由此可见，中国实行重工业优先发展战略的结果，减弱了经济增长吸收劳动力在非农产业就业的能力，阻碍了伴随着经济发展劳动力从第一产业转移出来的就业结构转换过程。这也是在改革前的 27 年里，农业的产值份额从 57.72％下降到 32.76％，下降了约 25 个百分点，而农业的劳动力份额由 83.5％降至 73.3％，仅下降 10.2 个百分点，即劳动力份额下降明显滞后于产值份额的主要原因（参见表 3.3、表 3.4）。

由于实行城乡分隔发展的政策，工业集中在大中城市，既不需要周围地区的产业结构互补，也没有拉动相关产业的发展，导致了城市结构小而全、大而全，阻碍了城市化的正常发展。1980 年，中国城市化率仅仅达到

19.4%，同1952年相比只增长了6.9个百分点。这大大不同于一般的发展经验，形成中国城市化水平的非典型化特征。钱纳里等曾经描述了在常态发展过程中不同发展水平上平均的城市化水平（参见表3.5）。与之相比较可以看出中国城市化水平的滞后。以1964年美元不变价格计算，1980年中国人均国民生产总值大约为154美元，[12]可以与表中100美元或200美元的时点相比较。该年中国城市化水平不仅大大低于200美元时点上的城市化预测值，而且低于100美元时点上的城市化预测值。低城市化水平压抑了第三产业的发展，使其在整个经济结构中的比重大大低于一般水平。

表3.5　不同收入(GNP)水平上城市化预测值

人均国民生产总值(美元)	100	200	300	400	500	800	1 000
城市人口比重(%)	22	36.2	43.9	49	52.7	60.1	63.4

资料来源：钱纳里等：《发展的形式(1950—1970)》，北京：经济科学出版社1988年版。

(3) 结构扭曲使人民生活水平在长达20多年的时期内改善甚微。在这种经济结构中，资源最大限度地配置到了资本品生产部门，消费品生产受到很大制约，严重影响了消费品总供给的增长。为了加速发展重工业，极为有限的外汇收入又不可能用于消费品进口，以致提高人民生活水平缺乏最基本的物质保证；城市中的就业人员受低工资和冻结工资水平政策的制约，收入水平以及消费水平都处于增长缓慢乃至停滞的状态（参见图2.1、表3.6）；而被城乡隔绝政策强行滞留在农业中的农村居民受就业不足和集体生产中劳动激励不足的制约，难以实现人均产出的增长，更是失去了增加收入、提

表3.6　城乡居民消费水平的变化

年　份	国民收入指数	全国居民消费水平指数	农民消费水平指数	城镇居民消费水平指数
1952	100	100	100	
1957	153	122.9	117	126.3
1978	453.4	177	157.6	212.6

注：国民收入指数和消费水平指数均按可比价格计算。
资料来源：《中国统计年鉴(1993)》，第34、281页。

高生活水平的机会。消费品工业发展不足和农产品总供给不足,造成日用消费品和食品的长期短缺,大部分基本必需品长期凭票证供应。由于在这种产业结构下,政府并非不想增加生活必需品产出,而是没有所需的资源,人们并非不想提高收入水平,而是提高努力程度并不能产生提高收入的效应,所以应该把人民生活水平长期得不到改善的主要原因归结为产业结构扭曲。

(4) 违背资源比较优势的产业结构导致国民经济结构的内向性进一步提高。在这个片面发展资本品的产业结构中,一方面资源集中投放在不符合比较优势的资本密集型产品的生产上,需要通过国际市场获得的资本品占资本品总需求的份额必然大大下降;另一方面,具有比较优势的劳动密集型产业因资源供给严重不足而失去了发展的条件,能够进入国际市场的劳动密集型产品的数量必然大大减少。进出口规模的缩小必然导致国民经济内向性的提高。这一结论可以得到有关统计资料的支持。从表 3.7 可以看出,对外贸易总额占工农业总产值的份额由 1952—1954 年的 8.16%下降到 1976—1978 年的 5.89%,下降了 2.27 个百分点。

表 3.7　1952—1978 年对外贸易变动

年　份	工农业总产值(亿元)	进出口贸易总额(亿元)	进出口贸易占工农业产值(%)
1952—1954	2 820	230.2	8.16
1976—1978	15 148	891.6	5.89

资料来源:《中国统计年鉴(1993)》,第 57—58、633 页。

3.3　缺乏激励和效率低下

传统经济体制运行的结果,除了产生 3.2 节描述的畸形的产业结构之外,还因资源配置效率低、缺乏竞争和劳动激励不足,造成资源利用效率低下。首先是计划配置所造成的资源配置效率低下。为了按计划配置稀缺资源和监督计划的执行,产生了纵向的部门管理系统和横向的地方行政管理体系的交叉，各部门和各地区之间的投入产出联系便为争投资、争物资的关系所替代。由于计划制定者事实上很难获得决策所需的信息，因而计划往往只能是一种事后的调整。同时，这种计划调节不是用价格机制来矫正经济结构对政策目标的偏离，[13]而是用扭曲的价格，以及各种直接、间接补贴（预算软约束）和数量调节手段来安排和调整国民经济比例，因而事实上所有部门都分别在两种状态下进行生产。

如图 3.3 所示，一类部门是在高于均衡价格的计算价格（或会计价格）[14]下生产（如图 3.3(a)所示），另一类部门是在低于均衡水平的计算价格下进行生产（如图 3.3(b)所示）。在前一种情形下，由于生产部门获得较高的计算价格，提供大于均衡水平的产品，剩余量为 Q_0Q_1。[15]注意到该部门的供给曲线 SS 实际上是其边际成本线，所以较高的计算价格实际上是引导该部门在较高的边际成本状态下生产过剩产品。在后一种情形下，部门得到的计算价格低于计划的均衡水平，其产品产生 Q_0Q_2 的短缺。

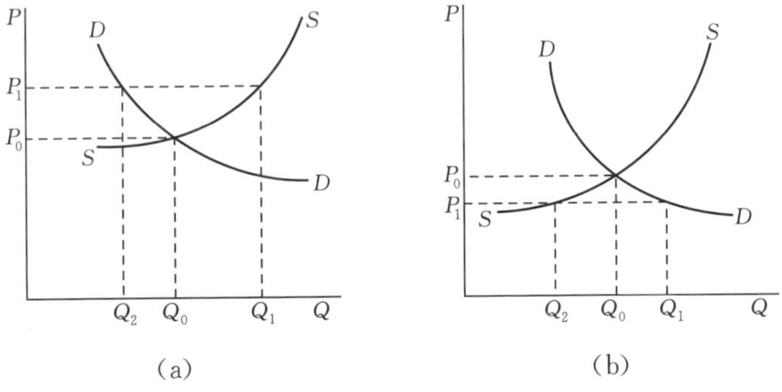

图 3.3　两种计算价格下的生产

究竟各个部门是怎样被纳入到有利或不利的计算价格水平下进行生产的呢？有两种情况。一种是取决于部门的讨价还价地位，即它在计划盘子里的相对重要性，造成有些部门具有较高的处于有利的计算价格待遇下的频率。有些则相反，如农业、能源、交通等基础部门具有作为重工业投入品的地位和价格波及效应强的特征，往往处在不利的计算价格下，因而长期不能摆脱其成为国民经济瓶颈的地位。另一种情况是，对于产业特征比较接近的部门，有着大致相同的处于较有利或不利的计算价格条件的频率，它们在何种状态下进行生产，则取决于计划者对前期结构状况的判断。这类部门的生产能力是根据计划要求（或假设为长期供求均衡状况）形成的。当计划价格有利时，便在较高的边际成本水平上生产，当计算价格不利时，便出现开工不足。两种情况都造成效率的损失。

其次是缺乏竞争，生产效率低下。优先发展重工业就意味着同时实行初级（生活用品）进口替代和次级（机器、设备等）进口替代。当时中国的技术水平尚处于低级阶段，又没有利用自己的资源比较优势，因而国内产品的成本必然很高，缺乏竞争力。为了独立自主地发展工业体系，就要对国内工业实行保护，为此又要付出效率上的代价。一方面许多产品在国内生产所耗费的资源成本，高于这种生产所节省或换取的外汇价值。另一方面，持续的保护使工业部门失去了改进生产力的机会并增大了国民经济的动态成本。其一是国内市场的有限性限制了某些产业利用规模经济；其二是因缺少外部竞争，以及因进入障碍消除了国内竞争，使这些受到保护的部门和企业缺乏创新动力。特别是，当企业和部门的资源完全由计划配置，产品统购包销，生产按指令进行时，它们就不再具有改进效率、提高产品质量的激励。

第三是劳动激励不足。在价格扭曲和缺乏竞争的条件下，企业盈亏不取决于经营好坏。如果给企业自主权，必然会出现企业经理人员和工人侵蚀利润和资产的情况。为了防止侵蚀利润和国有资产，就必须剥夺企业自主权；而取消了自主权，就不能根据工人的努力程度决定工资标准，就必然造成劳动激励不足。劳动激励与劳动奖惩具有正相关的关系。要提高劳动激励，必须实行多劳多得的分配制度。问题是在传统经济体制下，企业没有自主权，无权选择雇用对象，也无权解雇工人，更为棘手的是，在这种体制下，城市职工的报酬是固定的，与个人劳动努力及企业绩效都没有联系，即无论职工个人干多干少还是职工群体干多干少，都不会影响职工个人收入。由于职工个人多劳不能多得，劳动激励必然不足。[16]

农业的情形有所不同，虽然生产队有权支配其剩余的一部分，但农业所具有的生产空间分散性高和生产周期长的特点，使它的劳动监督极为困难。农业的这一特征迫使人民公社体系中的管理者选择较低程度的监督；而没有严格的劳动监督，就不能对劳动者的努力作出准确的度量，劳动者也就得不到与其付出的劳动相对应的报酬。事实上，生产队为每一个年龄相仿、性别相同的劳动者制定了相同的工分标准（工资率），因而劳动报酬与劳动者的实际工作态度和效果完全脱节。在“出工一窝蜂，干活大呼隆”的生产队集体劳动中，一个人如果工作更努力，为集体多创造的产品中他本人得到的份额与那些努力程度不如他的人是一样的。那些不努力劳动甚至偷懒的人，为集体带来的产品损失也是在全体劳动者之间平均分摊。这就造成集体农业生产中劳动激励不足，搭便车成为十分普遍的现象。[17]在讨论传统经济体制所造成的产业结构倾斜时，我们曾假设不存在效率的损失，社会生产仍然是在生产可能性边界上的某一点（如图 3.2 中的 A 点）上进行。而事实上因缺乏激励机制所造成的效率损失是非常严重的。下面利用资源利用效率的国际比较来说明这一问题。

通过材料使用和总要素生产率的国际比较可以看出，中国为经济增长所付出的代价是非常高昂的。表 3.8、表 3.9 和表 3.10 中的数据表明，中国经济增长的效率很低。其中，按单位国内生产总值计算的能源、钢材消耗和所需运输量，分别超过其他发展中国家的 63.8％—229.5％、11.9％—122.9％和 85.6％—559.6％；按主要产品的单位工业产值计算，除印度的钢材消耗量略高于中国外，其他情形大致相同；同发达国家比，差距就更大了。在资产总量构成中，中国流动资金占全部资产总量的份额最大，高出其他国家 4.8—25.7 个百分点，这意味着中国投入品与产出品的库存量比其他国家多，库存时间比其他国家长。反映经济增长代价高昂最重要的指标是总要素生产率增长太慢。在 1952—1981 年间，即便采取最有利的假设，中国的总要素生产率年均增长也仅为 0.53％，是表中所列各国中增长最慢的国家。据世界银行的估计，在 1957—1982 年间，中国国有企业的总要素生产率处于停滞或负增长状态。[18]

在讨论了传统经济体制所造成的一系列效率损失之后，我们可以看到，事实上社会生产是在生产可能性边界之内（例如图 3.2 中的 B 点）进行的，社会资源遭受到浪费。将这一结论考虑进去，传统体制下的经济增长所受到的抑制就更大了。

表 3.8 单位国内生产总值、主要工业产值材料消耗率的国际比较(1980 年美元)

国别	单位国内生产总值的消耗			单位主要工业产值的消耗		
	能源(千克标准煤/美元)	钢材(吨/百万美元)	货运量(吨公里/美元)	能源(千克标准煤/美元)	钢材(吨/百万美元)	货运量(吨公里/美元)
中国	2.90	127.3	3.10	1.06	353	6.74
印度	1.77	98.4	1.67	0.99	379	6.43
韩国	1.12	113.8	0.47	0.48	291	1.22
巴西	0.88	57.1	1.40	0.32	103	4.12
日本	0.51	63.0	0.41	0.30	146	1.00
法国	0.45	30.9	—	0.30	88	—
美国	1.05	44.8	1.80	0.47	132	5.32
英国	0.57	30.0	—	0.23	91	—
德国	0.49	43.7	—	0.26	95	—

资料来源:世界银行 1984 年经济考察团:《中国:长期发展的问题和方案》,附件 5:“从国际角度来看中国的经济体制”,北京:中国财政经济出版社 1987 年版,第 23 页。

表 3.9 流动资金占资产总量份额的国际比较

国　别	年　份	流动资金占资产总量%
中　国	1981	32.7
印　度	1979	27.9
韩　国	1963	7.0
日　本	1953	19.9
英　国	1970	12.63
苏　联	1972	29.5

资料来源：世界银行 1984 年经济考察团：《中国：长期发展的问题和方案》，附件 5：“从国际角度来看中国的经济体制”，北京：中国财政经济出版社 1987 年版，第 23 页。

表 3.10 总要素生产率增长的国际比较

国　别	时　期	总要素生产率年增长%	总要素生产率年增长占产值增长%
中　国*			
	1952—1981	0.53(−1.0)	8(−17)
	1952—1975	0.3(−1.1)	5(−18)
	1975—1981	1.0(−0.3)	17(−5)
巴　西			
	1950—1960	3.7	54
	1955—1970	2.1	34
	1966—1974	1.6	22
韩　国			
	1955—1960	2.0	47
	1955—1970	5.0	57
	1960—1973	4.1	42
日　本			
	1952—1971	3.8	38
	1952—1964	5.1	53
	1953—1971	5.9	58
	1955—1971	2.9	25
	1955—1970	5.6	55
	1966—1973	4.5	41
美　国			
	1947—1960	1.4	38
	1960—1973	1.3	30

(续表)

国　　别	时　　期	总要素生产率年增长%	总要素生产率年增长占产值增长%
苏　　联			
	1950—1960	1.9	32
	1960—1970	1.5	29
	1960—1970	1.5	29
	1970—1975	0.1	3
西班牙			
	1959—1965	5.0	44
19个发展中国家的平均数	2.0	31	
12个市场经济国家的平均数	2.7	49	

注:* 括号外按资本0.6、劳动0.4计算,括号内按资本0.4、劳动0.6计算。

资料来源:世界银行1984年经济考察团:《中国:长期发展的问题和方案》,附件5:"从国际角度来看中国的经济体制",北京:中国财政经济出版社1987年版,第23页。

3.4　步履艰难的赶超:国际透视

从中国20世纪50年代至70年代末的经济增长绩效来看,重工业优先增长战略以及相应的宏观政策环境、资源配置制度和微观经营机制造成产业结构扭曲和激励机制不足两大问题,人民生活水平长期得不到明显的改善。虽然这几十年的发展养活了占世界人口22%的中国人民,也初步建立了一个比较完备的工业体系,但代价是极其高昂的,赶超的目标并没有实现。本章前面三节的分析所要说明的是,中国经济发展的不成功,是由于选择了违背资源比较优势的赶超战略。在这一节,将分析其他推行赶超战略的发展中经济的绩效。

选择资本主义制度的亚洲"四小龙"的成功和推行社会主义经济体制的国家和地区纷纷转轨,很容易使人看不到发展战略对经济绩效的决定作用,而将经济发展绩效的差异归结为社会制度的选择。然而,这种不对发展战略、宏观政策环境和资源配置制度、微观经营机制等方面的差异作细致的经济学分析，简单地将发展差异抽象为社会制度差异的结论是经不起推敲的。第一，如果亚洲“四小龙”的成功是资本主义制度的成功，为什么许多其他实行资本主义制度的国家和地区不能成为新兴工业化经济？第二，如果社会主义国家经济注定踯躅不前，为什么最近20年中国大陆的经济能够发生如此显著的变化，并在沿海地区创造出比亚洲“四小龙”快速增长时期更出色的经济奇迹？第三，如果社会主义国家经济增长缓慢的症结是社会制度问题，为什么前苏联和东欧国家改制以后依然处在重重危难之中？

我们在考察各国经济发展成败的经验和教训时发现，凡是推行“赶超战略”的国家，经济增长与发展都没有取得成功。正如前述，不仅中国、前苏联和东欧一些实行社会主义计划经济的国家选择赶超战略没有获得成功，一批实行资本主义制度的发展中国家选择赶超战略或进口替代战略也没有获得成功，没有实现其赶超的愿望。例如，位于拉丁美洲的阿根廷、乌拉圭、智利和玻利维亚等资本主义国家，它们的人均收入在19世纪末与德国相差无几，历经了一个世纪以后，目前仍处在经济上困难重重，财富分配两极分化，广大人民生活水平的改善十分缓慢的不发达状态之中。在亚洲，60年代曾被认为是仅次于日本的明日之星菲律宾，现在经济也处于混乱、停滞的状态。

概括而言，这些国家所选择的经济体制所导致的结果有以下几个方面。第一，不尽如人意的增长速度和较低的收入水平。从1960—1981年期间的国内生产总值年平均增长率看，印度为3.5%，菲律宾为5%—6%，巴西从前10年的5.4%上升到后11年的8.4%，阿根廷从前10年的4.3%锐减到后11年的1.9%，乌拉圭在这两个区间分别为1.2%和3.1%。[19]这样的增长速度是谈不上赶超的。特别是与一些采取其他发展战略的经济相比，上引数字都是比较低的。巴西是个例外。在1970—1981年期间，它依靠高度的保护和补贴政策刺激制成品出口扩张，达到了较高的增长速度。但是，由于出口扩张仍然是以传统方式推动的，所以由此带来的高增长并未能够改变巴西经济和社会受传统战略影响而形成的其他主要特征。格里芬指出，对于巴西这一时期的出口扩张，外国资本和政府补贴起了很大作用，而巴西工业企业所贡献的份额最小。事实上，这一时期之后，巴西经济增长速度骤跌，1980—1991年国内生产总值的年均增长率仅为2.5%。[20]从1960—1981年人均国民生产总值的年平均增长率看，印度为1.4%，菲律宾为2.8%，巴西为5.1%,阿根廷为1.9%,乌拉圭为1.6%。除巴西外,全都低于各自所属收入组别的平均增长水平。由此可以看出这些国家发展水平的提高是很缓慢的,赶超的实践无疑是失败了。

第二,扭曲的经济结构和社会结构,导致收入分配恶化。由于推行资本密集型产业优先发展战略,工业结构偏重,吸收就业的能力受到限制。如在1963—1969年期间,印度、菲律宾和巴西的制造业产值年平均增长率分别为5.9%、6.1%和6.5%。而同期制造业就业的年平均增长率分别为5.3%、4.8%和1.1%。[21]这导致了高失业率。大量低收入人口的存在使得收入分配不均等的状况不能随着经济发展而得到改善。以巴西为例,最富有的5%的人口所占有全部收入的比例在1960年为27.7%,1976年上升到39%;同期,最贫穷的50%的人口所占有全部收入的比例从17.7%降至11.8%。也就是说,1976年最富有的5%的人口的人均收入是最穷的50%人口的33倍。从基尼系数来看,1960年为0.50,1970年为0.56,1976年达到0.60。[22]

第三,低效率和福利损失。政府为了推行赶超战略,对一些工业部门实行了高度保护和补贴的政策,这些产业和企业处于不受外来竞争的垄断地位,反而失去了技术创新动力和改善经营管理的激励,结果效率非常低下。例如,在1955—1975年期间,印度制造业的总要素生产率一直是负数。[23]对这些经济来说,最有典型意义的是寻租行为的泛滥。由于政府通过发放许可证、设置限额、低息贷款以及价格干预等方式对各产业实行差别待遇,企业一旦取得这些优惠条件或补贴便可获利,因而私人企业家们使用了大量人力、物力、财力去寻求这种制度租金,不仅腐化了官员、败坏了政府声誉,还浪费了大量资源,造成国民福利的净损失。据对巴西1967年的估计,如果说,保护造成资源配置不当带给国民生产总值的损失为1%,则寻租行为造成的这种损失为7%—9%。[24]而长期对制造业进行高度保护,则是推行赶超战略经济的重要特点。

第四,财政状况恶化和通货膨胀。由于这些国家超越自己的发展阶段,依靠政府补贴或直接的公共投资发展资本密集型的工业,加重了财政负担乃至产生巨额财政赤字。为了填补这个资金缺口,便大量借用外债。例如,巴西和墨西哥在70年代以后,特别是80年代初期,为了追求高速度,扩大投资,不惜大规模举债,以致先后陷入债务危机,增长速度骤降,分别出现了负增长，人民生活水平也由此倒退了十几年。通货膨胀也是许多推行赶超战略国家的通病。为了人为扶持经济增长速度，一系列宏观经济政策都鼓励投资和扩大基本建设规模，而由于产业结构本身是不平衡的，所以经济过热的结果就是出现一个又一个瓶颈。产品和要素的供不应求导致价格上涨，进而形成比较严重的通货膨胀的局面。例如，巴西的年平均通货膨胀率从60年代的46.1%保持到70年代的42.1%；而阿根廷则从60年代的21.4%上升到70年代的134.2%。㉕

由上面的资料可以看到，导致一些发展中经济未能赶超成功的根本原因，恰恰在于它们所共同选择的赶超战略，以及相配套的扭曲产品、要素相对价格的宏观政策环境和政府干预型的管理体制。

最后，试图通过中国与印度经济增长与发展的全面比较来作进一步的说明。我们选择印度作为比较对象的主要依据是：第一，中国和印度是亚洲相邻的两个大国，人口总量居世界前二名。第二，中国和印度都是发展中国家，取得政权和在政治上获得独立的时间基本接近，所选择的经济发展战略也极为相似。㉖第三，中国和印度的资源条件没有明显差异。中印两国的资源比较优势都是劳动力相对丰富，农业生产条件都有降水量季节分配和地区分布不均匀的特点，等等。第四，中国和印度经济发展的起点大体相似。50年代初，中印两国的经济结构是极为相似的。从农业看，1952年，中国国民收入中农业所占的份额为57.7%，农村人口占全国总人口的比例为87.5%；1950—1951年度，印度的这两个指标分别为59%和82.7%。从总体上看，中国第二次产业相对大一些，而印度第三次产业相对大一些，但差异并不显著（参见表3.11）。

表3.11　中印两国产值结构(%)

	中国(1952年)	印度(1950—1951年)
总　　计	100	100
第一产业	58	60
第二产业	23	14
第三产业	19	26

注：中国的产值结构根据国民收入计算。

资料来源：国家统计局：《中国统计年鉴(1993)》，北京：中国统计出版社1993年版，第33页；孙培均主编：《中印经济发展比较研究》，北京：北京大学出版社1991年版，第57页。

50年代至70年代,中印两国发展农业的微观组织方式差异最大,中国推行了高度集中的人民公社体制,而印度则直至80年代初期,全国的农业共耕社才有9 000多个,社员25万人,耕地面积37.5万公顷,仅占全部耕地面积的0.34%。然而,由于推行的都是重工业优先发展战略,面临的都是扭曲的宏观政策环境,造成农业增长的结果极为相似。1950—1980年期间,中国粮食产量的年平均增长率为3.00%,而印度为3.08%。从表3.12中可以看出,如果不考虑中国改革以来农业快速增长,中印两国农业产值的增长是大致相同的。从表3.13还可以看出,经过漫长的30年,中印两国的就业结构依然如此相近。这或许可以作为中印两国人均国民生产总值都停留在100—300美元的原因之一。

表3.12 中印两国农业总产值的增长指数(1950—1951年为100)

年份或年度	中 国	印 度
1965—1966	172.9	138.1
1980—1981	326.7	231.1
1985—1986	569.5	270.1

资料来源:孙培均主编:《中印经济发展比较研究》,北京:北京大学出版社1991年版,第131页。

表3.13 1980年中印两国的就业结构(%)

产业类别	中 国	印 度
总 计	100	100
第一次产业	74	70
第二次产业	14	13
第三次产业	12	17

资料来源:世界银行:《世界发展报告(1988)》,北京:中国财政经济出版社1988年版,第282页。

赶超战略不仅在中国和其他社会主义国家没有获得成功,而且在印度和其他发展中的资本主义国家也没有获得成功的事实表明,改革前中国经济发展没有取得成功的根本原因,在于所采取的发展战略。

关于赶超战略和赶超思想,必须说明的是,不应把它混淆于后进国家赶上和超过发达国家的愿望,而是指一整套政策体系,通过扭曲宏观政策环境和体制,运用行政干预,实行产业歧视和保护的经济学思想和政策倾向。

作为一种经济学思潮和政策主张的赶超思想，早在16世纪就出现了。其代表是从16世纪至1776年斯密出版《国富论》时流行于欧洲各国的重商主义。在哥伦布发现美洲大陆和麦哲伦发现印度洋航线之后，欧洲各国争相向外扩张。国家经济和军事实力则是这种扩张的前提条件。所以，发展国家经济、积累国家财富成为这一时期各国政府的努力目标。重商主义正是适应这种需要，从传统的经院式经济学中脱颖而出，形成一种在政策和理论上具有相对一致性的经济思想体系。对于重商主义主张的一个早期概括是恰如其分的：在16世纪和17世纪所流行和实施的各种重商主义措施，是“政治家引导他们时代的经济力以建立一个强有力的独立国家的努力的产物。重商主义体系的目标是建立一个工业和商业的国家。在这个国家里，通过权力当局的鼓励或限制，私人利益和部门利益应服从于提升国民实力和国家独立性……”。[27]这个概括从两个层面上揭示了重商主义的实质。第一，反映了重商主义的功利目的性，即帮助一国积累财富、提升国力；第二，揭示了重商主义在达到目标的政策主张上，不是着眼于借助经济当事人的利益驱动，而重在增强国家的权威本身。[28]

赶超思想的另一个理论渊源来自19世纪40年代的德国历史学派。当时德国经济的发展水平落后于英法等先进国家。“国家要求达到独立、坚强地位的自然努力”[29]，在当时德国经济学中的反映就形成了该学派关于经济上赶超的理论和政策主张。典型的观点是否认各个国家的经济发展具有共同的普遍的规律，而认为各国的发展都要依据特殊的政策独立进行。鉴于德国工业的落后状况，他们反对古典经济学关于自由贸易的政策主张，而提倡对本国的“新生工业”进行保护。进一步，他们认为即使经济发展水平提高了，也不应完全进行自由贸易，因为那样的话，以出口初级产品为主的国家将会处于不利的竞争地位，并对他国形成依附关系。由此很自然地，德国历史学派竭力主张国家在经济生活中发挥重要作用，以国家的力量来促进工业发展。

第二次世界大战后兴起的并流行于20世纪50—70年代的发展经济学，充溢了强烈的赶超思想及其相应的政策主张。随着一大批民族国家在战后的独立，这些国家领导人面对其经济大大落后于发达资本主义国家的现实，急切地要向发达国家的经济水平靠近，这对无论是发展中国家的经济学家，还是发达国家或国际组织中的经济学家提出了需求。由于几个原因,这种应运而生的发展经济学家先天地带有赶超思想的印记。原因之一是当时人们对20年代末30年代初资本主义经济世界性危机和形成鲜明对比的苏联经济的高速增长这些经验的观察,得出了计划化、国家干预之必要性的结论。原因之二是当时经济学中凯恩斯主义占据统治地位,作为新生学科分支的发展经济学不可避免地要移植这种时尚的理论体系。原因之三是最早涉及发展问题的经济学家从一些暂时性的经济事实中概括出若干似是而非的规律。例如,关于外围国家贸易条件恶化的假说,中心国家与外围国家不平等交换的假说等等,都建议了发展的不可避免的过程就是以进口替代为直接目标的工业化。[30]

因此,战后发展经济学的传统时尚是夸大市场的失败,主张政府干预,从而继承了重商主义和德国历史学派的国家干预教条,并在十分广泛的国际范围内变成了经济发展战略或政府政策。从赶超思想的整个发展脉络,我们可以简约地将其政策特征作一归纳。

首先,不论其着眼点何在,赶超战略都主张对贸易实行抑制。例如,重商主义不懂得比较优势原理,误认为多卖少买即可增加国家的财富总量,因而倡导鼓励出口、抑制进口的政策;德国历史学派更主要是从保护幼小的民族工业的目标出发,主张实行贸易保护主义,反对贸易自由化的;而战后发展经济学中的“依附论”和“中心—外围论”等则是从发达与不发达的政治经济学,即初级产品贸易条件恶化论和不平等交换等判断出发而主张发展中国家与发达国家脱离经济和贸易联系的。

其次,为了实施贸易抑制,相应要主张的便是对一系列产品和生产要素价格的扭曲。无论出于何种理由实行抑制对外贸易的战略,其核心都是保护本国某些不具有自生能力的产业部门免于国际竞争。在不能发挥本国资源比较优势的情况下,欲使这些产业能够生存,就必然要由政府出面给予各种补贴,直至用人为压低工资率、金融抑制、高估币值和扭曲价格等办法降低产业发展成本。

第三,为了把这些优惠条件有选择地进行配给,则需要给予某些部门和机构以特权,使其居于垄断地位,并形成一套经济统制体制。这些政策的实施,不仅造成资源配置效率的巨大损失,还由于激励、信息等问题导致技术效率低下;此外,这些政策实施中不可避免地衍生出贿赂、寻租、逃税和非法的地下经济活动等弊端。[31]

理论认识上的分歧,是对同一问题产生截然不同看法的根本原因。在关于发展战略的讨论过程中,不难发现,"赶超战略"的思想,在许多国家特别是发展中国家的知识界异常地根深蒂固。而当我们略为回顾经济学说史,又感到此种情形并不奇怪。首先是因为在经济学说史上,"赶超"思想是如此源远流长;其次是尽管古典经济学和新古典主义始终作为赶超思想的对立面而存在,并在经济学说中占据了主流的地位,但它们并未一贯地提出与赶超战略相对应的经济发展战略主张。

本书的下面一章,将提出并加以表述这样一种新的经济发展战略——比较优势战略,力图在前人探讨的基础上,主要通过对中国经济改革前后的比较,以及对创造了东亚奇迹的亚洲"四小龙"的发展经验与中国发展经验及实行赶超战略的拉美经济发展的比较,进行理论概括和总结。而此前包括亚洲"四小龙"在内的各个经济发展过程,都未明确以此为战略来加以倡导。所以,我们有必要在经济思想上作进一步的反思。

注 释

① 刘易斯指出:"经济发展理论的中心问题是去理解一个由原先的储蓄和投资占不到国民收入4%或5%的社会本身变为一个自愿储蓄增加到国民收入12%到15%以上的经济的过程。"(刘易斯:《二元经济论》,北京:北京经济学院出版社1989年版,第15页;Lewis, W.A., "Economic Development with Unlimited Supplies of Labour", Manchester School of Economics and Social Studies, 22, 1954。)

② 马洪主编:《现代中国经济事典》,北京:中国社会科学出版社1982年版,第79、153页。

③ 20世纪50年代初的人均国民生产总值均不足100美元;1958—1979年间,中国大陆的产出增长率为9.3%(引自世界银行:《如何管理技术发展,可供中国考虑的一些问题》,北京:气象出版社1984年版);中国台湾地区和韩国的国内生产总值年增长率,1961—1970年分别为9.3%、8.9%,1971—1980年分别为9.7%、8.7%(引自亚洲开发银行:《1990年亚洲发展展望》)。

④ 世界银行的估计数为220美元。The World Bank, *World Tables 1992*, Baltimore: The Johns Hopkins University Press, 1992, p.184.

⑤ 联合国工业发展组织 1980 年将人均国民生产总值低于 265 美元（1975 年美元）的发展中国家列为低收入发展中国家（联合国工业发展组织：《世界各国工业化概况和趋向》，北京：中国对外翻译出版公司 1980 年版，第 49 页）。

⑥ 参见郑友敬、方汉中：《经济增长趋势研究》，《经济研究》，1992 年第 2 期。

⑦ 商业为 1952—1980 年的平均年增长速度。

⑧ 王慧炯、杨光辉主编：《中国经济结构变化与增长的可能性和选择方案》，北京：气象出版社 1984 年版，第 67—68 页。

⑨ 按照与其他发展中国家可比的口径，对 300 美元这一水平进行调整得出。

⑩ 相对于资金密集的重工业，轻工业是劳动密集的产业，中国的资源比较优势是劳动力相对丰富，所以在宏观政策环境未遭扭曲的情形下，轻工业在国民经济中的比重应该大大高于重工业。

⑪ 冯兰瑞、赵履宽：《中国城镇的就业和工资》，北京：人民出版社 1982 年版，第 10 页。

⑫ 蔡昉：《我国城市化的新阶段》，《未来与发展》，1990 年第 5 期。

⑬ 我们暂且假设符合政策目标的结构状况为均衡条件。

⑭ 我们将计算价格定义为部门或企业计算其生产实际盈亏的一个会计指标。在传统体制下，由于预算软约束，该指标不仅包括计划价格，还包括资金、原材料等的计划供给，以及一系列影响生产盈亏的鼓励或抑制性政策。

⑮ 由于这里产生了消费者价格（P_0）与生产者计算价格（P_1）的不一致，所以剩余量仅为 Q_0Q_1 而不是更大。下面谈到产品短缺时，道理亦同。

⑯ 参见林毅夫、蔡昉、李周：《充分信息与国有企业改革》，上海：上海三联书店、上海人民出版社 1997 年版。

⑰ 林毅夫：《制度、技术与中国农业发展》，上海：上海三联书店、上海人民出版社 1994 年版，第 44—69 页。或见 Justin Yifu Lin, "Supervision, Peer Pressure, and Incentive in a Labor-Managed Firm", *China Economic Review*, Vol.2, Oct.1991, pp.213—229。

⑱ 世界银行 1984 年经济考察团：《中国：长期发展的问题和方案》，北京：中国财政经济出版社 1985 年版，第 145 页。

⑲ 世界银行：《世界发展报告（1983）》，北京：中国财政经济出版社 1983 年版，第 150—151 页。

⑳ 在推行赶超战略时，在一定时期特别是早期阶段，刺激起较快的经济增长速度并非难事。但这种高速增长是依靠资源的最大限度动员而达到的。一旦国内可动员的资源枯竭而国外的资金流入终止，增长速度就会急剧地跌落下来。因此，巴西在 1970—1980 年期间实现的快速增长也是赶超战略的一种常态；而随后的低速也是必然的。巴西在 1980—1991 年期间的增长速度参见：The World Bank,

World Development Report 1993, New York: Oxford University Press, 1993, pp.81, 241。

㉑ 托达罗:《第三世界的经济发展(上)》,北京:中国人民大学出版社1988年版,第317页。

㉒ 格里芬:《可供选择的发展战略》,北京:经济科学出版社1992年版,第153页。

㉓ 格里芬:《可供选择的发展战略》,北京:经济科学出版社1992年版,第157页。

㉔ 格里芬:《可供选择的发展战略》,北京:经济科学出版社1992年版,第153页。

㉕ 世界银行:《世界发展报告(1983)》,北京:中国财政经济出版社1983年版,第148—149页。

㉖ 印度的重工业优先发展战略创导者尼赫鲁曾一再强调:"重工业的发展就是工业化的同义语","如果要搞工业化,最重要的是要有制造机器的重工业"。这一战略的实际制定者马哈拉诺比斯在其设计的印度"二五"计划纲要中曾明确阐述:"工业化的速度以及国民经济的增长,都要依靠煤、电、钢铁、重型机械、重型化工生产的普遍增长……所以,必须竭尽全力尽快地发展重工业。"(转引自孙培均主编:《中印经济发展比较研究》,北京:北京大学出版社1991年版,第51—55页。)

㉗ Palgrave, R.H.ed., *Dictionary of Political Economy*, Vol.2, Macmilan, 1896, p.727.

㉘ Hecksher, E., *Mercantilism.*, 2 Vols. Rev. 2nd ed., Allen & Unwin, 1955, pp.21, 22.

㉙ 李斯特:《政治经济学的国民体系》,北京:商务印书馆1961年版。

㉚ 例如,参见伊特韦尔、米尔盖特、纽曼编:《新帕尔格雷夫经济学大辞典》,第3卷,北京:经济科学出版社1992年版,第999—1001页;威尔伯主编:《发达与不发达问题的政治经济学》,北京:中国社会科学出版社1984年版。

㉛ Lal, D., "Political Economy and Public Policy", Occasional Paper No.9, San Francisco: International Center for Economic Growth, 1990.

4

比较优势战略

在经济上赶超先进国家，是几乎所有落后国家政治和社会精英的热切愿望。然而，几乎所有那些实行赶超战略的经济，因忽视自身所处的发展阶段和特有的资源比较优势，不仅未能实现预想的发展结果，反而陷入诸如日益加深的城乡贫困化、旷日持久的高通货膨胀以及积重难返的经济结构失衡的困境之中。如果这种赶超战略是唯一的选择，我们又没有发现任何采取其他战略成功地实现赶超发达经济的事例，则还不能说赶超战略失败了，只能说这种战略的推行和结果是无法回避的。

然而，事实并非如此。一些没有采取赶超战略的发展中国家和地区，反而取得了快速的经济增长，成为世界经济发展中的明星。第一个成功的故事发生在日本，紧随其后的是地处东亚的韩国、新加坡、中国台湾和中国香港。在过去数十年，这些经济以与其他发展中经济相同的起点，实现了完全不同的发展绩效，成为世界经济中高速、持续经济增长的典型，被誉为“东亚奇迹”。[①]这些成功的发展事例，是否代表了一种可供替代的发展战略，这种发展战略的不同之处何在，它对经济发展理论提供了哪些新的知识，是本章尝试回答的问题。

4.1 对“东亚奇迹”的不同解释

与大多数发展中经济一样，日本和亚洲“四小龙”也是自第二次世界大战后，从较低的经济发展水平上起步的。特别是亚洲“四小龙”国家和地区，其工业化水平在20世纪50年代初期仍然很低，资本和外汇十分稀缺，人均国民生产总值只有100美元左右。但是，这些经济得以在二三十年的时间里持续、快速增长。随着资本、技术的积累，它们又逐步发展资本、技术密集型的产业，成为新兴工业化经济，进入或接近发达经济的行列。

我们以亚洲“四小龙”在经济起飞时期②和以后十年的发展速度，来看一看其不同凡响的发展绩效。1965—1973年间，韩国、新加坡和中国香港国内生产总值的年平均增长率分别为10.0%、13.0%和7.9%，中国台湾的国民生产总值年平均增长率为11.0%；而同期低收入国家（地区）的增长率平均仅为5.6%，下中等收入国家（地区）为6.8%，上中等收入国家（地区）为7.7%，高收入石油出口国为9.0%，市场经济工业国为4.7%。在随后的11年里，即1973—1984年期间，韩国、新加坡和中国香港国内生产总值的年平均增长率分别为7.2%、8.2%和9.1%，中国台湾的国民生产总值年平均增长率为7.8%；而同期低收入国家（地区）的年平均增长率为5.3%，下中等收入国家（地区）为4.2%，上中等收入国家（地区）为4.5%，高收入石油出口国为4.5%，市场经济工业国为2.4%。③值得指出的是，在这些经济中，高速增长还伴随着收入分配的相对均等，经济结构的优化，以及一系列社会福利指标的提高。

关于日本、亚洲“四小龙”何以能够成功地实现经济快速增长，从而达到了赶超发达经济的目标，学术界存在着种种不同的解释。有不少研究者的解释已经超出了经济范畴，这些解释显然暗示着，这些经济的成功与经济因素无关。其中一种是从文化的角度进行解释。例如人们观察到，日本和亚洲“四小龙”都深受儒家思想的影响，认为勤恳耐劳和奉行节俭的儒家文化是这些经济实现成功赶超的原因。④如果事实真是如此，其他国家和地区实现经济成功发展的机会就相当有限了。因为文化是不同的，而且是最难以在短期内发生变化的。然而，问题在于这些国家和地区长期以来就在儒家文化的濡染之下，但为什么它们并没有在16世纪、17世纪率先实现现代化和经济发展？此外，同样受到儒家文化影响的许多其他国家并没有实现同样的经济成功，而许许多多与儒家文化无缘的国家却更早地实现了经济现代化。⑤

第二种解释是由一些从政治地理的角度观察问题的学者作出的。他们认为，由于长期的东西方冷战，美国和西方国家向日本和亚洲“四小龙”提供了大量的投资和援助，以期减弱社会主义阵营对这些国家和地区的影响，同时美国也更加乐于向这些国家和地区转移知识、技术和开放市场。⑥然而，问题在于当年卷入冷战的国家远不止这些实现成功赶超的经济，为什么成功者寥寥？按照这个逻辑，亚洲的菲律宾和大量拉丁美洲国家都应该在这个成功者的名单上。而恰恰是这些国家成为经济发展不成功的典型事例。可见，由于冷战的需要而形成的政治因素对经济发展的影响，充其量可以视为促进成功的经济发展的辅助性因素，而远非决定性因素。

从经济学角度解释东亚成功原因，吸引了许许多多经济学家的兴趣，揭示了许多事实，并提供了各种不同的假说。我们可以将这种种观点归纳为三类。提出第一种假说的学派以世界银行的经济学家为代表。⑦他们认为这些经济的成功是由于实行了自由市场经济，价格扭曲较少，资源配置得当且效率高。但这种解释过于理想化了，从而远远不能令严肃的观察者满意。因为人们同时很容易观察到，事实上，这些经济同样存在着明显的政府干预，竞争障碍乃至价格扭曲和贸易保护也是存在的。例如，韩国、日本和中国台湾都积极地采用了进口限额和许可证、信贷补贴、税收优惠、公有制等手段，以培育和保护其幼稚产业。

与此恰好相反，以麻省理工学院经济学家 Alice Amsden 和英国经济学家 Robert Wade 为代表的另一学派提供的解释是，这些经济的成功是由于政府有意识地扭曲价格，限制市场的作用，利用产业政策来扶持某些关键性的战略产业。⑧诚然，这些干预的确存在，可是，许许多多存在着经济干预和扭曲价格的经济，却往往成为经济发展最不成功的例子。我们前面讨论的推行赶超战略的国家，就以其发展经验表明这种理论假说缺乏说服力。

第三种假说把日本和亚洲“四小龙”经济发展的成功归结为这些国家和

地区实行了外向型发展政策。由于实行外向型发展战略，需要介入国际竞争，所以一个国家或地区的产业必须具备竞争力，从而必须是有效率的。[9]因此，这种观点认为，国际贸易对于经济发展的成功是至为关键的。然而，需要提出疑问的是，经济的外向型究竟是经济发展的结果，还是导致经济发展的原因？如果是后者，完全可以不惜代价地人为推行出口鼓励型的发展政策，提高贸易在经济中的比重，以便达到经济发展的目标。实际上，那些推行赶超战略的国家，也经常把鼓励出口作为其赶超的一个阶段。但由于采取的是扭曲价格和汇率，以及直接补贴的办法，不可避免地导致资源配置的失误，经济仍然陷入重重困境。最近一些经济研究也发现出口比重和经济总要素生产率的提高并没有显著的关系。[10]

4.2 可供替代的发展战略

任何一种有效的理论，一方面需要在逻辑上具有内部的一致性，另一方面需要在经验检验中站得住脚。上述关于日本和亚洲“四小龙”成功地实现经济赶超的解释，无疑都触及事物现象本身的某个方面，但都没有揭示事物的本质，因而相互之间是矛盾的，而且各自的解释力都在这种矛盾中彼此抵消了。因此，我们所要提出的理论解释应该是一种能够包容上述假说的理论。

从日本和亚洲“四小龙”的发展经验来看，它们的经济发展是一种循序渐进的过程。一个与赶超战略截然不同的特点就是，它们在经济发展的每个阶段上，都能够发挥当时资源禀赋的比较优势，而不是脱离比较优势而进行赶超。表4.1表明，这些经济在其不同的发展阶段上，由于不同的比较优势，因而形成不同的主导产业。一个共同的规律是，随着经济发展、资本积累、人均资本拥有量提高，资源禀赋结构得以提升，主导产业从劳动密集型逐渐转变到资本密集型和技术密集型，乃至信息密集型上面。

无论是日本还是亚洲“四小龙”在其经济发展过程中，都没有明确地宣布过它们实行怎样的发展战略。毋宁说，除了中国香港之外，这些经济在发展的早期，都曾经尝试推行进口替代政策或者说作为次级进口替代阶段的

表 4.1　20 世纪日本和亚洲“四小龙”的关键产业与发展阶段

	日　本	韩　国	中国台湾	中国香港	新加坡
纺织	1900—1930 年，50 年代		60 年代和 70 年代	50 年代初	60 年代初，70 年代再次
服装、成衣			60 年代	50 年代至 60 年代	
玩具、表、鞋			60 年代至 70 年代	60 年代至 70 年代	
炼制		60 年代初（推动）			
钢铁	50 年代至 60 年代	60 年代末 70 年代初（推动）			
化工	60 年代至 70 年代	60 年代末至 70 年代			
造船	60 年代至 70 年代	70 年代			
电子	70 年代	70 年代末至 80 年代	80 年代		70 年代
汽车	70 年代至 80 年代	80 年代			
电脑与半导体	80 年代	80 年代末			
银行与金融				70 年代末至 80 年代	80 年代

资料来源：Ito，Takatoshi，“Japanese Economic Development：Are Its Features Idiosyncratic or Universal?” paper presented at the Ⅺth Congress of International Economic Association at Tunis，December 17—22，1995.

重化工业优先发展政策。如果照那样的道路走下去，我们今天也许没有机会讨论所谓的“东亚奇迹”了。但是，这些经济与其他发展中经济的不同之处在于，由于这些经济感受到赶超战略的高成本和沉重代价，因而较早地放弃了与其比较优势相抵触的赶超战略，而按照各自的资源禀赋条件，积极发展劳动密集型产业，从而增加了出口和经济的外向型程度，达到了比较优势的充分利用。由于它们这种从未明确表述出来的发展战略，特点是其主导产业在发展过程的每一个阶段都遵循了经济学中所说的“比较优势原则”，因此，我们称之为比较优势战略。

日本和亚洲“四小龙”为什么能够不同于其他发展中经济，而在较早的阶段上放弃赶超战略呢？经济学家也尝试作出解释。而我们将这些经济与那些固守赶超战略的经济作比较时，发现两者的截然不同之处在于前者的人均自然资源占有水平很低，同时人口规模较小。赶超战略是一种效率很低、浪费很大的发展道路。一个经济能够在多久的时期持续推行赶超战略，通常取决于两个因素。第一是人均自然资源的丰裕程度。自然资源可供无偿开发的程度，决定了一个经济在低效率的发展战略下得以延续的时间长短。第二是人口的规模。人口规模的大小决定了平均每个人对资源浪费的负担程度。相对小的人口规模就无法维持长期的资源浪费。

日本和亚洲“四小龙”由于经济规模太小、人均拥有的自然资源太少，在发展的早期，每次要想推行重工业优先发展战略时，马上就遇到财政赤字增大、外贸收支不平衡、通货膨胀过高的难题，而无法坚持下去，只好放弃当局的积极干预，而由企业作自由的选择。企业的目标是利润最大化，要实现这个目标，在选择技术和产业时，就必须以充分利用经济中资源禀赋的比较优势为出发点。日本和亚洲“四小龙”遵循比较优势发展经济，是在当局放弃了赶超战略后企业自发选择的结果。可见，它们都没有把按照比较优势发展经济作为一种主动的政策选择。但既然它们成功的经验表明，遵循比较优势原则可以快速地发展经济，作为后来者，就应该以此作为替代传统赶超战略的一种主动的战略选择。

从这里我们也可以看到赶超战略与比较优势战略之间的一个最重要的差别。无论是早期重商主义、德国的历史学派经济学以及“霍夫曼定律”，还是第二次世界大战之后传统发展经济学中五花八门的发展战略的倡导者，以及推行形形色色赶超战略的实践者，[11]都把产业结构和技术结构的差异看作是发达经济与落后经济之间的根本差别。于是，发展经济学文献中的"大推进理论"或"中心—外围理论"也好，实践中的重工业优先发展战略或进口替代战略也好，都把提升一个经济的产业结构和技术结构，视为经济发展和赶超发达经济的同义语。[12]为了提升产业结构和技术结构，这些国家或地区高度动员有限的资源，人为地扶持一两个资本密集型的产业。

问题在于，产业结构和技术结构的升级，都是经济发展过程中内生的变量，即它们仅仅是发展的结果，或者说是一个经济中资源禀赋结构变化的结果。资源禀赋结构是指一个经济中自然资源、劳动力和资本的相对份额。自然资源通常是给定的；劳动力增加的速度取决于人口的增长率，国家之间并无巨大的差异，一般在1%—3%之间；所以，唯一可以有巨大的增长差异的资源是资本。有的国家可以达到年平均20%—30%的资本积累速度，而有的国家仅能达到10%甚至更低的年平均资本积累率。如果这种差异持续一个较长的时期，譬如说一个世纪，将会产生巨大的不同。因此，当我们讨论资源禀赋结构的提升时，事实上是指资本相对丰裕程度的提高。

在发展的早期阶段或当今的发展中国家，资源结构的特征是资本的严重缺乏。在通过扭曲要素价格和其他经济管制人为推行重工业化的情况下，所能做到的也仅仅是把有限的资本倾斜地配置到几个产业上，与此同时必须压抑其他产业的发展。由此必然产生的几个问题是：

第一，以牺牲经济整体进步为代价的少数产业的赶超，不足以支持资源结构的升级，或总体经济实力的提高。受保护产业没有竞争力，利润低，经济剩余少；受压抑产业没有资本，也难以形成有效的生产力，因此也提供不了足够的资本积累。在这种状况下，资源结构的升级最终只能落空。苏联就是一个典型的例子。由于推行重工业优先发展战略，国家用强制性计划手段动员资源，使其军事工业和空间技术产业得到高度发展，在冷战期间堪与超级大国美国媲美，其工业产值与发达经济比较也不算低，但在以人均国民生产总值衡量的综合国力和资源结构水平上，苏联与美国等发达资本主义国家相比，差距并未能缩小。更重要的是，苏联在民生工业上极端落后，人民生活水平长期得不到改善。

第二，赶超战略所扶持的产业部门，由于不符合资源禀赋的比较优势，只好完全依赖于扭曲价格和国家保护政策才得以生存。在缺乏竞争的条件下，它们固然可以成长起来，并在统计意义上改变国家的产业结构状况，但这些产业必然是缺乏效率的，毫无竞争能力可言。中国在改革过程中，国有企业特别是那些资本密集型产业的国有企业所面临的窘境就证明了这一点。

第三，在赶超战略下，违背比较优势所形成的畸形产业结构与劳动力丰富的资源结构形成矛盾。这种偏斜的产业结构大大抑制了对劳动力的吸收，形成资源利用的二元性质，使广大人民不能均等地分享经济发展的好处，相当大规模的人口处于贫困的状况之中。

第四，赶超战略着眼于在前沿上赶超与发达经济之间的技术差距。然而，既然不能改变资源结构，某些产业资本密集程度的提高，必然使得其他产业的资本密集程度降低，也就不能在整体上缩小与发达经济在资本和技术水平上的差距。

由此可见，经济发展的真实涵义不是几个重工业产业鹤立鸡群式的增长，而是国家综合国力的提高。具体来说，对于一个处于落后地位的经济来说，所要寻求的发展，应该是资源结构的提升或人均资本占有量的增加。产业结构的升级、技术水平和收入水平的提高只是这个过程的自然结果。

日本和亚洲"四小龙"经济由于人均自然资源和人口规模的制约，对这种牺牲大部分产业而集中扶持少数产业的做法所带来的巨大代价承受力较低，所以较早地放弃了赶超战略，企业从利用其劳动力丰富的优势出发，发展劳动密集型产业，反而使资源禀赋结构的提升速度加快，作为其人均资本拥有水平提高的结果，产业结构和技术结构得以更快地升级(见表 4.1)，最终进入发达经济的行列。实际上，按照比较优势来发展经济的原则，不仅适用于劳动力相对丰富的经济，对于那些自然资源丰富的国家和地区也同样适用。

以澳大利亚、新西兰的发展绩效与拉丁美洲的阿根廷、乌拉圭等国相比较，是十分有说服力的。在上世纪末和本世纪初，这些国家的经济发展水平大致相同。由于澳大利亚和新西兰在随后的经济发展中充分利用了自然资源丰富的比较优势，制造业在国民经济中的比重并不高，在 1991 年分别也不过占国民生产总值的 15%和 18%，大大低于其他发达国家的水平，但却分别以人均国民生产总值17 050美元和12 350美元的水平保持在发达国家的行列;而不顾自身资源比较优势,推行赶超战略的阿根廷和乌拉圭却从当时的发达国家行列倒退到中等发达国家的地位。虽然拥有更高的制造业比重(分别为35%和25%),人均国民生产总值却大大低于前两个国家,分别只有2 790美元和2 840美元。[13]

日本和亚洲"四小龙"的实践表明,除了立足于赶超的重工业优先发展战略或进口替代战略之外,还有一种更为成功的经济发展道路。把这种道路总结为比较优势战略,有助于我们准确地理解这种成功经验,从而更好地理解实行赶超战略之所以失败的原因。由此,这种发展战略就可以从不自觉的行为变为自觉的行为,从"必然王国"走向"自由王国"。

4.3 比较优势战略与资源禀赋结构的提升

经济发展归根结底是要改变资源结构,即增加资本在资源禀赋中的相对丰富程度。资本来自于积累,而社会资本的积累水平取决于经济剩余的规模,而后者又依赖于生产活动的绩效和特点。如果一个经济的产业和技术结构能充分利用其资源禀赋的比较优势,那么这个经济的生产成本就低,竞争能力就强,创造的社会剩余也就多,积累的量也就大。其次,我们可以把一个社会中的生产性活动分为社会生产性活动和私人生产性活动,社会生产性活动可以增加整个社会可用的产品或服务总量,而私人生产性活动虽能增加个人的收益,有时未必能增加社会的产品和服务总量。寻租行为是造成私人的生产性活动与社会的生产性活动不一致的一个主要原因。例如,如果政府可以利用权力设定一项生产限额,就会使该产品的国内生产者获得更高的利润。因而,相关的生产者就会采取各种手段去说服政府官员设定和执行这个生产限额。这类寻租活动消耗社会资源增加个人收益,但并不增加社会产出,因而是有益于私人的活动而对社会只有损害。如果每个人的私人生产性活动同时也是社会生产性活动,社会产出就会较多,可供积累的剩余也会较多。我们将论证如果一个经济充分发挥其比较优势,私人的生产活动和社会的生产活动将会取得一致。

除此之外，积累的水平还决定于储蓄倾向，在同样的经济剩余水平下，储蓄倾向越高，社会资本的增加就会越多，资源禀赋结构的升级也就越快。一个发展中经济若能充分发挥其比较优势，储蓄倾向也会较高。然而，传统的经济增长理论也强调资本积累，甚至把储蓄率和投资率的作用强调到决定一切的地步。[14]但是，最重要的而传统的经济增长理论没有提出的问题在于：怎样增加社会剩余总量及怎样才能使所有的生产活动从社会的角度看是生产性的、竞争性的，以及如何才能提高储蓄率。

从理论上看，一个国家怎样才能发挥其比较优势呢？根据赫克歇尔—俄林模型，[15]如果一个国家劳动资源相对丰裕，该国的比较优势就在于劳动密集型产业。如果这个国家遵循比较优势多发展轻工业即劳动密集型产业为主的产业，由于生产过程使用较多的廉价的劳动力，减少使用昂贵的资本，其产品相对来说成本就比较低，因而具有竞争力，利润从而可以作为资本积累的量也就较大。

要使整个社会都能够对比较优势作出正确的反应，就需要有一个能够反映生产要素相对稀缺性的要素价格结构。即在劳动力相对丰富的禀赋条件下，劳动力价格应该相对便宜；而在资本变得相对丰裕的禀赋条件下，资本就相应地成为相对便宜的要素。如果一个经济中的要素价格结构能够充分反映各种要素的相对稀缺性，企业就会自动地作出调整，即在其产品和技术的选择中尽可能多使用便宜的生产要素，从而实现比较优势。必须指出的是，要素相对稀缺性在要素价格结构上的准确反映，必然是市场竞争的结果，任何人为的干预和计划机制都做不到这一点。所以，世界银行经济学家把亚洲“四小龙”发展的成功归结为市场机制作用的解释是有一定道理的。

日本和亚洲“四小龙”实行的是市场经济，又较早地放弃了赶超战略，因此，各种产品和要素的价格基本上由市场的供给和需求竞争决定，能够比较好地反映各种要素的相对稀缺性。企业在作产品和技术选择时就能利用各个发展阶段显现出来的比较优势。此外，这种价格决定的竞争机制，还可以减少一个社会中的寻租行为。这样，企业和个人要增加收益就只能通过提高技术水平和管理水平，私人的生产性活动也就会是社会的生产性活动。同时，在发展中国家，资本是稀缺的要素，资本的价格即利率如果由市场竞争来决定必然高，利率同时也就是现在消费和未来消费的相对价格，利率高则现在消费的相对价格高,未来消费的相对价格低,因而会抑制现在消费,增加储蓄倾向。

在一个竞争性的市场体系中,必要的制度环境建设包括以下几个方面:

首先是要有一个灵活、有效的金融市场。由于在任何一个经济的早期发展阶段上,资本都是最稀缺的生产要素,因此市场利率必然很高。这有利于鼓励储蓄和节约资本的使用,而且只有效率高、利润大,即较好地利用比较优势的企业才能付得起这样的资金价格。因此,在劳动力相对丰富而资本相对稀缺的经济中,灵活、有效的资金市场的存在,可以保证资本被配置到劳动密集型的企业和产业中,从而最大限度地利用比较优势。

其次是要有一个竞争的劳动力市场。由于劳动力是相对丰富的生产要素,相对于资金利率而言,工资率应该相对较低。由此,企业才会以廉价的劳动力来替代昂贵的资本,这样有利于丰富的劳动力资源的充分就业。

最后是要有一个充分竞争的和发育良好的产品市场。帕金斯概括了市场机制发挥作用的五个方面[16]:(1)价格稳定,从而生产者是靠生产和销售获得的利润而不是靠投机取利;(2)产品通过市场渠道流通,而不是靠政府机构的分配;(3)价格须反映经济中的相对稀缺性;(4)有竞争存在,生产者是价格的接受者;(5)生产的决策者按市场规则行动,靠降低成本、增加销售来获取利润,而不是靠补贴和垄断牟利。实行比较优势战略能够加快经济发展的几个主要因素也正是由上述市场机制的作用中得出的。

由于生产要素和产品的价格都是由市场竞争决定的,能够反映产品和要素的供求状况与相对稀缺性,微观经营单位在依据这样的价格信号从事经营和生产的过程中,会对通过市场价格传递的关于产品和要素的供求状况及相对稀缺性作出反应,并相应于一定的市场需求和资源禀赋状况进行产品结构和技术选择。从全社会的角度来看,这样的产品和技术选择的结果就是形成了与特定的资源禀赋相适应的产业结构和技术结构。

在产品和要素的价格没有扭曲的自由竞争经济中,一个微观经营单位要想生存和发展,除了通过寻找更廉价的投入品、开辟新的市场、改进经营管理、选择适宜技术等途径实现微观上的技术创新之外别无他途。因此,微观经营单位不仅要密切注视当前的市场,利用当前的适宜技术从事生产,还要研究和预测将来的市场,以及未来的比较优势。静态比较优势的发挥使经济发展速度加快，资本积累的速度将远高于劳动力和自然资源增加的速度。因此，资本将由相对稀缺逐渐变成相对丰富，资本的价格将由相对昂贵逐渐变成相对便宜。企业为了竞争的需要，就要根据相对价格信号的变化，调整产业和技术结构，实现动态的比较优势。

在一个劳动力相对丰富的经济中，推行比较优势战略不仅能够通过静态和动态比较优势的利用实现有效率的增长，还能通过充分利用丰富的劳动力资源使劳动者充分就业。随着经济增长，劳动力逐渐变得相对稀缺，工资水平则不断提高，劳动者因而可以从经济的增长中不断受益；而“赶超战略”优先发展的是资金密集的产业，所能创造的就业机会少，劳动力无法充分就业，工资水平将长期受到抑制，使劳动者难以分享增长的果实。因此，与赶超战略相比，比较优势战略才真正可以实现公平与效率的统一。

由于在一个充分竞争的市场体系中，生产者经营好坏完全取决于能否对市场信号作出灵敏而正确的反应，企业利润只能来自于竞争，而无法依靠统制价格和市场价格之间的差别来获得制度租金。有关的研究表明，扭曲价格所造成的在资源配置上的直接效率损失，远不是这种政策环境带来的社会福利损失的全部，由于寻租行为所导致的社会资源的浪费数倍于直接效率损失。而在一个价格由市场决定，政府不再对市场进行直接干预，从而无租可寻的宏观政策环境下，这种社会资源的浪费及体制弊端就得以避免。

在这样的制度环境下，每一个企业乃至整个经济结构都发挥比较优势，其产品的国际和国内竞争力都必然是较高的。同时，这种发展战略也必然通过国际贸易来发现和实现自身的比较优势，并利用国际贸易提高本国产业和企业的效率，因而是外向型的。可见，用经济外向型特征来解释日本和亚洲“四小龙”经济成功的说法，也正确地观察到了这个重要的现象，只是未能理解这种现象是充分利用比较优势发展经济的结果，而不是这些国家和地区经济发展成功的原因。

4.4 政府在经济发展中的作用

政府在经济发展过程中的适当作用，也是实行比较优势战略的题中应有之义。政府在经济发展中的作用是什么，政府应该如何发挥其促进经济发展的作用，是经济理论和经济政策讨论中一个旷日持久的论题。

例如我们前面所讨论过的，日本和亚洲“四小龙”经济快速增长的奇迹，在经济研究的文献中，既可以用于支持新古典经济学强调市场作用和企业家个人积极性，反对政府干预的主张，又常常被用来证明政府通过产业政策干预市场的成功。刘易斯的一段话，概括出了这个关于政府在促进经济发展中的作用的悖论：“如果没有一个明智的政府的积极促进，任何一个国家都不可能有经济进步……另一方面，也有许多政府给经济生活带来灾难的例子，以至于要写满几页警惕政府参与经济生活的话也是很容易的。”更明确地说：“政府的失败既可能是由于它们做得太少，也可能是由于它们做得太多。”⑰

然而，从实行比较优势战略出发，就能够使我们既认识到政府在经济发展中的作用所在，又能够将政府的作用界定在适宜的范围内。我们可以在与赶超战略的比较之中来理解这一点。在实行赶超战略的情况下，为了支持一些不具自生能力产业的发展，对经济进行人为的干预，对市场和价格信号给予扭曲，是赶超战略的内生要求。因此，政府作出不恰当的行为，以至伤害经济发展过程，几乎是必然的，而且除非改变这种发展战略，这种灾难性的政府干预是无法纠正的。

而在实行比较优势战略的情况下，发展战略内生的要求是使市场充分运行，价格信号正确。因此，政府的作用首先在于维护市场的竞争性和规则性。由此而提出的政府经济职能包括：

(1) 建立市场规则和实施反垄断法。这是保证市场机制充分发挥资源配置作用的关键，因为一旦市场被垄断，价格信号和比较优势信息就被扭曲，企业也就难以按照比较优势进行投资决策。从这个意义上看，政府的职能不仅不在于消除市场竞争和限制价格机制的作用，相反是保护这种竞争，从而让价格机制发挥最充分的资源配置作用。

(2) 采取独立的货币政策和财政政策，降低经济发展过程中的过度波动。在价格机制调节生产和消费的过程中，经济波动有时是难以避免的，从而对生产者造成伤害。在经济周期波动中，市场需求的信息发生紊乱，生产者和创新者无所适从，无从依据，所以这时需要政府发挥职能以反周期的财政政策和货币政策来最大限度地减少波动。显然，这也不是任何意义上的否定市场竞争和价格机制。

(3) 采取适当的方式，参与建设和投资于那些具有某种外部性的产业，以及那些需要较大规模的初始投资和需要较长建设周期的项目，例如教育、卫生、交通运输和能源等必要的基础设施部门。这样可以为社会经济活动建设起必要的基础设施，降低经济活动和市场机制运行的交易成本。

一个经济在较低的发展阶段上，资本通常是最为稀缺的要素，具有比较优势的是土地和劳动相对密集的产品，譬如农产品。随着资本积累和劳动力的增加达到一定水平，土地的相对稀缺性有所提高，劳动密集型的农业如鲜花、水果、蔬菜等精细农业，以及如纺织、制鞋、家用电器的组装等制造业成为具有比较优势的产业。进而，随着经济进一步增长，资本积累进入更高的阶段，劳动力变得相对稀缺，其成本也逐渐提高，资本成为相对丰富和便宜的要素，资本和技术密集型的产业相应成为具有比较优势的产业。由此可见，无论经济发展处于何种阶段，皆有自身的比较优势。一个经济越是能够充分发挥比较优势，经济增长从而资金积累越快，比较优势的变化，以及向资金密集型产业转移的速度也越快。

所以，通过比较优势的发挥，可以化解稀缺资源不足所造成的瓶颈制约，资源结构升级要快于实行其他发展战略的情形，从而产业结构和技术结构的变化速度将十分迅速。比较优势战略加快产业结构和技术结构升级的这个特点，对政府提出了除了维护市场秩序的许多迫切的额外要求，而特别表现在产业政策的制定和实施上面。下面分别根据实行比较优势战略的经济和实行赶超战略的经济的相关经验，对产业政策的本质、内容，以及与赶超战略的经济计划之间的差别作一些概括。

首先，随着资源禀赋结构的变化，产业结构和技术结构也要相应地发生变化。现实中存在着各种各样的产业与技术可供选择。为了产业结构升级的目的，无论企业家还是政府，都需要有关于哪些技术或产业最能充分利用比较优势，以及新的产品市场潜力有多大、可能存在的竞争状况等一系列信息。然而，信息是一种准公共品。任何企业固然可以投资于某种活动去取得这种信息，但信息一旦取得，其传播成本接近于零，最佳的社会方案应该是让所有企业得以知晓。此外，信息的收集、传输和处理过程具有规模经济。因此,自然而然地,政府应该充当这个集信息收集、处理和传播的职能于一身的角色,并把处理过的信息以产业政策的形式公布于社会,以作为企业在根据比较优势的变化作产业和技术升级时的参考。实行比较优势战略条件下的产业政策是一种指导性的,其主要特征与其说是要求企业家去做什么或怎样做,不如说是提供一些可能的机会供企业家们选择。

其次,实施这种产业政策需要政府履行社会协调的职能。当资源禀赋的升级要求一个社会的产业随之升级时,所需的投资范围十分广泛。由于资金的限制、风险和外部性的存在,单个的企业不会在所有的领域进行投资,而有时这种投资活动的不配套会导致社会最佳投资机会的丧失。例如,要从以农业为主导的产业结构升级为以轻加工业为主导的产业结构,教育、交通运输、商业、流通基础设施及进出口活动等都要有所变化;而从轻加工业升级为资本、技术密集型的产业,在教育、科研和资本市场等方面,也同样需要有相应的调整。而单个企业是不能胜任这种协调职能的。政府的作用就在于通过决定朝哪个方向努力,对需要采取的行动进行分析,以及提供引导和支持,帮助单个企业就其自身的状况和经济发展前景作出最有利的投资决策,并同时达到社会上各个企业投资活动之间的协调。由于这种政府引导是协调性的,以资源禀赋结构的变化为依据,而不是强制性和扭曲性的,因而不会距离当前比较优势太遥远,从而可以避免严重的决策失误。

最后,提供一定的财政支持以补偿企业进行产业创新和技术创新时面临的外部性。对那些遵循政府产业政策的企业来说,作为创新者,与任何创新者一样,都面临着外部性。即由于政府并不总是正确的,所以他们的创新活动可能成功,也可能失败。如果成功了,其他企业可以随之跟进,而使超额利润很快消失。如果创新失败,表明这个社会的比较优势尚未达到如此高的阶段,或是选择的技术方向、市场需求判断等不正确,其他企业得以避免重蹈覆辙。结果,创新的企业付出成本,其他企业则因获得的信息而坐享收益。由于无论是成功还是失败,这种创新活动及其经验对于社会都有价值,因此,如果政府不能给创新企业提供一个补偿,实际所发生的创新将会比社会最佳方案所要求的少。所以,政府需要通过减免税收或贴息等补偿形式,鼓励这种具有创新性质的投资活动。

同样,由于这种政府干预是在资源禀赋结构已经发生变化的前提下进行的，所要支持的产业具有自生能力，所需提供的补贴只是对创新活动外部性的补偿，范围和数量都有限，所以不会像在实行赶超战略时的情景，受到补贴的企业缺乏自生能力，补贴成为企业维持生存的依托，从而是不可遏止的。

以上分析表明，如果仅仅限于获取信息提供中的规模经济，以及对创新活动中的外部性提供补贴，政府的经济职能乃至干预活动就是必要的，也是有效的。前述关于日本和亚洲“四小龙”成功经验的政府干预学派也像盲人摸象一样，反映了日本和亚洲“四小龙”发展成功经验的一个侧面。但这个学派未能看到，政府的这种干预是在比较优势变化、产业结构升级过程中，用来补偿创新企业所要面临的外部性，而不是像在赶超战略下那样，用来保护、扶持不具自生能力的产业。

归纳起来，产业政策的成功必须同时满足两个条件：一方面，产业政策提供了关于一个经济比较优势的动态变化趋势的信息；另一方面，这一政策目标又不能和现有的比较优势相距太远。19 世纪后期德国依靠政府“铁与血”的强制政策，成功地实现了赶超英法的经验，常常被作为政府成功干预经济的论据。这里必须把握的是，德国是在与英国、法国具有大体相似的资源禀赋条件和较为接近的比较优势，而且经济发展水平相差不多的情况下进行“赶超”的。[18] 20 世纪 50 年代日本提出重工业优先发展战略时，其人均国民生产总值已达美国的 1/4 以上，[19]而且日本开始发展的重工业是劳动力相对密集的造船、炼钢等产业。事实上，日本和“四小龙”的经验与社会主义国家及拉美经济的教训表明，政府产业政策目标必须是可见的近期比较优势。如果目标过于遥远，为追求该目标就不可避免地要扭曲要素的相对价格。而当干预目标是“近”的和可见的时，就可以使这种政府作用是顺应市场的（market conforming）而不是扭曲市场的（market distorting）。

具体来说，着眼于近期比较优势，可不致使过多的资源用于干预本身。我们知道，政府的管理行为作为一种资源，也是有限的。如果政府使自己过多地陷入直接干预和替代企业作决策，必然造成“该干的没干，不该干的干糟了”。政府着眼于可见的比较优势，可以适宜地界定政府的作用范围，使其对产业的引导在大多数情况下只是通过与企业的信息交换进行的。由此形成东亚经济的产业政策与社会主义国家及拉美经济的赶超战略最根本的分界。

日本和亚洲“四小龙”的经济发展过程中,政府及其产业政策的作用可以从两点来观察。其一,这些经济归根结底是一种“小政府”型的。以1980年和1992年中央政府支出占国民生产总值的比重来看政府介入的程度,日本分别为18.4%和15.8%,新加坡分别为20.8%和22.7%,韩国分别为17.9%和17.6%,与之相比,拉美经济普遍高出许多,智利分别为29.1%和22.1%,巴西分别为20.9%和25.6%,玻利维亚分别为29.0%和22.5%。[20]

其二,这些经济中政府的产业政策是市场导向的,是在价格机制的作用框架内执行的。政府并不干预企业决策,而是利用非正式的劝说指导企业界。[21]以日本重工业化时期的产业政策为例。日本在其战后经济恢复时期确曾有过政府对经济过程干预过多的事实。[22]但到了20世纪60年代初,日本产业政策开始从直接干预型向指导型和采用间接的手段转变。而1963年计划出的产业前景规划,即选择重化工业为发展重点,正是这一转变的产物。[23]在60年代初,日本的人均国内生产总值已经达到世界经济强国美国的1/3以上,资本短缺的阶段已经超越,非熟练劳动力密集型产业已不再具有比较优势。正是在这种条件下,日本在整个60年代加快了其能源密集型和材料密集型的重化工业发展,特别是在60年代末期,工厂和设备投资以每年平均20%以上的速度增长。可以说,日本的产业政策是根据每一特定阶段的特殊条件,用实用主义和折中主义的态度,政府与科学技术界、产业部门合作制定一个可见的比较优势动态前景的过程。

4.5 比较优势战略与金融危机

在人们探讨和争论日本和亚洲“四小龙”经济发展成功之谜的时候,1997年的亚洲金融风暴几乎波及所有我们所考察的这几个国家和地区的经济,以致人们要提出这样的疑问:金融危机与这些经济所实行的发展战略是否有某种联系?同样,本书作者在总结并推荐了这些经济所实行的比较优势战略之后,也不可回避地要对上述问题作出解释。让我们先从金融危机产生的原因和发生机理讨论起。

人们通常看到,金融危机与资本的跨国流动有着直接的关系。资金向回报率高的领域流动,本是天经地义的规律。在经济高速增长且有良好的预期的情况下,投资以及信贷行为高度活跃是十分自然的。如果经济活动是健康的,投资可以依赖于生产增加得到偿还,跨国的资金流动不致酿成灾难性的金融危机。然而,从东南亚和日本、韩国的经历看,金融危机的直接导因是银行的不良贷款比例过高,而不良贷款比例过高则是由于泡沫经济的破灭和产业发展政策的失误所致。

经济的泡沫状态(bubbles)是指一种或几种资产的价格持续上涨,并以继续涨价的预期吸引人们专门从事买卖活动以牟利,而对这些资产使用本身不再关心。[24]泡沫经济可分为房地产泡沫和股市泡沫。房地产泡沫在日本、韩国以及东南亚国家和地区几乎无所不在。泡沫经济的产生,有其经济自身的规律。总体上说,亚洲国家和地区人口密度较大,土地资源相对稀缺。在正常情况下,土地价格将相对昂贵一些。更主要的是,在经济发展过程中,随着社会总需求的增长,一种要素的供给弹性越小,其价格的提高越快。特别是房地产业对土地的需求增长,加上这些国家和地区经济活动的区域分布过度集中,使得土地成为这些经济中供给弹性最小的要素。在经济增长十分迅速的情况下,人们预期土地价格会不断上涨,从而大量资金被投入房地产业,以期获得不断增加的资本收益,并进一步刺激地产价格上涨。

泡沫经济的另一种表现是股票市场的过分膨胀。股票市场泡沫产生的机理与房地产泡沫相似。在短期内,股票的供给弹性很小。当经济增长处于上升期时,人们看到股票价格普遍上涨。为了赚取价格上涨的资本所得,大量资金涌入股市,进一步推动股价狂涨。

正如经济泡沫的出现具有普遍性一样,泡沫的破灭也是必然的。泡沫经济的持续受两个因素影响。第一是受一个经济可以用来投资的资金总量大小的影响。第二是受社会对经济增长的实际预期和心理预期的影响。从静态的角度讲,当一个社会可动员的资金达到极限时,房地产和股票的价格就不会继续上涨,因为投资于房地产不仅有风险,资金也有机会成本。当房地产和股票的价格停止上涨时,就会有人率先抛售,导致价格下跌。其结果是导致更多人抛售。从动态的角度讲,价格上涨快时,社会上过多的资金被用于房地产开发的投机，生产性投资越来越少，生产的竞争力就会降低，经济增长会停滞。对供给弹性小的房地产和股票价格上涨的预期就会从乐观变为悲观。与此同时，房地产供给的增加会使其价格达到高位后迅速跌落，从而泡沫的破灭成为必然。

不过，泡沫经济本身未必一定导致金融危机。如果用于泡沫经济的投机资金都是投资者自己的，则这种破灭还不会导致银行危机。然而，当投资人看到房地产和股票价格不断上涨，就会冒险以购买的房地产和股票作抵押，向金融机构借款进一步投机。这种不断自我加强的预期也会使银行和其他金融机构大量贷出资金，甚至直接投资于房地产和股票市场。一旦在泡沫经济破灭时房地产和股票的价格大幅度跌落，抵押品的价格会跌落到其作为抵押品贷款时的价格之下。投资者收不回投资，银行收不回贷款，于是形成大量的坏账。

此时，是否形成银行危机，还要看每一笔贷款中，投机者自有资金的比重，以及整个银行资产的结构状况。所以，问题还涉及到银行资产结构和监管体制。如果对以房地产和股票作抵押的贷款没有限制，或者整个银行体系的资金可用于房地产和股票抵押贷款的比例没有限制，或者虽然有所限制却监管不力，在泡沫增长时，投资者有意愿用贷款来进行投机，银行等金融机构存在着道德风险，[25]就会有大量银行资金流向投机领域。一旦经济增长变缓，经济泡沫破灭，不良贷款变成坏账，就会出现银行危机。

如果投入到泡沫产业中的资金全部是国内储蓄，当泡沫经济破灭时，银行危机还不会演变为东南亚所出现的货币危机。一旦外债直接进入投机性产业或通过金融机构进入到投机性产业，就会吹起更大的泡沫。当经济增长放慢从而预期发生变化时，或者一旦遇到某种外生的变化，譬如说政府不再能够对一系列失败的投资进行挽救，则投资人的信心便一下子变得无比悲观。如果货币可自由兑换，资金可以自由流动，挤兑和撤资便会发生。在资本具有很强的流动性的条件下，迅速的资本外流加快了金融体系的崩溃。在实行固定汇率制的条件下，为了维持汇率稳定，中央银行通常要进行干预，外国金融投机家于是便有机可乘。例如投机者向国内银行借本币，到国际市场上抛售，政府就要用外汇储备托市。但国内储蓄者看到国内金融机构的危机，在外国投机者攻击本国货币时，很可能产生信心危机，国内资金拥有者随着金融投机家抛售。正如《经济学家》上一篇文章指出，在东南亚发生货币危机时，本地货币的最大卖主实际上并不是投机家，而是为了避免损失和需要美元偿付债务的本地企业。㉖当中央银行把有限的外汇耗尽而无力托市时，汇率就会像自由落体一样直线跌落，从而出现东南亚金融危机中的货币危机和支付危机。

银行不良贷款比例过高的第二个原因是政府产业政策失误。如果政府人为地扶持没有竞争力的赶超部门，为了支持这种类型产业的扩张，政府以人为方式压低银行利率，并指令银行贷款支持这种类型项目。由于这些项目自我积累的能力很低，在用完国有银行的有限资金后，要继续扩张就不得不大量向国外举债。但资本密集型、技术密集型的项目到底不是资金相对稀缺的东南亚、东亚国家的比较优势之所在，在政府的支持下，这种类型产业可以建起来，但和发达国家相比生产成本较高，只有以亏本的方式才能把产品卖出去。导致投资于这类项目的企业无力还本付息，国内外的银行贷款变成呆账、坏账。

这样，金融机构可贷资金开始减少，银行资金紧缩，利率提高，还不起银行贷款的企业增加，可贷资金进一步减少，利率进一步提高，金融机构的不良资产便迅速膨胀起来。一方面，这种膨胀一旦到了储蓄者对某一家银行失去信心，该银行就会出现挤提而崩溃。而一两家银行的崩溃经常会产生多米诺骨牌效应，使许多家银行同时发生挤提，从而爆发金融危机。另一方面，如果经济中已存在房地产泡沫和股市泡沫，银行可贷资金减少，利率上升，投资和消费需求下降，经济增长减缓，也可能导致前面论述的泡沫经济的破裂而引发金融危机。

如果一个经济的总体投资是根据比较优势进行的，产业结构不存在问题，企业效益好，产品具有竞争力，资金积累就快，或者可以较少地依赖外债，或者有较高的偿债能力和信誉度，也就可以维持其经济增长率，房地产和股市泡沫经济也可能不致破裂。即使泡沫破灭而且出现银行危机，由于整个经济仍有竞争力，外贸继续增长，货币危机和支付危机也不至于出现。在这场金融危机中，日本和中国台湾就属于这种类型。

这次受到金融危机冲击的泰国、马来西亚、印度尼西亚和韩国等国家，恰恰在上述几个方面都具备了陷入危机的条件。房地产泡沫在东亚、东南亚国家和地区，上自日本、韩国，下到泰国、马来西亚、印尼，几乎是无一幸免。此外，银行将可贷资金投向效益低的行业和企业，也是普遍的现象。

而政府对金融机构的发展和贷款额的发放几乎没有限制，对银行体系缺乏监管，甚至政治性贷款和家族化经营相结合，导致腐败现象丛生。从而大量贷款流入房地产等泡沫经济领域。一遇信心危机或国外投机者狙击，金融机构就大批破产，坏账激增。据估计，1997 年底泰国、马来西亚、印尼和新加坡平均的坏账率至少达到 15％，坏账总额占国内生产总值的 13％。马来西亚 1998 年坏账总额达到国内生产总值的 20％。而过高的外债负担超过了经济增长和出口增长所能支持的限度，除马来西亚外的东南亚国家，每年需要偿还的外债占当年出口额的比重，基本上都在国际公认的危险线 25％上下。[27]这些国家又实行了金融自由化，货币自由兑换和资金自由流动，及固定汇率政策，结果在经济增长放慢后出现了泡沫经济破灭，银行危机、货币危机和支付危机一齐并发的金融风暴。

从上述金融危机形成的机理来看，比较优势战略与金融危机并不具有必然联系。首先，泡沫经济的产生是任何经济快速增长时都可能发生的事情。比较优势战略可以加快经济增长，所以也会产生泡沫经济。其次，从泡沫经济的破灭来看，比较优势战略并不必然带来这种破灭，相反，如果一个经济始终如一地坚持发挥其自身的资源比较优势，经济高速增长的可持续性就强，从而可以延缓泡沫经济的破灭的时间。第三，从泡沫经济转化为银行危机，以及银行危机转化为货币危机这两个形成金融危机的关键转化来看，如果能加强银行监管，控制银行资金流入房地产和股票市场，那么即使泡沫破灭也不至于出现银行危机和货币危机等。遵循比较优势战略也具有防范金融危机的作用。产业的竞争能力强获利能力高，即使向银行借款来发展，也不至于形成大量的呆账、坏账。其次，在坚持比较优势的条件下，产业的资金密集程度与资源禀赋结构是相适应的，必要的资金大多来自国内储蓄，即可降低对外债的依赖程度，因此也就不会出现货币危机和支付危机。

在了解到比较优势战略并不必然导致金融危机，也不会加大发生金融危机的可能性，相反在某种程度上具有防范和抵御金融危机的作用的同时，亚洲金融危机的发生也为我们关于比较优势战略和东亚奇迹的讨论，提供了两点经验。

第一，比较优势战略有助于把政府的干预限制在尽可能小的程度上，但并不意味着可以自然而然地摆脱金融风险。对于任何一种经济发展方式来说，金融风险事实上都是存在的，因此，严格的银行监管制度是十分必要的。

第二，从日本和亚洲“四小龙”的总体经济发展过程来看，特别是与许多推行赶超战略的发展中国家相比较来说，这些经济实行的无疑是一种我们前面概括的发展战略模式——比较优势战略。然而，这些经济也并不是同等程度地遵循比较优势原则，同时，即使就同一个国家或地区来讲，也并不是在每个发展阶段上同等程度地遵循比较优势原则。[28]因此，在发展的绩效上，在经济结构的健康程度上，在对于金融危机的防范能力上，这些经济之间显然存在着很大的差别。

银行监管不力，在韩国和日本最为典型。例如，日本的主银行体制允许银行持有企业的股份。在泡沫经济条件下，资产膨胀使银行和其他金融机构提高了贷款能力，从而进一步向泡沫产业如不动产业大举投资。一旦泡沫经济消失，银行和金融机构持有的股票和地产迅速贬值，使其资本金急剧收缩，不动产贷款也大多成为坏账。而韩国的情形则是，政府着眼于扶持超大型企业集团，在产业政策的引导下无限制地对这些企业集团贷款，以致韩国前 30 位大企业集团 1996 年的资产负债率高达 350%。而产品竞争力不足，企业经营效率低下，与这种金融的软预算约束相结合，导致企业偿债能力很差。

韩国和中国台湾地区的发展模式和经验的比较最为典型。同为亚洲“四小龙”，自 60 年代后台湾地区和韩国都曾经有很高的经济增长率。在 70 年代以前，都曾以劳动密集型产业为主，发挥了资源比较优势。然而，以后两者采取了不尽相同的发展战略，从而在经济体制上也大相径庭。韩国政府大力发展资本密集型产业，扶持超大规模的企业集团。研究者早在 80 年代初就发现，韩国企业的集中度大大高于中国台湾，甚至高于日本。[29]自那以后，这一特点越加显著，目前韩国的四个大企业集团（现代、三星、大宇和乐喜金星）拥有全国企业销售额的 1/3 和出口额的一半以上。与韩国热衷于建立超级大企业相反，许多中国台湾地区企业常常选择为美国和日本企业配套供货，而不是创立自己的品牌。

以汽车产业为例，韩国生产和出口的是整车，中国台湾地区生产和出口的是零部件。以计算机产业为例，韩国生产的是芯片，而中国台湾地区生产的是鼠标器、键盘、计算机母板、显示器，或者生产非品牌计算机，或者为名牌厂家组装品牌计算机。然而，韩国生产的整车和芯片却无法与欧、美及日本的同类产品相竞争，只好以低于成本的价格出口。台湾地区出口的汽车零部件和计算机产品则获利甚丰。正是由于台湾地区产业的利润率高，企业资金雄厚，经济内部积累能力强、速度快，新的投资项目规模一般不超出岛内资本市场所能动员的资金规模，因而外债很少。所有这些特征，都大大降低了台湾地区的金融风险。正是因为如此，尽管台湾地区经济也有泡沫的迹象，[30]但经济和出口仍可维持适度的增长，房地产和股市泡沫并未受亚洲金融危机影响而破灭。即使中国台湾将来像日本经济增长那样，由缩小与发达国家技术差距的高速度增长期，转向技术趋于成熟的慢速增长期，从而泡沫经济破灭，也不至于立即转变为货币危机和支付危机，像泰国、马来西亚和印度尼西亚那样，立即发生严重的金融风暴。

注　释

① The World Bank, *The East Asian Miracle: Economic Growth and Public Policy*, New York: Oxford University Press, 1993.

② 蒋硕杰以平均储蓄率大于资本—产出比例与人口增长率的乘积作为“经济起飞”的条件，估计亚洲“四小龙”的起飞时间大致都在20世纪60年代中期前后（见蒋硕杰：《亚洲四条龙的经济起飞》，台湾《中国时报》，1984年3月29日）。根据费景汉和古斯塔夫·拉尼斯提出的“转折点”（Fei and Ranis, *Development of the Labour Surplus Economy: Theory and Policy*, Homewood Ⅲ, Richard D.Irwin, Inc., 1964）的分析方法，我们也同样可以大致估计出这些经济增长的加快时期或所谓“起飞期”。

③ 资料分别取自世界银行：《世界发展报告（1986）》，北京：中国财政经济出版社1986年版，第183页；傅政罗等：《亚洲“四小”与外向型经济》，北京：中国对外贸易出版社1990年版，第34—35页。

④ 例如金耀基：《东亚经济发展的一个文化诠释》，《信报财经月刊》，1987年第11期。

⑤ 如果要说儒家文化的影响，中国应该执天下之牛耳。但是，近代以来中国经济落后的历史表明，作为儒家文化的发源地，她的经济发展绩效并未得益于这种文化

传统。可见，用儒家文化解释不了“李约瑟之谜”，也无法回答东亚奇迹产生之谜，正如这种解释本身就否定了用所谓“新教伦理与资本主义精神”对著名的“韦伯之疑”（Max Weber, *The Protestant Ethic and the Spirit of Capitalism*, London: Harper Collins Academic, 1991）所作解释的有效性一样。

⑥ 例如，Haggard, S., “The Politics of Industrialization in the Republic of Korea and Taiwan”, in Hughes, H.(ed.), *Achieving Industrialization in Asia*, Cambridge: Cambridge University Press, 1988, p.265; Woo, J.E., *Race to the Swift: State and Finance in Korean Industrialization*, New York: Columbia University Press, 1991, p.45。

⑦ 参见 The world Bank, *The East Asian Miracle: Economic Growth and Public Policy*, New York: Oxford University Press, 1993; William E.James, Seiji Naya and Gerald M. Meier, *Asian Development: Economic Success and Policy Lessons*, San Francisco: ICS Press, 1987。

⑧ 参见 Alice H.Amsden, *Asia's Next Giant: South Korea and Late Industrialization*, Oxford: Oxford University Press, 1989; C.Johnson, *MITI and the Japanese Miracle*, Stanford: Stanford University Press, 1982; Robert Wade, *Governing the Market: Economic Theory and the Role of Government in East Asian Industrialization*, Princeton: Princeton University Press, 1990。

⑨ A.O. Kruger, *Economic Policy Reform in Developing Countries*, Oxford: Basil Blackwell, 1992.

⑩ Robert Z. Lawreace and Daid E. Weinstein, “Trade and Growth: Import-led Or Export-led? Evidence from Japan and Korea”(Mimeo), 1999; D.Rodrik, “The New Global Economy and Developing Countries: Making Openness Work”, Washington D.C.: Overseas Development Council, 1999.

⑪ 80 年代世界银行邀请那些曾经以某种发展理论和政策而著称一时的经济学家，以及一些评论家，回顾了他们理论的实施效果，后来形成文集（迈耶等：《发展经济学的先驱》，北京：经济科学出版社 1988 年版）。

⑫ “发展的不可避免的先决条件就是工业化”（普雷维什语，见伊特韦尔、米尔盖特、纽曼编：《新帕尔格雷夫经济学大辞典》，第三卷，北京：经济科学出版社 1992 年版，第 1001 页），而“重工业的发展就是工业化的同义语”（尼赫鲁语，见孙培均主编：《中印经济发展比较研究》，北京：北京大学出版社 1991 年版，第 51 页）就是最典型的一些说法。

⑬ 除阿根廷的制造业比重为 1984 年的数字外，其他皆为 1991 年的数字。The World Bank, *World Development Report* (1993), New York: Oxford University Press, 1993, p.243; The World Bank, *World Development Report*(1989), New

York: Oxford University Press, 1989, p.209.

⑭ 例如,参见 Roy F. Harrold, "An Essay in Dynamic Theory", *Economic Journal*, 1939, pp.14—33; Evsey Domar, "Capital Expansion, Rate of Growth, and Employment", *Econometrica*, 1946, pp.137—147; Robert M. Solow, *Growth Theory: An Exposition*, Oxford: Oxford University Press, 1988。

⑮ B.Ohlin, *Interregional and International Trade*, Cambridge, MA: Harvard University Press, 1968.

⑯ Perkins. D.H., "China's Gradual Approach to Market Reform", paper presented at a Conference on "Comparative Experiences of Economics Reform and Post-Socialist Transformation", EL Escorial Spain, 1992.

⑰ 阿瑟·刘易斯:《经济增长理论》,上海:上海三联书店、上海人民出版社 1994 年版,第 475—576 页。

⑱ 1870 年德国的人均国内生产总值接近于英国的 60%,而比法国略高(Angus Maddison, *Monitoring the World Economy: 1820—1992*, Paris: OECD, 1995, pp.194, 196)。

⑲ Augus Maddison, *Monitoring the World Economy: 1820—1992*, Paris: OECD, 1995. p.197.

⑳ The World Bank, *World Development Report* (1994), New York: Oxford University Press, 1994.

㉑ Hayami, Y., "A Commentary on The 'East Asian Miracle': Are There Lessons to Be Learned?" *Journal of the Japanese and International Economies*, Vol.10, Issue 3, 1996, pp.318—325.

㉒ 仍然不能说这个阶段政府扭曲了市场原则。事实上,20 世纪 50 年代日本产业发展也是按照比较优势进行的。例如,当时的纺织、服装和造船业正是充分利用丰富的劳动力资源的产业。实际上,日本最成功的产业决策及发展实例并不是人们所熟悉的钢铁和汽车,而是造船业,而造船业在 50 年代恰恰是大量使用劳动力的产业,因而是符合当时日本的比较优势的(参见 Shinohara, M., *Industrial Growth, Trade, and Dynamic Patterns in the Japanese Economy*, Tokyo: University of Tokyo Press, 1982)。

㉓ Freeman, C., *Technology Policy and Economic Performance: Lessons from Japan*, University of Sussex, 1987.

㉔ 伊特韦尔、米尔盖特、纽曼编:《新帕尔格雷夫经济学大辞典》,北京:经济科学出版社 1992 年版,第 306 页。

㉕ 克鲁格曼(Krugman)把金融体制中的问题归结为金融中介机构行为中的道德风险问题(moral hazard),即由于金融机构明确或暗含地受到政府的信用保障,因

而缺乏对投资者的监督。在金融中介人主要使用储蓄者的钱的情况下,形成“赚了是我的,赔了是储蓄者的”这样一种机会主义态度。所以,在选择投资方向时,这些金融中介往往不是采取风险中性的态度,选择预期收益最大的项目,而是选择收益最大但风险也最大的项目。参见 Krugman, Paul, “What Happened to Asia?” Http://web.mit.edu/krugman/www/DISINTER.html, January 1998。

㉖ “Keeping the Hot Money out”, *The Economist*, January 24th 1998, p.71.

㉗ 陈文鸿等:《东亚经济何处去——’97 东亚金融风暴的回顾与展望》,北京:经济管理出版社 1998 年版,第 62—63 页。

㉘ 日本产业政策偏离比较优势从而遭到抵制,未能成功的事例可参见 Takatoshi Ito, *The Japanese Economy*, Cambridge, MA, London: The MIT Press, 1982, p.202。

㉙ 世界银行:《东亚的奇迹》,北京:中国财政金融出版社 1995 年版,第 66 页。

㉚ 根据美林证券台湾分公司的估计,台湾银行贷款的 40%被用于房地产投资,与发生金融危机的东南亚经济不相上下;全部金融贷款中有 2/3 是以土地作抵押的,这个比例是日本的 2 倍。

5

经济改革的历程

中国传统经济体制缺乏效率的问题早在20世纪60年代初期就被察觉了，试图解决这一问题的改革也可以追溯到那一时期。然而，直至1978年底中国共产党十一届三中全会召开之前，经济改革一直陷于行政性放权、收权，即部门和地方之间管理经济权限的重新划定，以及与此紧密相连的行政机构增减的循环往复之中，从未触及到传统经济体制三位一体的基本格局。

始于1978年末的经济改革与以往的改革相比，在做法上有两个明显的不同：一是将以往的行政性管理权限调整改为扩大农民和企业生产经营自主权，跳出了循环往复的条块之间行政性管理权限调整的窠臼；二是当问题得到部分解决的微观经营机制与资源计划配置制度、宏观政策环境发生冲突时，虽然曾屡次出现体制复归，但从总体上看，没有采取倒退回去的办法或继续维系传统经济体制，而是逐步将改革从微观经营机制方面深化到资源配置制度和宏观政策环境方面，为继续解决微观经营机制问题创造条件。

本章考察始于1978年底的经济改革。采用的方法是，根据改革举措的主要性质将它们分别纳入微观经营机制改革、资源配置制度改革和宏观政策环境改革之中加以论述；以重大改革举措为基本线索分析改革的进展，揭示出蕴涵在渐进性改革中的内在逻辑。

5.1　1979 年前后改革的不同点

中国针对传统经济体制缺乏效率所进行的改革可以追溯到 60 年代初期。然而，始于 1978 年末的改革与以往的改革相比较又有显著的不同。这就是以往的改革从不触动传统经济体制的基本框架，而始于 1978 年末、目前仍在继续进行的改革则打破了传统的三位一体的经济体制的内部完整性。1978 年以前，在认识上将三位一体的传统经济体制作为社会主义的实现方式，因而改革只能在不触动传统经济体制基本框架的前提下寻求改进，主要措施是：(1)通过行政性分权消除中央政府权力过于集中的弊端；(2)借助于调整权限消除地区间和部门间利益分配不均的弊端。

然而，无论是行政性分权还是调整权限，改变的仅仅是各个地方和产业在资源配置中的地位，而没有触及传统的发展战略和扭曲的宏观政策环境、资源计划配置制度和毫无自主权的微观经营机制。由于原有利益是在行政性调整中失去的，地方、部门或产业必然想借助于新一轮的行政性调整再将它们找回来，所以经济改革一直陷于行政性放权、收权，即部门和地方之间的权利的重新划定，以及与此紧密相连的行政机构增减的循环往复之中(见表 5.1)。几十年来依赖三位一体的传统经济体制来推行重工业优先发展战略，不能成功地发展经济的国内外经验，使中国的政府决策者悟出一个极为深刻的道理：已有的理论和实践还不足以解决社会主义发展中的问题。要发展经济，就必须对传统经济体制进行“伤筋动骨”的改革。

表 5.1　中国改革以前分权、收权周期

	1953 年	1957 年	1658 年底	1963 年	1971—1973 年
中央直接控制的企业数	2 800	9 300	1 200	10 000	2 000
中央部委分配的物资种类数	227	532	132	500	217

资料来源：Yu Guangyuan(ed.), *China's Socialist Modernisation*, Beijing: Foreign Languages Press, 1984, p.76.

始于 1978 年末的经济改革，实际上就是中国政府寻求新的社会主义实现方式的探索。由于在认识上把改革作为寻求社会主义实现方式、构造新的经济体制的探索，传统经济体制的基本框架不再有不可涉及的禁区，使改革深入到传统经济体制的所有层面上成为可能。也正是对传统经济体制的所有层面进行了由表及里、越来越有力的改革，使指导性计划替代指令性计划、市场机制替代计划机制成为现实，使新的经济体制在优胜劣汰的机制中逐步形成。

中国之所以要进行旨在构造新的经济体制的改革，主要有以下几方面的原因。第一，中国长期推行重工业优先发展战略的实际结果是：与所确定的“赶超”目标相比，差距不但没有缩小，反而越来越大；同自己相比，城乡居民的收入水平长期得不到提高，生活必需品供给严重不足，甚至数亿农民的温饱问题也迟迟得不到解决；尤其是经历了“十年动乱”之后，国民经济已濒临崩溃的边缘。所有这些，为中国进行扬弃传统经济体制的改革提供了巨大的动力。

第二，在同一时期，最初与中国大陆同在一条起跑线上的周边国家和地区，尤其是成为令世人瞩目的“新兴工业化经济”的东亚“四小龙”，却快速发展起来了，致使中国大陆同这些经济的差距不断拉大，强烈的反差形成中国必须改革的巨大的压力。

第三，面对微观经营单位——国有企业和人民公社经济效益低下、劳动者没有生产积极性的严峻局面，新上任的领导人不愿意在结构扭曲、激励不足、效率低下的传统经济体制中越陷越深。他们想借助于改革来加速经济增长与发展，使人民生活水平提高得快一些，进而使自己在全国人民中提高威信。这也是中国进行改革的重要动力。

此外，由“赶超”战略内生出的宏观政策环境、资源计划配置制度和毫无自主权的微观经营机制的弊端，随着时间推移暴露得越来越充分，特别是长达几十年人民生活水平改善甚微，使得扬弃传统经济体制的机会成本越来越低。这对于中国决心重构新的经济体制也有重大影响。

5.2 微观经营机制的改革

第2章已经指出，由推行重工业优先发展战略内生出的以扭曲要素和产品价格为主要内容的宏观政策环境、高度集中的资源计划配置制度和毫无自主权的微观经营机制之间的逻辑关系是:形成压低利率、汇率和紧缺物资的价格的宏观政策环境,是保证不符合比较优势的重工业能够优先发展的基本前提;实行按计划调拨资源的资源配置制度,是解决价格扭曲的宏观政策环境下总需求大于总供给的矛盾,并确保资源流向不符合比较优势的重工业部门的客观要求;而实行毫无自主权的微观经营机制,则是为了防止企业利用经营权侵蚀利润和国有资产。在农村推行人民公社制度则是为了便于执行农产品统购统销制度。

然而,扭曲的宏观政策环境和高度集中的资源计划配置制度都是传统经济体制中的深层次问题,无法直接判定它们的负面影响。在现实中最容易看出的是企业和人民公社的生产经营缺乏效率与生产者缺乏积极性之间的相关性,所以1978年末以后的改革是从微观经营机制入手的,试图通过建立劳动激励机制,诱发出劳动者生产经营的积极性,达到提高生产效率的目的。主要做法是:在农村,全面实行了家庭联产承包责任制;在城市,以放权让利为中心,就经营机制进行了一系列综合和专项改革。下面分别就这两个方面展开论述。

我们先来看家庭联产承包责任制的实行。从20世纪50年代推行合作化运动到70年代末推行家庭联产承包责任制,中国农业在生产队体制下维系了二十多年。在这一体制下,劳动者的劳动投入被评定为工分,年末,生产队的净收入扣除国家税收、公积金(公共积累)和公益金(公共福利)后,按每个人在一年里累积的工分进行分配。由于农业生产的特性,完全的劳动监督因费用极其高昂而无法采用,但是采用不能准确反映劳动者所提供的劳动数量和质量的工分制,必然严重影响劳动激励;而社员退社权利(或制止"搭便车"的机制)的被剥夺,又进一步影响了劳动激励。① 其结果是,农产品总供给绝对不足成为长期解决不了的问题。为了解决农业劳动激励不足的问题,从70年代末开始,家庭承包制在中国农村得到推行。

从形式看,家庭联产承包责任制的发展大致可分为包工、包产和包干三个阶段,每一个阶段又都经历了由包到组(或专业队)、包到劳动力直至包到户的演变过程,而包工到组、包产到户和包干到户则是其发展过程中先后出现的三种最主要的形式。

包工到组的基本做法是:生产队将规定了时间、质量要求和应得报酬的作业量包给作业组,并根据承包者完成任务的好坏给予奖励和惩罚。由于工作的数量、质量、时间限定和应得报酬都有明确的规定,而且作业组通常可以自愿组合,所以它与"大呼隆"的作业形式相比,能够减少劳动监督费用和"搭便车"行为,较好地调动起了劳动者的生产积极性。

包产到户的基本做法是把规定了产出要求的土地发包给农户经营,包产部分全部交给生产队,超产部分全部留给承包户或由承包户与生产队分成。包产到户与包干到组相比有两点不同:(1)承包由生产过程的某一个阶段扩展到整个生产过程,绕过了农业中阶段劳动成果不易考核的难题;(2)承包主体由劳动力群体改为农户,绕开了农业中劳动监督难以实施、"搭便车"行为难以制止的问题。

包干到户的基本做法是:按人口或按人口和劳动力(人口和劳动力规定了不同的分配系数)将土地发包给农户经营;农户按承包合同完成国家税收、统派购或合同订购任务,并向生产队上缴一定数量的提留,用作公积金和公益金等,余下的产品全部归农民所有和支配。包干到户和包产到户的最大区别是取消了生产队统一分配。

从过程看,推行家庭联产承包责任制经历了从完全非法、局部合法到普遍推广的过程。在农村实行人民公社体制的岁月里,一旦农业陷入困境,"包产到户"就应运而生且在短期内使农业摆脱困境,继而又因它不符合社会主义的理想而一次次地被政府取缔。② 早在50年代人民公社体制刚刚建立的时候,"包产到户"就出现了。而在国民经济濒临崩溃的70年代后半期,"包产到户"又一次出现。值得庆幸的是,这次不像以往那样将它作为"资本主义复辟"行为加以取缔,而是采取了不赞成但容忍它作为一种例外存在的态度。

1979年9月中共中央通过的《关于加快农业发展若干问题的决定》明确指出,"除某些副业生产的特殊需要和边远地区、交通不便的单家独户外","不要包产到户"。这是第一次正式宣布"包产到户"可以作为一种例外得以存在的政策条文。1980年底,鉴于"包产到户"在解决农民的温饱问题上发挥了积极的作用,政府对它的政策规定进一步放宽。1980年9月中共中央印发的一个会议纪要(《关于进一步加快和完善农业生产责任制的几个问题》)中进一步指出,“在那些边远山区和贫困落后的地区”,“要求包产到户的,应该支持群众的要求,可以包产到户,也可以包干到户”。

在国家政策的宽容下,1980 年底,全国实行包产或包干到户的生产队占生产队总数的比例,由年初的 1.1%上升到约 20%。至此,全国最穷的生产队都实行了包产或包干到户。包产或包干到户极大地刺激了农民的生产积极性,在推行家庭联产承包责任制的地方农业产出显著增长。基于此,1981 年从政策上进一步放松了限制,1982 年又完全取消了限制,它们分别使 30%中等偏下的生产队和 30%中等偏上的生产队实行了包产或包干到户。1983 年对这种微观基础变革作出了理论上的阐释,明确指出家庭联产承包责任制是社会主义集体所有制经济中“分散经营和统一经营相结合的经营方式”,“它和过去小私有的个体经济有着本质的区别,不应混同”;它“既可适应当前手工劳动为主的状况和农业生产的特点,又能适应现代化进程中生产力发展的需要”,进而将 15%较好的生产队纳入了包产或包干到户的轨道。1984 年以提出巩固和完善包产到户的办法和措施,并将 4%最好的生产队纳入该轨道为标志,完成了农村微观基础变革的任务。

统计资料表明,在广泛推行家庭联产承包责任制的 1978—1984 年间,按不变价格计算的农业总增长率和年均增长率分别为 42.23%、6.05%,是 1949 年中华人民共和国成立以来农业增长最快的时期。其中,家庭联产承包责任制又是这一时期农业实现高速增长的最主要的原因。计量研究表明,在该时期的农业总增长中,家庭联产承包责任制所作的贡献为 46.89%,大大高于提高农产品收购价格、降低农用生产要素价格等其他因素所作的贡献。③

家庭联产承包责任制能够成为该时期农业增长的主要贡献者的主要原因,是它通过“交够国家的,留足集体的,剩下都是自己的”这样一种追加产出全归自己的产品分配方式,诱发出农民追求更多收入的生产积极性,④进而将中国农业劳动力丰富的比较优势发挥出来。

完善家庭联产承包责任制的一项主要内容是建立和健全农业双层经营体制。在广泛推行家庭联产承包责任制之初,绝大部分合作制经济中的集体经营层次无力向家庭经营层次提供各种所需的服务,处于有名无实状态。农业的基础设施、要素的供给和产品的销售,具有非常显著的外部规模经济。为了使广大农户都能够分享到外部规模经济，客观上需要发展旨在为农户提供服务的合作经营层次，以形成与家庭经营层次具有耦合性的双层经营体制。有关调查资料表明，这些年来农户合作经营层次的运作范围正在逐步扩大，增长比较快的是科技推广、良种服务和农田水利建设，大宗农产品销售也有较好的增长势头。从总体上看，合作经营层次的主要事宜是扩大交易规模以降低交易费用，组织农户进行单个农户所不能完成的公共品建设，如通过劳动积累工制度开展水利工程建设，为农户利用外部规模经济创造必要的条件。

与此同时，农村基层经济组织逐渐得以重建。在人民公社的体制下，农村基层组织的设立，是为传统的经济发展战略服务的。也就是说，为了在资源稀缺以及农业经济占主导地位的条件下推动国家工业化，需要最大限度地动员农村资源，转移农村经济剩余。为此，这种社区组织需要履行以下几种职能：(1)控制农村生产资源，使之既不能外流，又要使用到国家要求的生产领域。例如，保证农村劳动力不会转移到农村外部或非农产业；保证农业生产的剩余和积累控制在国家的财政盘子里，等等。(2)控制农产品的出售和农业税的缴纳。其中最为重要的是保证主要农副产品，要以规定的价格出售给国家流通组织，以便使国家通过工农业产品剪刀差，获得直接税之外的一个“超额税”。(3)类似职能逐渐增加，以致包括了农村社会、政治、经济生活的几乎所有领域。当时，作为两种生产过程之一的人口再生产的控制——计划生育就是一个典型的例子。

为执行此类职能而形成的农村基层组织，与其说是社区群众选择的结果，不如说是制度性安排的产物。因而，它本质上是一种强制性的制度安排，自然不能包含所谓“退出”机制。只要农村经济为国家工业化战略服务的性质不变，这种组织的强制性质就不会发生变化，退出就是不能容许的。在此前提下，由于农业中计量和监督劳动努力程度的成本过高，劳动报酬与劳动者的努力失去了联系，多劳不能多得，少劳也不少得，因而这种组织不能提供努力生产的激励，甚至具有破坏性。正是因为如此，20 世纪 80 年代初随着家庭联产承包责任制在全国的普及，农民迅速而彻底地抛弃了人民公社这种组织形式。

与这个扬弃的过程同时，几乎以与扬弃人民公社同样的热情，农民开始寻求另一种合作组织。如果说传统的人民公社是涵盖了“工农商学兵”的综合性社区组织，这些农民寻求的组织同样包括了相当广泛的领域。例如，经常得到媒体报道并为学者和政策研究者注意的形式有：农民科学种田协会、农会、农民经济协会、专业技术协会（技术服务和销售合作社）、农村合作基金会，等等。与此同时，全国仍然有一些虽然就其比例来说微不足道却实实在在地存在的社区保留了集体农业。而成为80年代以来农村经济发展的主导力量的农村工业，其产值的60%—70%是由乡（镇）村两级企业所创造的。这些合作组织的自愿性质十分明显，如遇到政府的不正常干预或组织内部的“搭便车”成本过高以致伤害了激励机制时，农民就以退出的方式扬弃它。这种合作由于可以解决激励问题，作为一种资源的联合使用方式，生产出了比这些资源的分别使用之和更大的产出，因而得到了农民的认同。

我们可以把农村社区组织划分为两类：一类是农民为获得某种利益而采取的集体行动，另一类是国家为了以有效而低成本的方式征税而强加的社区组织。两类农村社区组织的本质差别在于其与参加主体的激励是否相容。在前一种场合，农民面对生产、流通、信用和其他社区经济活动中存在的规模经济或外部经济，选择一种彼此接受的集体行动或组织形式，以保持退出权的方式使每一个成员获得相应的利益，并使总收益大于交易费用，从而保障激励相容进而这种集体行动的成功。在第二种情形下，国家强加给农民某种组织形式，出发点是以较低的成本执行征税的职能，成本—收益的权衡标准不是农民的净收益，权衡的主体也不是农民本身，因而这种组织本质上是不能退出的。在经济理性的假设下，这种退出权一旦丧失，“搭便车”现象就必然产生，从而激励不相容就导致其失败的结果。

如前所述，人民公社体制就是适应于通过强制性汲取农业剩余为国家工业化服务的目标而形成的。通过对农村基本生产要素的控制和农产品流通过程的垄断，主要以工农业产品价格剪刀差的形式实现了这种征税。我国经济学家对20世纪50年代以来国家通过剪刀差从农业中汲取的价值总额进行过多种计算。由于对价格剪刀差的理解不尽相同，对于有关数据资料的处理方式也有差异，因而计算结果差异颇大。但农业资源向该产业外净流出这个事实是为绝大多数学者所赞同的。例如，80年代中期发展研究所综合课题组的估计是，在那时以前的30年中，农民通过价格“剪刀差”形式对国家工业化提供的总贡赋达 8 000 亿元。李溦估计,1955—1985 年这 30 年国家通过剪刀差形式汲取的农业剩余总额为 5 430 亿元,而如果把通过公开税、剪刀差和储蓄净流出三种征税渠道汲取的农业剩余总额相加,这 30 年国家从农业获取的剩余总额为 6 926 亿元。周其仁的估算结果与此十分接近,即在 1952—1982 年期间,国家通过征收农业税、不平等交换和农村储蓄净流出这三条渠道,从农村获取了 6 127 亿元的剩余。⑤

由于传统农业经济体制存在的不可克服的激励缺陷,其导致的经济绩效也无法保障其继续执行国家汲取农业剩余的职能,因而在 70 年代末 80 年代初最终为农民所抛弃,也得到了政府的首肯。然而,由于中国所处的发展阶段所限,人民公社解体之后,通过公开税、价格扭曲和储蓄—投资流向向农业征税的积累方式并未被完全放弃。只要国家仍然要采用不平等的积累方式从农业中获取工业化所需资源,就必然需要保留一种为此目标服务的农村社区组织。无论是最基层的政府(乡镇)还是农民自治组织(村)都无法规避这种职责和义务。正是因为如此,在农民对于经济组织的态度上形成了"扬弃—再寻求"的特殊现象。随着农业以及国民经济发展阶段性变化的发生,农民社区组织的职能有可能发生变化。也就是说,由农村社区组织全面执行对农民征税职能已经不再必要,这种组织可以越来越成为农民在生产、流通、信用和社会生活中利用规模经济和外部经济的组织形式。在这种情况下,退出权就可以得到保障,从而没有根本性的障碍阻止建立和保持农民组织的激励机制,合作经济就不再注定失败。

国有企业改革是与农村的改革同时起步的,迄今经历了三个阶段。

第一阶段(1979—1984 年)的改革是围绕着以权利换效率这个中心展开的。与以往的行政性分权不同,这次改革的主要手段是向企业"放权让利",即给予企业对新增收益的部分所有权,激励企业经营者和生产者为获得更多的收益或收入而努力提高劳动积极性和资源利用效率,达到社会财富和劳动者收入双增的目的。1978 年 10 月,四川省率先在 6 个企业中进行企业扩权的试点工作。1979 年 5 月,国家经委、财政部等 6 个部委选择北京、天津、上海 3 个直辖市的 8 个企业进行扩权试点。扩大企业自主权试点工作引起众多企业和广大职工的强烈反响,许多地方和部门因势利导,仿照 8 个试点企业的做法,自行制定试点办法加以推广。

各地扩大经营自主权试验的主要措施是：以增加工资、发放奖金、实行利润留成等手段，刺激职工和企业家的生产经营积极性；以下放财政和物资分配等权力为手段，诱发各级地方政府和部门关注企业经济效益的积极性。由于多年来一直实行职工收入同工龄挂钩而与工作业绩无关、企业支出全额核销、企业收入全额上缴这样一种“干多干少一个样，干好干坏一个样，干与不干一个样”的分配制度和核算制度，所以这些具有冲击“三个一样”之含义的措施，在激励经营者和生产者追求经济效益，进而企业收益或个人收入增长方面产生了显著的作用。鉴于此，中央政府于 1980 年秋，将试点企业的某些做法引入约占全国预算内国有工业企业数的 16%、产值的 60%和利润的 70%的 6 000 多个企业。

利润留成确实产生了调动企业和职工生产积极性的作用。但在宏观政策环境扭曲如故，企业的盈亏不完全反映其经营好坏的情况下，扩大企业自主权，也给企业职工多用多占企业收入开了方便之门；因而企业职工积极性的提高，并不能确保财政上缴任务的完成。针对这一问题，1980 年初，山东省率先将利润留成改为利润包干，即企业必须首先完成上缴国家的利润任务，余下部分或全部留给企业或按一定比例在国家与企业之间进行分配。这一称为工业经济责任制的做法很快得到国家的肯定，并在总结经验的基础上迅速在全国推广开来。到 1981 年 8 月底，全国县属以上的国有企业中，实行工业经济责任制的占 65%，其中承担较多财政上缴任务的东部 9 省市达到 80%。

该阶段改革的实际结果表明，这些以企业和职工为对象的物质刺激措施，在激励劳动者生产积极性和增强企业活力方面收到了一定的效果，但也因现实中存在着“放权让利”的边界不清，要素和产品价格双轨制等一系列可供寻租的漏洞，出现了企业为扩大自销而压低计划指标、不完成调拨计划，以及企业间争相发放奖金等行为。

第二阶段(1984—1986 年)的企业改革是围绕着增强企业活力这个中心展开的，主要措施为简政放权，改革税制和实行厂长(经理)负责制。该阶段的改革以增强企业活力为中心，与以乡镇企业为代表的非国有经济进入所造成的压力有一定的关系。与国有企业不同，非国有经济得不到计划内的低价资源，它们只有在市场竞争中取胜才能生存和发展，否则就将被淘汰。

然而，也正是这一硬约束使筛选下来的非国有企业具有较高的经营效率，能够以较高的价格获取资源。在利润动机的驱使下，越来越多的稀缺资源流向非国有经济。竞争稀缺资源的内在要求，有力地促使国有经济进行旨在增强企业活力的改革。

事实上，国有企业在第二阶段先后进行的包括利改税、拨改贷、企业承包制和股份制等改革，都是在这种竞争压力下内生出来的。为了提高国有企业的经营活力，进行了两项改革。其一是政府逐步减少国有企业经营中指令性计划的相对份额。截至 1990 年，纳入指令性计划管理的产品已由 1979 年的 120 多种减少到 58 种，其占全国工业总产值的比重则由 40％减少到 16％。由国家计委负责调拨的重要物资和商品，分别由 256 种和 65 种减少到 19 种和 20 种；由国家承揽的出口商品由 900 种减少到 27 种，占出口商品总额的份额已下降到 20％左右。

其二是颁布了一系列关于扩大企业自主权的行政性法规，扩权范围涉及产品销售权、定价权、要素选购权、自有资金使用权、工资奖金分配权、联合经营权、技术进步方向选择权。1985 年 9 月，国家体制改革委员会《关于增强大中型国营企业活力若干问题的暂行规定》又进一步明确：企业在确保完成国家计划的前提下，可以根据市场需要和自己的优势，发展多种产品，进行多种经营。这些为国有企业发挥自己的比较优势提供条件的改革措施，已具有激励企业发挥比较优势的取向。

为了理顺企业和政府之间的关系，从 80 年代中期开始，中国还进行了两步“利改税”的改革。实行利改税的主要目的是划清政府财政收入和企业可支配收入的界限，并形成国家财政收入与税收挂钩，企业收入与利润挂钩的机制。第一步利改税从 1983 年 1 月 1 日起征，并于同年 6 月 1 日开始办理。具体做法是对除实行承包的小型企业外的全部国有企业计征税率为 55％的所得税，其实质是将 55％的企业利润转换为税收。纳税后的企业利润，再在国家和企业之间进行分配。上缴国家的利润部分，根据企业的不同情况分别采取递增包干上缴、固定比例上缴、定额包干上缴和交纳调节税等办法，一定三年不变。

第一步利改税初步解决了原先把税收和利润混在一起的问题。为了解决第一步利改税的遗留问题，1984 年 9 月开始实施第二步利改税方案，即实行单一的征税制度，其中包括对第一步利改税设置的所得税、调节税进行改进，增加资金税、城市维护建设税、房产税、土地使用税、车辆使用税，划出产品税、增值税、营业税、盐税。从 1985 年 1 月 1 日起征。第二步利改税曾一度取得较好的效果。问题在于，在经济核算和审计制度尚不健全的情形下，企业可以采取各种各样的变通办法来增加自己的所得、减轻税赋，如调用企业劳动力修建职工住宅，并将修建职工住宅的材料打入生产成本等等。其结果是，政府的税收并未多得，不采取应对手段的企业税赋又太重，因而又不得不实行企业税收承包制。

显而易见，在政府直接控制国有企业经济活动，价格不是引导资源配置的信号的传统经济体制下，利税无须分离。在一个必须依靠价格引导资源配置的经济环境中，利税是肯定不能合一的。从这个意义上讲，“利改税”是市场取向改革的题中应有之义。利改税的主要目的，是为企业创造平等竞争的环境。虽然两步“利改税”所确立的税制因没有妥善处理中央和地方、政府和企业的关系，在现实中真正起作用的是企业税收承包制。但是，“利改税”作为一项无论如何也跳不过去的改革，是无法回避的。两步“利改税”在方向上是正确的，在它的基础上形成了包括 20 多个税种的体系，对于中国建立市场经济体系具有积极的作用，并为后来推行“分税制”提供了许多值得借鉴的经验和教训。

1988 年，国家又对国有企业实行“税利分流、税后还贷、税后承包”的改革试点(简称“利税分流”)。“利税分流”的主要内容是：(1)减轻税负。所有试点地区一律取消国有企业调节税，降低所得税税率。(2)对税后利润，或核定上缴利润基数，或交纳国有资产占用费。按上海的做法，流动资金和固定资产的占用费率分别为相应贷款的利率。(3)将原先银行专项贷款的“税前还贷”改为税后还贷，取消按还贷利润数额提取福利基金和奖励基金的规定。“税利分流”既不同于“利改税”前只上缴利润的“税利不分”，也不同于“利改税”后的“税利不分”，使国家作为社会管理者和国有资产所有者的双重身份都得到了体现。

1987 年以来，企业改革进入第三阶段。这一阶段的改革，主要是围绕着重建企业经营机制这个中心展开的。基本举措是实行各种形式的经营责任制，包括大中型企业的承包制，小企业的租赁制和股份制的试点。在 1991

年以前，最主要的手段是承包制。根据全国 28 个省、自治区、直辖市和 7 个计划单列市的初步统计，截至 1987 年第二季度，实行承包经营的预算内工业企业 33 312 户，占企业总数的 90%。[6] 进入 1992 年以后，随着将国有企业缺乏活力的症结归结为产权不清，并将股份制作为消除产权不清问题最有效的方式的观点占据上风，推行股份制成了新的时尚。然而在现实中，股份制主要是在较好地体现中国比较优势、因而富有效率的国有企业中推行，主要意图是筹集资金；至少到目前为止，股份制并未能被证明具有改造体现“赶超”战略意图的国有企业的原有经营机制的作用。由于在现实中只有最富有效率的企业才有可能被批准发放股票，其股票才有可能被股民认购，因而才有可能推行股份制，所以从表面上看，股份制还是有效果的。

目前存在的主要问题是缺乏竞争性的产品、要素市场和经理人员就业市场，前者使监督企业经理人员的信息成本太高，后者使奖罚经理人员难以实现。其结果是，不放权企业经理人员缺乏积极性，放权又容易出现经营权侵犯所有权。总之，竞争的产品市场、要素市场和经理人员市场是推行股份制所需的基本条件，在这三个市场均没有发育起来的经济环境中，股份制的推广和有效性都将是非常有限的，它不但不能消除国有企业中经营权侵犯所有权的行为，而且会因产权更加模糊而诱发出越来越多的侵犯产权的行为。鉴于股份制能够解决的问题，承包制也能解决，而承包制解决不了的问题，股份制不但解决不了，而且有可能愈演愈烈，所以，对于改革旨在实现“赶超”战略意图的国有企业，绝非是一个推行股份制便能奏效的问题。

从总体上看，国有企业的改革，主要是生产非公共品的国有企业的改革，是围绕着实现资产经营的竞争性、资产形式的流动性和资产所有者对资产经营者的约束和监督三大任务进行的。在时间序列上，它是循着“调整国家和企业的利益关系”、“赋予企业更大的经营自主权”、“构造适应市场经济体制的企业制度”这样一条线索展开的。同中国经济改革的目标模式随着改革的深化不断升华一样，企业改革的目标也是随着改革的深化逐渐升华的，最初的目标是解决国有企业经营效率低下的问题，随着改革的不断深化，现在的目标已调整为转换经营机制，将国有企业推向市场。

虽然人们可以观察到，在改革的进程中，国有企业参与市场的程度、自身优化资源配置的意识和能力都在逐渐提高，但到目前为止，国有企业改革尚未真正破题，企业经营也没有从困境中走出。有关资料表明，全部预算内国有工业企业中，约有35%为亏损企业，亏损总额1994年达482.59亿元。⑦这些资料反映的还仅仅是国有企业明亏的情况。一种常被援引的说法是，中国的国有企业除了1/3明亏以外，还有1/3处于潜亏状态，真正能够盈利的企业只占1/3。1997年时还出现全行业的亏损。由此可以看出，中国国有企业的改革还远远没有完成。

5.3 资源计划配置制度的改革

实行微观经营机制改革之后，企业开始拥有可自主支配的利润和产品。将企业可支配的利润用于扩大再生产，需要开拓购买所需要素的渠道；为了使新增产品的销售收入最大化，则需要开拓计划外的销售渠道，等等。所有这些变化，都冲击着高度集中的资源计划配置制度，于是，改革很自然地深化到资源计划配置制度方面。为了给企业改革创造所需的条件，国家在物资、外贸和金融管理体制等方面也进行了一系列的改革。其中，物资管理体制的改革最为彻底，金融管理体制改革的步履较为缓慢。

首先来看物资管理体制改革。1978年末以来，中国的物资管理体制围绕着"搞活企业、促进流通、培育市场"这一主题进行了两个阶段的改革。

第一阶段(1979—1984年)改革的重点是放松对计划分配物资的管理，使赋予企业的经营自主权和部分利润的配置权能够落到实处。

这一阶段改革的主要措施有:(1)扩大生产企业的产品销售权。即企业在完成国家计划和供货合同之后，除了有特殊规定的外，企业可以自销按规定分成的产品、自己组织原材料生产的产品、试制的新产品，以及物资部门不收购的超计划生产的产品。到1984年，全国重点钢铁企业自行支配的钢材占总产量的份额为9.6%，大中型水泥厂自销水泥占其总产量的份额为8.8%，机电产品企业自销量的比重更高。(2)对部分计划分配物资实行敞开订货。从1980年起，在77种统配机电产品和83种有色金属中，各有7种产品按计划分配，其余的都实行敞开订货。(3)实行灵活的供给办法。主要有定点定量供应、按需核实供应、配套承包供应和凭票供应。(4)开办生产资料市场。在这一阶段内,四川、上海等地的物资部门先后开设了一大批生产资料市场。由于在这些市场上成交活动不受行政区划、行政部门以及企业所有制性质的限制,用户可以自由选购,大大促进了资源的流动。(5)依托城市和按经济区域合理组织物资流通,发展物资经营网点,以降低资源流动的交易成本。

第二阶段(1985 年至今)改革的重点是缩小计划分配物资的品种、数量和范围,建立多种形式不同规模的生产资料市场。主要措施有:(1)缩减国家计划分配物资的品种、数量和范围。从 1985 年开始,除保证重点生产建设需要之外,对一般需要只保持 1984 年的分配基数。国家统配物资的品种,从 1980 年的 256 种减少到 1988 年的 27 种;国务院各主管部门管理的指令性计划分配物资由 316 种减为 45 种;国家合同订购物资 93 种;产需衔接物资为 209 种;自由购销物资为 149 种。(2)从 1984 年起,国家为了改善生产资料价格,依靠计划内适当调整,计划外逐步放开的做法,对煤炭、木材、生铁、钢材、水泥、烧碱、纯碱、硫酸、轮胎等物资的计划价格作了不同程度的上调。(3)探索物资流通的指导性计划。(4)发育市场。1985 年,在国家放开计划外生产资料价格的基础上,石家庄创造了对计划内和计划外的钢材实行"统一销价、价差返还、放补结合、扩大市场"的办法。到 1988 年,全国已有 90 多个大中城市采用这种办法,推广的品种已从钢材扩大到木材、水泥、生铁等 16 个品种,计划内钢材转入市场流通的,平均约占这些地区计划内中转供应的 60%。1990 年,由计划参与配置的生产资料减少到 19 种,1992 年虽然品种仍为 19 种,但统配比重下降较大。1994 年减少到 11 种,到 1997 年,国家计委只对原油、成品油、天然气和不到 40%的煤炭、不到 3%的汽车实行计划配置。为了促进市场发育,1998 年,又将钢材、水泥的指令性调拨计划改为产需衔接计划。

其次来看外贸管理体制改革。1978 年以来的中国外贸体制改革大体可分为三个阶段。

第一阶段(1978 年底—1986 年)改革的重点是:(1)扩大地方、部门和企业的外贸经营权。其内容包括实行分地区的外贸经营包干责任制,将审批经营外贸企业的权力下放到省、自治区、直辖市。(2)改革外贸计划体制。主要是逐步减少和缩小指令性计划的品种和范围,增加和扩大指导性计划的品种和范围，大幅度地减少中央政府直接管理的进出口商品的品种和数量。从1985年起，中央主管部门不再编制和下达指令性的出口货源收购和调拨计划。(3)调整外贸财务体制。工业主管部门所属的外贸企业、工贸公司，财务直接同中央财政挂钩；有外贸经营权的综合性企业，实行财务独立核算；由地方安排的进出口贸易，原则上由地方财政自负盈亏。(4)改革外贸经营方式。包括改单一化的经营渠道为多元化的经营渠道，将单一经营拓展为工贸结合或技贸结合式经营；赋予外贸企业独立经营进出口业务的权利；对部分商品实行代理制。(5)实行外汇留成制度。为了鼓励地方、部门和企业积极开展对外贸易，于1979年实行了外汇留成制，即在外汇由国家集中管理、统一平衡、保证重点使用的同时，给创汇单位一定比例的外汇额度。创汇单位对留成外汇的使用拥有一定的自主权，并可以参加调剂，将留给它的外汇额度转让给急需外汇的单位。

第二阶段(1987—1990年)改革的重点是推行外贸承包经营责任制。外贸承包经营责任制是在1987年试行了一年的基础上，于1988年开始推行的。其主要内容是：(1)地方向中央承包出口创汇、上缴外汇和经济效益指标。承包基数从1988年至1990年三年内不变。各地方再把承包指标分解落实到地方外贸企业。完成承包指标以内的外汇收入大部分上缴国家，少部分留给地方和企业；超过承包指标的外汇收入少部分上缴国家，大部分留给地方和企业。(2)外贸企业实行自负盈亏。这项改革首先在轻工业品、工艺品和服装三个行业展开，主要措施是外贸出口创汇的大部分留给外贸企业、生产企业和地方，少部分上缴国家，外贸企业实行完全的自负盈亏。(3)进一步改革外贸计划体制。除统一经营、联合经营的21种出口商品保留双轨制出口计划以外，其他出口计划一律由双轨制改为单轨制，即由地方直接向中央承担计划。(4)进一步改革外贸财务体制。即外贸企业向国家承包经济效益指标，并按照国际惯例，全面实行出口退税。各地方外贸专业总公司的分支公司在财务上与地方财政挂钩，与中央财政脱钩。(5)进一步改革外贸经营体制，以明确经营分工的范围：少数大宗资源性产品由指定的外贸企业经营；国际上较敏感的商品，由获得出口经营权的企业分散经营，其他商品放开经营。(6)进一步扩大地方外汇留成比例，取消用汇指标，开放外汇调剂市场，允许外贸企业和生产企业自由调剂留成外汇。

第三阶段(从1991年起)确立了“统一政策、平等竞争、自主经营、自负盈亏、工贸结合、推行代理制、联合统一对外”的管理体制和运行机制,旨在结束外贸长期“吃补贴”的历史,将外贸企业实实在在地推向国际市场。具体的改革措施是:(1)取消对外贸易企业的出口补贴,适当增加外贸企业的外汇留成比例,以形成外贸企业自负盈亏的机制。(2)改按地区实行差别外汇留成比例为按不同商品大类实行全国统一的外汇留成比例,为同类外贸企业创造平等竞争的条件。(3)各省、自治区、直辖市和计划单列市人民政府以及外贸、工贸专业进出口公司和其他外贸企业等向国家承包出口总额、出口收汇和上缴中央政府外汇(包括收购)额度任务。承包任务逐年核定。(4)加强各专业公司和进出口商会对进出口商品的行业协调管理。(5)进一步完善外贸企业的承包经营责任制。(6)进一步搞活外汇调剂市场,各部门不得用行政手段干预外汇资金的横向流通。

对外贸易体制的改革最初的动机是鼓励出口创汇,以便支持先进技术设备的引进。无论是减少指令性外贸计划的范围、扩大地方外贸自主权,还是实行企业外汇留成,给予地方从事外贸的机会,都是为这一目的服务的。然而,通过上述外贸管理体制的一系列改革,有力地推动了外贸本身的扩张。1978—1997年期间,中国进出口总额从206.4亿美元增加到3 250.6亿美元,增长速度高于国民生产总值的增长速度。按人民币计算,1997年进出口总额占国民生产总值的比重达到36.7%,是印度、巴西、美国和日本的两倍多,这使中国成为大国中开放度最高的国家。

最后我们来考察金融管理体制的改革。不论在哪个国家和地区,要形成有效的生产能力,资本、劳动力和自然资源都是缺一不可的。但对于中国这样的发展中经济而言,在这三类生产要素中,资本最为稀缺,是经济增长的“瓶颈”,资本配置的效率对经济增长的影响最大。改革以来连续20年的经济快速增长,使金融不断深化,它又进一步提高了金融体系在经济运行中的重要性。统计资料表明,1997年,银行吸收的居民个人储蓄存款金额达到46 279.8亿元,与1978年相比增长了218.8倍,银行发放的贷款总额达到74 914.1亿元,与1978年相比增长了39.5倍。1979年经济增长对金融的依存度⑧为52.1%,1997年该指标已超过100%。从以上两个方面可以看出,金融机构已由过去国家财政的一个记账单位跃迁为左右国民经济运行的最为关键的部门之一。金融改革主要在以下几个方面取得了进展：

第一，改革“大一统”的银行体系，初步建立起以中央银行为领导，以专业银行为主体，各金融机构并存的金融体系。中国共产党十一届三中全会以前，中国金融实行的是“大一统”的体制。中国人民银行是中国唯一的银行。[9]它既是国家的货币发行银行，又办理工商信贷、保险等业务。所以，金融改革的第一步是建立银行体系。1979 年，恢复中国农业银行并分设中国银行，中国银行作为外汇专业银行，承办外贸信贷业务；1984 年，分设中国工商银行和中国人民保险公司，前者承办工商企业存贷款、结算业务和城镇储蓄业务，后者则自成体系，独立经营。从 1985 年 11 月起，中国人民建设银行脱离财政部的领导，全部资金纳入中国人民银行综合信贷计划，并在业务上接受中国人民银行的领导和管理。货币发行和工商信贷、储蓄业务明确划分开之后，中国人民银行的职能单一化为中央银行的职能。

从 1986 年起，金融体系开始进行引入市场机制的尝试，全国各地以中心城市为依托建立横向资金融通网络，逐渐发展到银行同业拆借市场，使之成为运用市场机制调剂资金余缺的手段。经过数年的努力，已逐步形成了以人民银行为领导，以专业银行和综合性银行为主体，以保险、信托、证券和城乡信用社为辅助的金融组织体系。

第二，改革信贷资金管理体制，扬弃“统存统贷、利润全部上缴”这样一种存贷和盈亏的多寡与银行职工的收入之间没有联系，不同银行和同一银行的各分设机构之间都没有竞争的动力和压力的资金管理体制，实行统一计划、划分资金、实存实贷、相互融通的办法。在信贷资金管理上，由统存统贷转变到差额控制、实存实贷，形成了纵横交错的管理体系。在此基础上允许银行业务交叉，即打破原来各专业银行之间严格的业务分工，[10]“工商银行可以下乡、农业银行可以进城、中国银行可以上岸、建设银行可以破墙”，打破每个银行各把持一摊业务的变相垄断的局面，形成了“银行选企业、企业选银行”的双向选择机制。

第三，改革利率管理制度，包括调整存放款利率水平、利率档次和管理权限。对企业实行差别利率、浮动利率、优惠利率和罚息制度。这些措施的实施，使利率杠杆调节资金供求、引导资金合理流向的作用日益扩大，并促进了金融的储蓄吸纳机制和投资转换机制的形成。1993 年 4 月，中国实行了世界各国普遍采用的定期存款计息办法，放弃了原先不同于世界其他国家的做法。⑪使中国金融改革具有同世界接轨的特征。

第四，改革信用制度，适当开放国家信用、商业信用和消费信用，突破一切信用都集中在银行的框框。信用制度改革，为非银行金融机构的发展和更多金融工具的运用提供了机会。例如，正是信用制度改革，使信托投资公司、保险公司、金融租赁公司、证券公司、证券交易所以及城市和农村信用合作社等非银行金融机构得到了迅猛的发展；使各种债券和股票发挥出越来越重要的作用。此外，银行的一些传统业务，如期票、本票、汇票也得到逐步发展。

第五，培育金融市场。金融机构和采用的金融工具的增加，尤其是金融的不断深化，有力地加速了金融市场发育成长的过程。至今，银行同业拆借市场、大额可转让存单市场、国债市场、金融债券市场、企业债券市场和股票市场不仅已具有雏形，而且正在发挥越来越大的作用。⑫

首先是证券市场的培育与发展。中华人民共和国成立后，为稳定物价和加快经济建设，政府先后发行了几期人民胜利折实公债和国家经济建设公债。这些国债都没有上市流通，于 1968 年初全部偿清。中国共产党十一届三中全会召开以后，国家开始了大规模的经济建设，财政收支出现逆差，1979 年和 1980 年财政赤字分别达到 135 亿元和 69 亿元。为了克服政府财政困难和筹集重点项目建设资金，1981 年财政部恢复国债发行，用于弥补财政向中央银行借款和透支后的差额。1994 年后，财政不能再向中央银行借款和透支，财政赤字要依靠发行国债来弥补，国债发行规模日趋庞大。到 1997 年底，国内政府债券累计发行总额为 9 100 亿元，企业债券共发行 2 600 亿元。国债收入占同期财政支出的比重由 1981 年的 4.3％提高到 1997 年的 26.7％（表 5.2）。

其次是股票市场的培育与发展。股份制的始作俑者是小型集体企业。它们在采用职工自发入股或公开招股的方式解决资金短缺问题的过程中，形成了股份制企业。1980 年 8 月，中国人民银行辽宁省分行抚顺支行代理企业发行了 211 万元的股票，是金融系统首次介入股票交易。1984 年 9 月，北京诞生了第一家由国有企业改造的股份制企业——天桥百货股份有限公司。随后，上海、广州、沈阳等地也开始了股份制的试点工作。随着股份制

表 5.2 国债发行规模及占政府财政支出的份额(亿元,%)

年份	国债发行量	财政支出	国债占财政支出份额
1981	48.7	1 138.41	4.3
1982	43.8	1 229.98	3.6
1983	41.6	1 409.52	3.0
1984	42.5	1 701.02	2.5
1985	60.6	2 004.25	3.0
1986	62.5	2 204.91	2.8
1987	63.1	2 262.18	2.8
1988	63.1	2 491.21	2.5
1989	132.2	2 823.78	4.7
1990	138.9	3 083.59	4.5
1991	197.2	3 386.62	5.8
1992	281.3	3 742.20	7.5
1993	460.8	4 642.30	9.9
1994	381.3	5 792.62	6.6
1995	1 028.6	6 823.72	15.1
1996	1 847.8	7 937.55	23.3
1997	2 467.8	9 233.56	26.7

资料来源：国家统计局编:《成就辉煌的 20 年》,北京:中国统计出版社 1998 年版,第 320、367 页。

企业的发展和股票发行数量的增加,客观上需要建立旨在开展股票转让的二级市场,于是股票流通提上议事日程。1986 年 1 月,政府允许沈阳、武汉、广州、重庆和常州等进行金融体制改革试验的城市中的一些金融机构,办理股票的发行和转让业务。1986 年 8 月,沈阳市信托投资公司开办窗口交易,代客买卖股票,同年 9 月,上海市工商银行静安区营业部设立证券柜台交易点——静安证券营业部,成为全国第一个股票交易柜台,开创了上海股票交易市场,飞乐股票和延中股票开始上市交易。1988 年,深圳发展银行股票正式在深圳证券公司挂牌上市,拉开了深圳股票交易的序幕。虽然深圳开展股票交易的时间略晚一些,但交易量增长很快。1990 年,深圳的年成交金额为 17.65 亿元,是上海年成交金额 4 963 万元的 30 多倍。1990 年 11 月 26 日和 1991 年 7 月 3 日,以上海、深圳两个证券交易所成立为标志,中国股票交易市场开始步入规范化的发展阶段。到 1998 年 4 月底,沪深两地上市公司总数已达 784 家,国内股票总市值突破 2 万亿元(见表 5.3)。与此同时,投资基金市场也从无到有,逐步发育和成长。

表 5.3　90 年代以来中国股票市场发展情况

年份	上市公司数(家)	年成交额(亿元)	市价总值(亿元)
1991	14	43	109
1992	53	681	1 048
1993	183	3 667	3 541
1994	291	8 127	3 691
1995	323	4 396	3 474
1996	530	21 331	9 842
1997	745	30 720	17 529

资料来源:国家统计局编:《成就辉煌的 20 年》,北京:中国统计出版社 1998 年版,第 330 页。

简言之,中国的金融改革是围绕着建立、完善以中央银行为领导、以专业银行为主体、银行金融与非银行金融并存的金融体系,推进专业银行企业化、发展金融市场和建立、完善金融宏观调控体系三大任务进行的。目前,第一阶段的任务已基本完成,后两个阶段的改革还有许多工作要做。存在的主要问题是金融资产的利率与风险尚未挂钩。例如,国债作为政府始发证券,是一种风险极小的金融资产,在正常的经济环境中,它的利率不会高于银行利率。然而,中国国库券的年利率历来高于同期储蓄存款年利率 1—2 个百分点,这一情形在世界范围内是绝无仅有的。与此相反,有些风险较大的金融资产,利率并不比国债高多少。出现这一独特现象的主要原因是:在目前的体制下,各种金融资产的风险程度还有很大的模糊性,故利率成为金融机构吸引金融资产的唯一因素。从 1993 年开始,一个旨在形成商业银行与政策银行分设、各司其职,以及人民银行实行垂直管理体制,排除地方政府干预贷款过程的金融体系改革正在进行。

将财政和金融联系在一起就可以发现,随着金融改革的深化,金融在社会扩大再生产中的作用越来越大,财政的作用越来越小。统计资料表明,在 1981—1997 年期间,国家预算内资金中用于固定资产投资的数额由 269.76 亿元提高到 696.74 亿元,仅增长 158.3%;银行的固定资产投资由 83.37 亿元提高到 15 468.7 亿元,⑬增长了 184.5 倍。⑭在财政和银行每年的固定资产投资之和中,财政所占的份额由 1981 年的 76.4%下降到 1997 年的4.3%,银行融资所占的份额由 23.6%上升到 95.7%。企业固定资产投资对国家预算内资金拨款的依存度越来越低,对银行融资的依存度越来越高,反映了中国改革具有市场经济体制取向的特征。银行与政府相比要更关注于效率，所以这种变化会产生诱发企业利用比较优势的效应。

5.4 宏观政策环境的改革

在宏观政策环境依然如故的条件下放松微观经营机制和资源配置制度，一方面改善了企业追求利润的外部环境，另一方面，也造成了一系列的混乱，其中主要是要素价格双轨制造成的不平等竞争和寻租行为。为了妥善解决这些问题，改革合乎逻辑地深化到宏观政策环境方面。宏观政策环境改革是广义的价格改革，它涉及物资（原料、材料、燃料）价格、产品（最终产品和服务）价格、利率（资金使用价格）、汇率（外汇价格）和工资（劳动力价格）等各个方面，其中最主要的是价格改革、利率改革和汇率改革。下面分别就这三个方面的改革作一个概述。

首先是价格改革。中国的价格改革采取的是利用双轨制、走出双轨制的方式。对此，部分学者曾认为它将因市场轨冲不出计划轨的束缚而无法获得成功。但是过去20年的历程表明，改革一直沿着预定的目标行进，市场价格作为资源配置信号的作用，随着市场轨调节范围和相对规模的不断扩大而愈益加强，计划价格对经济运行的影响则随着计划轨调节范围和相对规模的逐渐缩小而越来越不重要。

价格改革是循着消费品价格改革、生产资料价格改革、要素价格改革的顺序进行的，至今已经历了两个阶段。第一阶段为1978—1984年。在此期间，价格改革采取的是比价调整的办法，而没有涉及价格形成机制的改革，即由政府物价部门出面，提高供不应求的商品的价格，降低供过于求的商品的价格，使这些商品的计划价格趋向均衡价格。

从1985年开始，价格改革进入了将市场机制引入产品、物资价格形成过程的第二阶段。这一时期价格改革的主要举措，是以不同形式、不同程度逐步放开产品和物资的价格，形成了同一种产品和物资计划内部分实行政府定价、计划外部分实行市场定价的双轨制。随着计划外生产、流通和非国有经济的快速扩张，市场价格轨所占份额越来越大，计划价格轨所占份额越来越小。到1996年,价格完全由市场决定的产品,已占社会商品零售总额的93%,农产品收购总额的79%,以及生产资料销售总额的81%(表5.4)。

表5.4 价格控制方式的变化(%)

	价格形式	1990	1992	1994	1996
社会商品零售总额	政府定价	29.8	5.9	7.2	6.3
	政府指导价	17.2	1.1	2.4	1.2
	市场调节价	53.0	93.0	90.4	92.5
农产品收购总额	政府定价	25.0	12.5	16.6	16.9
	政府指导价	23.4	5.7	4.1	4.1
	市场调节价	51.6	81.8	79.3	79.0
生产资料销售总额	政府定价	44.6	18.7	14.7	14.0
	政府指导价	19.0	7.5	5.3	4.9
	市场调节价	36.4	73.8	80.0	81.1

资料来源:《中国物价》,1997年第12期。

在工业中,受指令性价格影响的产值占产值总额的份额已由1979年的70%下降到5%,市场信号对企业配置资源的影响力越来越大。价格由市场决定,是迫使企业转换经营机制的关键力量。在这样的经济环境中,企业必然会考虑如何利用比较优势和规避比较劣势的问题,追求经济效益就必然成为企业内生的行动。

其次是汇率改革。在改革以前,中国实行的是单一汇率,贸易和非贸易收支都按官方汇率结算。那个时期推行重工业优先发展战略,为了降低发展重工业的门槛,汇率被大大地扭曲,极大地抑制了中国具有的比较优势的发挥,使创汇能力大大低于应有的水平。为了增加外汇收入,政府对汇率进行了一系列的改革。1979年8月,国务院颁发了《关于大力发展对外贸易增加外汇收入若干问题的规定》,该"规定"作出了从1981年起对外贸易实行内部结算汇率的重大抉择。虽然政府主管部门将内部结算汇价解释为内部调节进出口贸易的平衡价,但事实上它是一种汇率。这样在结算上就形成了两种汇率。其中,对外公布的官方汇率与国内外消费品价格的变化相联系,用于侨汇、旅游、外国驻华使领馆、中国驻外机构、出国人员等一切非贸易收支的兑换;内部结算汇价与国内平均换汇成本加适量利润相联系,⑮用于贸易收支的外汇结算。对外贸易实行内部结算制度之后内部汇率一直没有调整，而官方汇率作了数次调整，致使二者的差异逐渐缩小。基于此，1985 年取消了对外贸易的内部结算汇率，与此同时，全国平均出口换汇成本的变化，成为调整官方汇率的依据之一。1985 年以后的数次汇率调整，都与全国平均换汇成本变化有密切的联系。

为了调动企业创汇的积极性，在实行内部结算汇率之前的 1979 年还实行了外汇留成制度。实行外汇留成，必然出现有些地方和企业的留成外汇量少于使用量，有些地方和企业的留成外汇量多于使用量的情形，客观上需要进行外汇留成余缺的调剂，所以在实行外汇留成制度的基础上派生出了调剂汇率。1980 年 10 月，中国银行北京、上海、天津、广州、青岛、大连等 12 个城市分行开办了外汇留成调剂业务。不过那个时期调剂的范围和汇率都有严格的限定，还不是真正意义上的市场交易。1988 年，为了全面推进对外贸易承包经营责任制，国务院决定开办外汇调剂市场，并在颁布的《关于办理留成外汇调节的几项决定》中，明确规定外汇调剂市场实行有管理的自由浮动汇率，由供求双方议定，以及调剂外汇的来源和用途，进入调剂市场的申请、登记、审查、成交和外汇额度过户的程序，外汇调剂市场主管部门的职责等。

调剂汇率不仅较为正确地反映了人民币与外币的真实比价，而且随着改革的深化在国际贸易方面发挥着越来越大的作用。鉴于这一基本事实，为了加快发育市场经济体制，也为早日复关创造条件，从 1994 年 1 月 1 日起，统一实行以反映市场供求变动的调剂汇率为基础的、单一的、有管理的浮动汇率制，并允许银行间进行外汇交易。这一举措的实质是将原先的计划和市场双重汇率合并为单一的市场汇率，是实行人民币自由兑换的前奏，将对中国转向比较优势战略、发育市场体系产生持续的重大影响。

对于推行“赶超”战略的国家来说，以正确反映外汇供需变动的市场汇率全面替代极度扭曲的计划统制汇率，是一项难度极大的改革举措。然而，中国却非常平稳地完成了这一改革。究其原因，一是市场调剂汇率所起的作用越来越大，到 1993 年，80％的外贸额是按外汇调剂市场上的汇率结算的，二是以市场调剂汇率为参照系逐步调整计划统制汇率，不断缩小它的扭曲程度。在两者的共同作用下，汇率扭曲实际产生的影响越来越小，所以当 1994 年将双轨并为单一的市场轨时影响面和影响力都极为有限了。

简言之，汇率改革经历了三个阶段。第一阶段是改单一汇率为多重汇率，即官方汇率、内部结算汇率和调剂汇率，但起主要作用的是隶属于计划体制的官方汇率和内部结算汇率，旨在激励出口、适当限制进口；第二阶段是改多重汇率为双重汇率，官方汇率与调剂汇率分属于计划和市场两种体制，旨在将企业逐步推向国际市场；第三阶段是将双重汇率合并为单一的市场汇率，旨在建立市场经济体制。

卓有成效的汇率改革，带来了一系列的成果。例如，从 1995 年 1 月 1 日起，外汇券开始退出流通领域；从 1996 年 7 月开始，国家两次放宽居民因私用汇的限制；1996 年 12 月 1 日，实现了人民币在经常项目下的可兑换，比原来承诺的时间提前了 3 年多；1996 年 9 月，中国人民银行正式加入国际结算银行，并允许外资银行在上海浦东试办人民币业务。

第三是利率改革。人为压低资金的价格即利率，是在资金极为稀缺的条件下推行赶超战略的基本措施之一。然而，多年的实践表明，采用这一顾此失彼的措施，造成资金总需求远远大于总供给、资金配置效率低下等一系列问题，严重阻碍了经济的稳定增长，结果发展差距不仅没有缩小，反而进一步拉大。要解决这些问题，资金价格必须反映市场上的资金供需状况，使其发挥出调整资金供需状况、诱导企业合理使用资金和开展节约资金的技术创新的功能。事实上这也是利率改革的目标。

中国利率改革的具体操作手段是调整利率。1979 年，进行了改革后的首次利率调整，将利率恢复到“文化大革命”前的水平。在 1980—1989 年期间，金融机构先后 9 次调高存贷利率，为减轻利率扭曲程度作了积极的努力。1988 年 9 月，又对 3 年以上的存款实行利率与通货膨胀率挂钩的政策，称之为保值储蓄。1990—1992 年，出现明显的波折，金融机构连续 3 次下调存贷利率，利率改革处于停顿、甚至倒退状态。由于这一时期非政府金融极不发达，故利率下调并没有对储蓄产生严重的冲击。1992 年以来，非政府金融，主要是企业债券、股票，发展得非常快，收益率较高的企业债券、股票对居民有更大的吸引力，由此引发的储蓄转移对政府金融产生了极大的冲击，迫使政府推行新一轮的利率改革。1993 年 5 月和 7 月，政府接连两次提高利率，恢复了保值储蓄，基本达到了抑制住储蓄转移的初衷。而在 90 年代中期以后，为了刺激宏观经济，政府又数次降息。很显然，利率仍然作为宏观经济的一个重要杠杆，由政府有形之手来调节。

与资源价格和外汇改革相比较，中国利率改革进展得比较慢。[16]这一情形与利率的重要性极不对称。毫不夸张地说，利率问题解决不好，由投资拉动的经济过热和通货膨胀就不可能消失，非政府融资就不可能正常化，广大居民对其所有的金融资产的预期就不可能稳定，进而整个经济就不可能进入持续发展的状态。利率改革之所以步履维艰，主要原因是受传统发展战略的制约，银行的商业性功能和政策性功能交织在一起，无法实现企业化经营。本书的第7章和第8章将对此作进一步的讨论。

5.5 “摸着石头过河”的经济逻辑

中国的改革并没有一个事先设计好的所谓“一揽子的改革方案”，已出台的改革措施及其改革强度是针对经济运行中出现的主要问题和社会的承受能力确定的，具有“摸着石头过河”的基本特征。然而，通过分析中国经济改革的历程可以发现，虽然中国的经济改革也不断出现起伏跌宕，但改革的基本线索十分清晰，改革目标也愈益明确。这就是从改进微观经营机制的放权让利入手，提高对企业和劳动者的激励，促进新增资源创造；借助于资源配置制度改革使这部分资源配置于在传统经济体制下受压抑的部门，达到加速经济增长和产业结构调整的初步目标。

随后我们将看到，改革的不配套造成以“活—乱”循环为特征的一系列问题，并构成进一步改革的难点。但由于整个社会都是放权让利式改革的受益者，因此当先行的微观经营机制和资源配置制度改革与传统的宏观政策环境发生冲突，产生经济体制上的不适应时，尽管政府常常倾向于选择行政性收权的传统方式，强制已改革的微观经营机制和资源配置制度适应传统的宏观政策环境，但由于这种做法既得不到微观经营单位的支持，又造成财政收入的拮据，而不得不将改革深化到宏观政策环境方面，使其适应于已改革了的微观经营机制和资源配置制度。中国的渐进式改革正是在这种机制的作用下不断深化，并在逻辑上具有不可逆性。所以当我们对中国经济改革的历程作了全面的分析和总结之后发现，呈现在面前的竟然是一张渐进地实现市场经济体制的宏伟蓝图。

乡镇企业的发展与改革是这种渐进式改革的最好例证。80 年代乡镇企业得以迅速增长的条件主要有三个。首先，对于乡镇企业的原始积累来说，具有廉价的生产要素供给。例如乡镇企业起步时的资金来源主要来自集体经济的积累，以及从银行、信用社贷款。而在中国这样一个人口众多的国家，并在长期的产业结构和制度抑制了农业剩余劳动力的转移，使农村过剩劳动力大量存在的条件下，廉价劳动力成为乡镇企业发展的主要优势。至于土地，农村土地归集体所有，无论是实行家庭联产承包责任制以前还是以后，乡镇集体或自治组织都具有在社区内安排土地用途的权力。乡镇企业作为社区集体所有的事业，使用土地根本不必支付代价，且具有近于无限的潜在供给。

其次，乡镇企业一经起步，就具有相对丰富的市场机会。从第一个五年计划开始，国有企业的发展一直是为国家优先发展重工业的战略服务的。以国有企业为主的传统产业结构严重地向重工业偏斜。在 1978 年以前，基本建设总投资的近一半都被使用于重工业的建设，而用于轻工业的不到 6 个百分点。这就造成了轻工业产品在市场上的严重短缺。乡镇企业以其劳动力丰富的优势，利用市场的缺档，进入到长期受到压抑的产业部门，因而迅速取得利润，进而扩大积累。由于乡镇企业迅速起步的阶段，恰好是城乡居民收入迅速增加，而消费档次尚未升级的时期，乡镇企业的低质廉价产品符合了市场的需要。从这一点来看，如果说 80 年代的乡镇企业还处于孱弱不禁风雨的幼稚阶段的话，国有企业改革起步相对较晚，恰恰给乡镇企业成长提供了一个足以适应的襁褓期。

最后，也是最重要的，乡镇企业从其起步之初就面对着市场竞争。乡镇企业不是国家计划的产物，也始终没有被纳入资源配置计划盘子中去。因此，其能源、原材料的供给主要得从计划分配范围以外取得，其生产的产品也要在计划渠道以外销售。80 年代初伴随着国有企业微观环节放权让利的改革，资源配置和价格的双轨制开始出现，且其中的市场轨日益扩大。这为乡镇企业提供了进入与发展的条件。而另一方面，这种情形也使得乡镇企业的竞争压力大于国有企业，企业的预算约束相对硬化。因而使其对市场机制具有天生的适应性。

任何制度形式都是在特定的制度环境中形成的，而制度环境的变化通常要经历一个从量变到质变的过程。在乡镇企业的最初发展阶段，由于制度环境的约束，具体来说是意识形态以及政策对私人经济的限制和排斥，大多数乡镇企业采取了集体所有制的形式。直到90年代以来，乡镇企业面对新的挑战，才开始了以股份合作制为主的多种形式的体制改革。这种改革是针对以往体制中产权不明晰、政企不分、集体资产流失以及企业的社区封闭性等等一系列问题而自发进行的。最初是从山东省周村区和广东省宝安区等地实行乡镇企业股份合作制开始的，并于90年代比较迅速地在全国得到发展。目前全国已有近10%的乡村集体企业改制为股份合作制。

实际上，乡村集体企业的股份合作制改造，主要针对的是乡（镇）政府如何监督和激励企业经理人员经营集体资产的问题。作为社区所有的乡镇企业，在其较早的发展阶段上，监督和激励问题比较容易解决。即由于一个社区仅仅存在有限的几个集体企业，乡镇政府与企业经理人员之间的信息不对称现象并不严重。也就是说，社区政府官员可以做到像企业经理一样谙熟有关企业经营情况，从而使监督是有效的。同时，当时企业经理人员可选择的类似职位并不多，一定的工资水平和在社区的地位便足以激励其努力工作。所以，乡村集体企业中的产权不明晰和政企不分现象在当时实际上是一种有效的制度安排。

随着农村经济发展和多种形式所有制乡镇企业的发展，与这种制度安排相关的背景逐渐发生了变化。而最重要的是乡镇政府对于企业的监督和激励机制不再有效。首先，乡镇企业管理者不属于政府干部系列，因而流动性相对较低，而且缺少职务升迁的动机。长期管理同一家企业，使得经理人员很容易积累起关于企业经营的私人信息。其次，非集体企业的大量出现，给予那些具有真正管理才能的经理人员转换岗位的机会，实际上也就为他们定出了价格。最后，企业数量的增加和规模的扩大，使得社区政府不再可能充分掌握企业经营的信息，从而有效的直接监督实际上就不存在了。

由于乡镇企业产生的背景，使其具有两个国有企业所无法比拟的优势。第一，乡镇政府和村集体组织相对直接地依赖于企业的发展，社区居民对乡镇企业的资产关注程度也较高。因而，乡镇企业的所有性质是看得见、摸得着的。第二，乡镇企业从不承担任何政府强加的政策性负担，因而可以轻装上阵,进行制度改革。在这种情况下,实行股份合作制改造,并在改造过程中使企业经理人员获得一个足够大的资产份额,是对新的环境下企业管理人员的有效激励手段。与此同时,乡镇企业政企不分的一个重要表现就是乡镇政府对集体企业经济剩余的控制。而当乡镇政府领导人与企业领导人之间的信息变得不对称时,这种剩余控制就变得越来越困难。于是,乡镇政府也需要通过一种稳定的制度安排,从集体企业的增值中和经营绩效中获得相对稳定的剩余份额。此外,信息不对称现象的严重化也使得新的监督形式成为必要。正是在这两方面的激励之下,股份合作制得以迅速地发展和推广。

由于乡镇企业所要解决的问题不止一种或两种,乡镇企业就其规模、技术水平、经营状况和历史渊源来说也不尽相同,所以,体制改革的形式也必然是多样化的。除了比较典型的股份合作制形式之外,近期进行的体制改革形式还包括建立股份有限公司和有限责任公司、租赁、出售、兼并和资产增值承包,以及组建企业集团和与外商合资经营等。⑰如果说,以乡镇企业为代表的非国有经济的出现,在80年代为整体经济结构和所有制结构添加了活力的话,90年代乡镇企业本身的多样化和多元化,则必然造成农村经济整体格局的根本改观。

注 释

① Justin Yifu Lin, "The Household Responsibility System in China's Agricultural Reform: The Theoretical and Empirical Study", *Economic Development and Cultural Change*, Vol.36, No.3(April 1988), pp.199—224; Justin Yifu Lin, "Collectivization and China's Agricultural Crisis in 1959—1961", *The Journal of Political Economy*, Vol.98, No.6, December 1990, pp.1228—1252.

② 农业因具有内部规模经济不显著、劳动的监督和度量都极其困难等特点,而成为一个适宜家庭经营的产业。发达经济中以家庭经营为主的农业能够适应市场经济要求的现实则表明,家庭经营并不是农业进入现代经济的制度性障碍。

③ Lin, Justin Yifu, "Rural Reforms and Agricultural Growth in China", *The American Economic Review*, Vol.82, No.1,1992, pp.34—51.

④ 我们认为,中国的农业改革并没有触及农村土地的所有权,因而可以把家庭联产承包责任制看作为一种租赁制。这样,追加产出全归自己的产品分配方式就与

土地租赁制度下的“固定租”的产品分配方式相类似。这种分配方式与不知道追加产出归不归自己的“大呼隆”(类似于“劳役地租”)和仅有部分追加产出归自己的“按固定比例分配全部产品”的承包制(类似于“分成租”)相比,能够更好地将劳动投入和劳动报酬挂钩,所以这种分配方式更能诱发农民的劳动热情。

⑤ 请分别参见发展研究所综合课题组:《改革面临制度创新》,上海:上海三联书店1988年版;李溦:《农业剩余与工业化资本积累》,昆明:云南人民出版社1993年版;周其仁:《中国农村改革:国家和所有权关系的变化——一个经济制度变迁史的回顾》,载《中国经济学——1994》,上海人民出版社1995年版。

⑥ 国家经济体制改革委员会编:《中国经济体制改革年鉴(1992)》,北京:改革出版社1992年版,第167页。

⑦ 国家统计局编:《中国统计年鉴(1995)》,北京:中国统计出版社1995年版,第403页;谢平:《中国金融资产结构分析》,《经济研究》,1992年第11期,第34页。

⑧ 经济增长对金融的依存度等于国民生产总值除以银行贷款余额的百分数。

⑨ 从名称上看,当时还有中国人民建设银行、中国农业银行和中国银行。中国人民建设银行成立于1954年,主要办理基建拨款和基建的结算业务,归财政部领导。1958年改为财政部基建财务司,但对外名称未变。1962年恢复建制,仍归财政部领导。1970年并入中国人民银行,1972年再次划归财政部领导。中国银行对内是中国人民银行的国外业务管理局,中国农业银行先是只挂一块牌子,对内为中国人民银行的农村金融管理局,后又两次并入中国人民银行,真正独立运作的时间仅4年。1969—1978年,中国人民银行总行除保留一块牌子外,其机构、人员和业务等都并入财政部,其分支机构也随之并入相应的财政部门。

⑩ 各专业银行的业务分工是工商银行承揽工商业务,农业银行承揽农村业务,建设银行承揽基本建设业务,中国银行承揽涉外业务。

⑪ 中国过去定期存款的计息方法是:存户取款时,若超过定期期限,其超过期限按定期存款利率计息,若未到定期期限,按最接近的定期存款利率计息。例如,某存户有1张2年期的定期存款单,若他两年半后去取,超过的半年按2年期的存款利率计息;若他在1年半时去取,如果最接近的是1年期的定期存款,就按1年期定期存款利率计息。

⑫ 从1987年起,财政部除每年发行国库券外,陆续发行了国家重点建设债券、国家建设债券、基本建设债券、财政债券、保值公债、特种国债等。随着国债发行规模的扩大,自1985年允许专业银行发行金融债券后,又陆续允许交通银行等综合性银行和一些信托投资公司发行金融债券。一些经营得好的企业,也发行了企业债券和股票,上述业务的出现和增多,成为发展金融市场的压力,同时也间接地为金融市场发育创造了条件。

⑬ 在《中国统计年鉴(1998)》的金融机构信贷资金平衡表中,以中长期贷款取代了

过去的固定资产贷款。

⑭ 国家统计局编:《中国固定资产投资统计资料(1950—1985)》,北京:中国统计出版社1986年版,第8页;《中国统计年鉴(1987)》,北京:中国统计出版社1987年版,第639页;《中国统计年鉴(1998)》,北京:中国统计出版社1998年版,第187、668页。

⑮ 1981年制定的内部结算汇率为1∶2.8,就是根据1978年换汇1美元的平均成本为2.53元加上10%的利润计算出来的。

⑯ 中国的要素价格改革采取的是"先调后放"的改革方式。即先朝着市场均衡价格的方向进行调整,然后放开对要素价格的计划控制,让它们由市场上的供需变动决定。经过15年的改革,资源和外汇价格都从"调"跃迁到"放",只有资金价格仍停留在"调"的阶段。

⑰ 卢文:《乡镇企业产权制度改革的发展》,《中国农村经济》,1997年第11期。

6

经济改革的成就

在第 4 章，我们通过多层面的分析，得出的结论是：亚洲“四小龙”能在短短 20 年左右的时间里一举成为令世界瞩目的“新兴工业化经济”，最为关键的是比较好地发挥了各自在每个发展阶段的比较优势。“四小龙”按比较优势来发展经济是自发的行为，但任何经济都具有自己的比较优势，都可以据此作为发展经济的战略，而且按比较优势来发展经济所需要的政策环境和政府行为也是清楚的。因此，我们可以把“四小龙”的自发行为提升为自觉行为，并将此种发展意图称为“比较优势战略”。诚然，“四小龙”的经济规模都很小，而大国地区经济和小国地区经济具有一些特征上的差异，能够使小国地区经济获得成功的发展战略并非一定适用于大国地区。所以，要想在理论上作出比较优势战略具有一般性的结论，还必须探讨大国地区能否借助于比较优势战略获得成功；社会主义经济能否依靠比较优势战略来发展经济；选择社会主义经济制度的大国能否依靠比较优势战略获得成功。本章将根据中国改革的经验对这些问题作出回答。

本章的基本结论是：自 20 世纪 70 年代末逐步改革旨在突破资金缺乏的比较劣势对经济增长的制约的“赶超战略”所形成的经济体制以来，不仅通过微观经营机制的改革，提高了工人、农民的积极性，释放了大量的生产潜能，提高了生产率，中国经济的快速增长还受益于比较优势的发挥。尤其是比较优势发挥得更为显著的沿海地区取得了与“四小龙”最快速发展时期相比还要出色的成就表明，比较优势战略不仅在实行资本主义制度的小国或面积狭小的地区有效，而且在选择社会主义制度的大国也有效。加快经济战略转换，更加积极主动地推行比较优势战略，是中国经济尽快走向繁荣的关键所在。

6.1 经济激励和经济效率的改进

在第 1 章我们已经描述了改革以来经济增长和人民生活水平提高的奇迹，而经济激励和经济效率的改进，是解释改革以来经济快速增长的两个主要变量。考察各类企业可以发现，非国有企业的经济激励显著地优于国有企业，是非国有经济的增长显著快于国有经济的主要原因之一，而建立在微观经营机制改革所释放的积极性和发挥比较优势基础上的资源配置效率的改进，则是改革后的经济增长比改革前快而且较为持续的主要原因。

首先让我们考察经济激励的改进。1978 年以前，虽然城市以国有经济为主，农村以集体经济为主，存在着显著的差异，然而它们在经济激励低下这一点上却并无二致。这既是那个时期城乡经济均无起色的主要原因，也是拥有劳动力丰富、相对廉价之比较优势的农村，对经济增长的贡献非常有限的主要原因。1978 年实行经济改革以来，中国的情况发生了一系列变化。尤其是农村以家庭联产承包责任制取代生产队的集体生产体制，极大地激发了农民的生产积极性。1978—1984 年间农村生产每年平均增长 4.8%，为 1952—1978 年间年均生产增长率的 2 倍。根据计量研究，由于生产积极性的提高，家庭农场的生产率约比生产队体制高 20%，1978—1984 年间的农业增长中有一半可归功于推行家庭联产承包责任制所激发出来的农民的生产积极性。① 放权让利式的微观经营机制改革和资源配置制度改革，也同样改进了国有企业的激励机制，进而提高了生产经营效率，后者可以用总要素生产率的提高加以说明。据经济学家杨坚白估计，改革前 26 年(1953—1978 年)中国的总要素生产率平均为负增长(其中 1953—1957 年总要素生产率为 0.77%，对经济增长的贡献率为 8.7%)；② 1979—1989 年中国的总要素生产率和它对经济增长的贡献率分别为 2.48%、28.5%。③总要素生产率由负数到接近 2.5%，仅此一项就可以说明改革以来经济发展加速的一半以上。世界银行所作的一项研究也获得了类似的结论(参见表 6.1)。

表 6.1 产出增长率和总要素生产率(%)

	1980—1988 年	1980—1984 年	1984—1988 年
国有部门产出	8.49	6.77	10.22
总要素生产率	2.40	1.80	3.01
集体部门产出	16.94	14.03	19.86
总要素生产率	4.63	3.45	5.86

资料来源：世界银行:《90 年代的改革和计划的作用》，华盛顿，1992 年。

另一方面，管理体制的放松，为非国有经济，包括城镇集体经济、农村乡镇企业和城乡私人(个体)企业的发展创造了条件。虽然这些企业得不到政府提供的优惠，职工得不到政府发放的各种补贴，必须在市场竞争中维持生存与发展，然而，也正是市场竞争的压力使这些企业产生优化资源配置的动力，而职工报酬与他作出的实际贡献相对应的分配制度，则极大地激励着每一个劳动者的生产积极性。优胜劣汰的市场竞争机制和按付出的有效劳动进行分配的激励机制，使非国有经济迅速地发展起来了。

从表 6.2、表 6.3 可以看出，无论是在工业产值结构中还是在社会商品零售总额中，非国有经济所占的份额都在持续增长。其中，非国有经济占工业产值的份额已由 1978 年的 22.4%提高到 1997 年的 74.5%，提高了 52.1 个百分点；占社会商品零售总额的份额由 45.4%提高到 75.5%，提高了 30.1 个百分点。

表 6.2 工业产值结构的变化(亿元，%)

年份	总额	国有企业		集体企业		个体企业		其他企业	
		产值	份额	产值	份额	产值	份额	产值	份额
1978	4 237	3 289	77.63	948	22.37	0	0.00	0	0.00
1980	5 154	3 916	75.98	1 213	23.53	1	0.02	24	0.47
1985	9 716	6 302	64.86	3 117	32.08	180	1.85	117	1.21
1990	23 924	13 064	54.61	8 523	35.62	1 290	5.39	1 047	4.38
1995	91 894	31 220	33.97	33 623	36.59	11 821	12.86	15 231	16.58
1997	113 733	29 028	25.52	4 347	38.11	20 376	17.92	20 982	18.45

注：在本表中，全国工业总产值中包括农村村和村以下乡镇企业的工业产值。
资料来源：国家统计局编:《成就辉煌的 20 年》，北京:中国统计出版社 1998 年版，第 388 页。

表 6.3 社会商品零售总额结构的变化(亿元,%)

年份	总额	国有企业		集体企业		个体企业		其他企业	
		产值	份额	产值	份额	产值	份额	产值	份额
1978	1 558.6	851.0	54.6	674.4	43.3	2.1	0.1	31.1	2.0
1980	2 139.6	1 100.7	51.4	954.9	44.6	15.0	0.7	69.0	3.2
1985	4 292.3	1 740.0	40.5	1 600.3	37.3	661.0	15.4	291.0	6.8
1990	8 259.8	3 285.9	39.8	2 631.0	31.9	1 569.6	19.0	773.3	9.4
1995	20 546.8	6 154.1	30.0	3 981.6	19.4	6 253.8	30.4	4 157.3	20.2
1997	26 699.4	6 533.2	24.5	4 887.6	18.3	8 955.8	33.5	6 322.8	23.7

资料来源:国家统计局编:《'98 中国发展报告》,北京:中国统计出版社 1998 年版,第 369 页。

需要指出的是,这一时期国有工业、国有商业的增长并没有下降(参见图 6.1)。非国有经济占经济总量的份额增加,是它比国有经济发展得更快引起的。上述数据表明,改革以来国民经济的快速增长具有主要依靠新生出来的非国有经济为动力的特征。

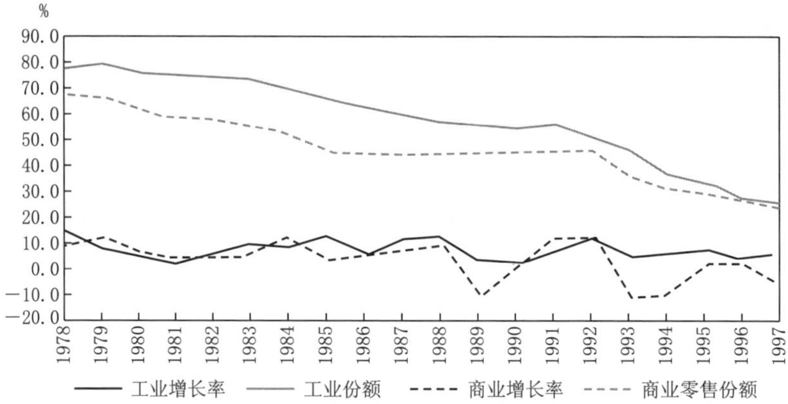

图 6.1 国有工业、商业的年增长率和占总产值、总零售额份额的变化

资料来源:国家统计局编:《中国统计年鉴(1993)》,北京:中国统计出版社 1993 年版,第 413—414 页。

优胜劣汰的市场竞争机制和按有效劳动进行分配的激励机制,对国有经济是同样有效的。这一时期国有经济未能取得同样绩效的主要原因,是许多在计划经济条件下建立起来的国有企业在市场经济中缺乏自生能力。为了社会稳定,并在发展战略还没有进行根本的转轨的情况下,政府仍然要扶持那些没有自生能力的国有企业,使得后者无法完全按市场上的价格信号所反映出来的比较优势进行产业和技术的调整。其结果是:一方面,由于政府不得不向没有自生能力的国有企业及其职工提供一系列的优惠,包括给予低价生产要素和实行产品的价格保护,以及各种各样与企业经济效益毫无关系的职工收入补贴,乃至企业亏损补贴;另一方面,由于企业享有政策优惠、预算软约束等,缺乏改进生产、提高效率的压力和积极性。④

然而需要指出的是,历经 20 年的改革与发展,现在的情形已有很大的不同:这就是在非国有经济快速发展的压力下,补贴这种不具自生能力的企业生存与国有企业职工收入相对下降的冲突越来越激烈,继续维持传统发展战略,保护那些不具有自生能力的国有企业的机会成本越来越大,而彻底改造国有企业,放弃传统发展战略的机会成本越来越小,因而政府进行彻底的发展战略转轨的时机越来越成熟了。我们相信,中国一旦实现从赶超战略到比较优势战略的彻底转轨,由推行赶超战略所内生出的宏观政策环境、资源配置制度和微观经营机制失去了其存在的基础,不具备自生能力的国有企业退出生产,具备自生能力的国有企业不再承担任何政策性任务,也不再享有任何特殊的优惠政策,和其他所有制经济成分一样面对优胜劣汰的市场竞争,中国将可实现持续、快速、健康的经济增长。

推行重工业优先发展战略几十年来,不但农村没有发展起来,城市也没有发展起来。而最近 20 年乡镇企业快速发展的实践则表明,只要放弃对要素和产品价格的人为干预,包括人为压价和提价(或补贴),使比较优势能够真实地表现出来,企业就会有充分利用比较优势的经济激励。劳动力资源丰富的时期,就会大力发展劳动密集型,尤其是劳动力技巧密集型产品的生产,并进行劳动力对稀缺程度高的资源的替代,一方面将劳动力极其丰富的资源比较优势充分发挥出来,另一方面使更为稀缺的资源产生更高的利用效率。当资源比较优势随着经济发展发生变化时,新的比较优势又会激励企业调整产品和技术结构,达到加快中国工业化和现代化进程的目的。

6.2 产业结构扭曲得以矫正

首先是背离比较优势的产业结构得到矫正。在资源可以自由流动的经济中,产业结构决定于资源比较优势,并随着它的变动而变动。然而在推行重工业优先发展战略期间,产业结构却背离了资源比较优势,造成重工业太重、轻工业太轻,建筑业、运输业和服务业占国民收入的份额有的处于徘徊状态,有的处于下降态势等一系列问题。这种处处与经济发展规律相悖的产业结构转换,导致了数次经济负增长。1978 年实行经济改革以来,资源配置逐渐向劳动力较为密集的产业倾斜,较好地发挥了中国劳动力资源丰富的比较优势。

例如,在工业内部,按可比价格计算,1952—1978 年间,重工业和轻工业分别增长了 2 779.5%和 905.2%,前者为后者的 3 倍多;1978—1997 年间,它们分别增长了 1 195.8%和 1 349.3%,前者为后者的 89%。在农业内部也是如此,表现为劳动利用量小、单位土地面积产出相对较少的粮食播种面积稳中有降,而劳动利用量大、单位土地产出相对较多的经济作物播种面积快速增长(参见图 6.2)。随着资源向效率更高的部门流动,建筑业、运输业和商业占国民收入的份额都有上升的趋势,背离比较优势的产业结构已得到初步的矫正。

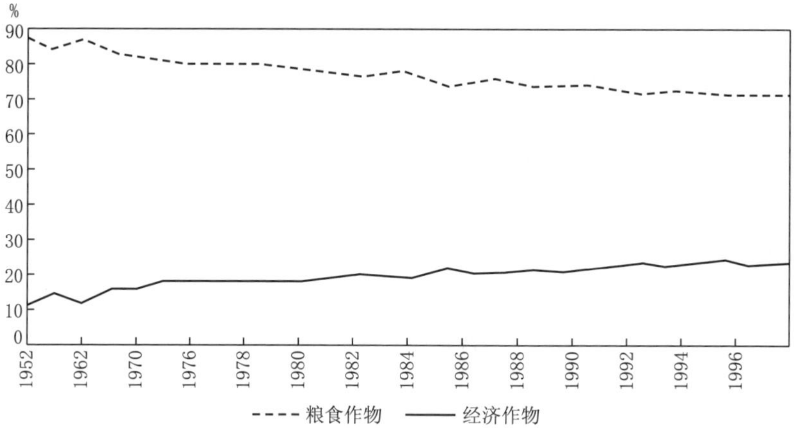

图 6.2　主要农作物播种面积的变化

资料来源:国家统计局编:《中国统计年鉴(1997)》,北京:中国统计出版社 1997 年版。

其次是严重滞后于产值结构转换的就业结构得到了矫正。改革开放以前,政府通过受其控制的"人民公社"组织体系和城乡分割的户籍管理制度将广大农民束缚在农村和农业中。虽然从政策上讲,农民可以通过国家招工直接改变(或通过服兵役间接改变)身份,但实际上农民很难得到这样的机会。政府确曾为此作过数次努力，但都因经济衰退或财力掣肘而没有取得成功。例如，1958—1960 年，为了实现经济发展上的“大跃进”，政府曾将 2 800 万农民动员到城市就业，但终因无法承受由此引发的经济振荡而又不得不把他们强行退回农村。

实行改革开放以来，政府将农民只能居住在农村，并从事农业生产的户籍和职业的双重管制改为单项的户籍管制，即摈弃了农民不能擅自从事非农生产活动的管制。亿万农民获得了这个权利之后，在比较利益的诱导下，依靠自己的努力进入了非农产业，为扭转就业结构转换严重滞后于产值结构转换这个几十年来一直困扰政府的大难题，作出了难以估量的贡献。按统计资料计算，在 1978—1997 年间，仅乡镇企业的劳动者增加量（10 223.84 万人⑤）一项，就占全国非农产业中劳动者增加量（24 671 万人）的 41.4%。如果再把农民在其他产业中从事非农活动（如独自进城当合同工、临时工、保姆，经商等）考虑进去，劳动力转移的数量就更大了。根据中国乡镇企业协会所作的大型抽样调查推算，1992 年，由农民身份的劳动者完成的劳动量中，从事非农产业的劳动量已达到 40%。

城市中集体经济和个体经济迅猛发展也创造了大量就业机会。统计资料表明，1978—1997 年间，在城镇集体经济和个体经济中就业的劳动者由 2 063 万人增加到 5 486 万人，增长了 165.9%，占该时期全国非农产业中劳动者增加量的 13.9%。这一变化为降低城市就业人口的待业率，作出了重要的贡献。此外，国有企业在扩大非农产业就业量方面也作出了积极的贡献。

随着工业经济和第三产业的迅速发展，从事第一产业的劳动力占劳动力总数的份额已由 1978 年的 70.5%下降到 1997 年的 49.9%，从事非农产业的劳动力占劳动力总数的份额则由 1978 年的 29.5%提高到 1997 年的 50.1%，变化幅度高达 20.6 个百分点。⑥就业结构转换严重滞后于产值结构转换的问题已得到初步的矫正。

第三是内向型的国民经济结构得到了矫正。改革开放以来最为显著的变化之一，就是中国正在从封闭、半封闭经济走向开放型经济。最近 20 年，中国经济对外开放的力度越来越大：1979 年，中央政府决定在广东、福建两省率先实行灵活政策、特殊措施，对外开放；1980 年决定兴办深圳、珠海、汕头、厦门 4 个对外开放经济特区；1984 年春开放沿海 14 个港口城市和海南岛；1985 年春决定开放长江三角洲、珠江三角洲和闽南三角地区；1986 年以来陆续开放山东半岛和辽东半岛；1988 年春决定建立海南省并将其作为最大的对外开放经济特区，在广东、福建建立范围更大的改革开放实验区；1991年又将沿海开放战略扩展为沿海、沿边、沿江开放战略，进而又实行了全方位开放；1992年，进一步实施上海浦东开发开放战略，以上海浦东为龙头，带动中国经济实力最强的长江流域的开发开放。

在一系列措施的推动下，中国经济出现了两个重大变化。其一是对外贸易迅速增长，1998年与1978年相比，进出口总额由206.4亿美元增加到3 239.3亿美元，年均增长14.8%，其中出口总额由97.5亿美元增加到1 837.6亿美元，年均增长15.8%，进口总额由108.9亿美元增加到1 401.7亿美元，年均增长13.6%，⑦双双超过了国民生产总值年均增长率；中国经济的对外贸易依存度由1978年的9.8%提高到1997年的36.7%（参见表6.4）。

表6.4 中国经济的对外贸易依存度的变化*（亿元，%）

年份	国民生产总值	进出口		出口		进口	
		总额	占GNP份额	总额	占GNP份额	总额	占GNP份额
1978	3 624.1	355.0	9.80	167.6	4.62	187.4	5.17
1979	4 038.2	454.6	11.26	211.7	5.24	242.9	6.02
1980	4 517.8	570.0	12.62	271.2	6.00	298.8	6.61
1981	4 860.3	735.3	15.13	367.6	7.56	367.7	7.57
1982	5 301.8	771.3	14.55	413.8	7.80	357.5	6.74
1983	5 957.1	860.1	14.44	438.3	7.36	421.8	7.08
1984	7 206.7	1 201.0	16.67	580.5	8.06	620.5	8.61
1985	8 989.1	2 066.7	22.99	808.9	9.00	1 257.8	13.99
1986	10 201.4	2 580.4	25.29	1 082.1	10.61	1 498.3	14.69
1987	11 954.5	3 084.2	25.80	1 470.0	12.30	1 614.2	13.50
1988	14 922.3	3 821.8	25.61	1 766.7	11.84	2 055.1	13.77
1989	16 917.8	4 155.9	24.57	1 956.0	11.56	2 199.9	13.00
1990	18 598.4	5 560.1	29.90	2 985.8	16.05	2 574.3	13.84
1991	21 662.5	7 255.8	33.36	3 827.1	17.67	3 398.7	15.69
1992	26 651.9	9 119.6	34.22	4 676.3	17.55	4 443.3	16.67
1993	34 560.5	11 271.0	32.61	5 284.8	15.29	5 986.2	17.32
1994	46 670.0	20 381.9	43.67	10 421.8	22.33	9 960.1	21.34
1995	57 494.2	23 499.9	40.87	12 451.8	21.66	11 048.1	19.22
1996	66 850.5	24 133.8	36.10	12 576.4	18.81	11 557.4	17.29
1997	73 452.5	26 958.6	36.70	15 152.8	20.63	11 805.8	16.07

注：* 这里的外贸依存度是依据官方的国民生产总值计算的。很显然，如果依据各种按购买力平价估算的国民生产总值来计算，中国的外贸依存度将大大降低。

资料来源：国家统计局编：《'98中国发展报告》，北京：中国统计出版社1998年版，第373页。

其二是国外资金流入大幅度增长。签订利用外资协议(合同)额和实际利用外资额,1979—1983 年 5 年平均分别为每年 47.96 亿美元和 28.88 亿美元,而 1993—1997 年 5 年平均分别增加到 925.80 亿美元和 499.04 亿美元,增长了 18.30 倍和 16.28 倍;1979—1997 年期间,签订利用外资协议(合同)累计额和实际利用外资累计额,分别达到 6 540.01 亿美元和 3 483.47 亿美元。[⑧]这些变化标志着中国经济正朝国际经济一体化的方向迈进,标志着改革前的内向型经济结构得到了初步的矫正。

最后是单一依靠国家积累的投资结构得到矫正。伴随着农村经济的发展和城乡居民收入的增长,民间储蓄直线上升,在积累中发挥着越来越重要的作用。在近几年的全部生产建设资金中,依靠国家财政拨款的份额已从 75%下降到不足 20%,依靠银行贷款和金融市场集资的部分已上升到 80%以上(参见表 6.5 和表 6.6)。由民间储蓄为主,政府、企业、居民共同积累的投资结构已替代了改革前单一依靠国家积累的投资结构。

6.3 关键在于发挥比较优势

在第 4 章我们将"四小龙"经济发展取得的成功归结为实行了不同的发展战略,从而能够充分发挥资源比较优势。任何国家和地区都具有自己的比较优势,如果"四小龙"经济发展的成功取决于比较优势的发挥,那么其他国家和地区也应可以借助于发挥比较优势去追求持续、稳定、快速的经济发展。中国改革的成功经验对此给予了进一步的验证。

中国的改革所直接针对的问题是激励不足和效率低下,所以改革是从微观经营单位开始的。但由于传统体制模式是一个有机的整体,传统体制所存在的弊端也是互相关联的。正如我们已经分析的,根源在于重工业优先发展战略的选择和资金相对稀缺的资源结构之间的矛盾。因此,迄今为止无论改革从何处入手,通过何种方式推进,实际上所有改革都触动了传统发展战略。而改革对传统的重工业优先发展战略的触动,通常是以增长从而获得增量资源为动机,并以新增资源的重新配置为手段而实现的。这种新增资源对传统的发展战略的触动,以非国有经济的发展最为典型。例如,

表 6.5　全社会固定资产投资来源的变化(亿元,%)

年　份	投资总额	国家预算内投资		国内贷款		利用外资		自筹及其他投资	
		投资额	份　额	投资额	份　额	投资额	份　额	投资额	份　额
1981	961.01	269.76	28.07	122.00	12.69	36.36	3.78	532.89	55.45
1985	2 543.19	407.80	16.04	510.27	20.06	91.48	3.60	1 533.64	60.30
1990	4 517.50	393.03	8.70	885.45	19.60	284.61	6.30	2 954.41	65.40
1995	20 524.86	621.05	3.02	4 198.73	20.46	2 295.89	11.19	13 409.19	65.33
1997	25 259.67	696.74	2.76	4 782.55	18.93	2 683.89	10.63	17 096.49	67.68

注:后两行的投资总额与国家统计局公布的固定资产投资总额略有差异。

资料来源:国家统计局固定资产投资统计司编:《中国固定资产投资统计资料(1950—1985)》,北京:中国统计出版社 1987 年版,第 8 页;国家统计局编:《成就辉煌的 20 年》,北京:中国统计出版社 1998 年版,第 362 页。

表 6.6　全社会固定资产投资来源的变化(亿元,%)

年　份	投资总额	国有企业		集体企业		个体企业		其他企业	
		投资额	份　额	投资额	份　额	投资额	份　额	投资额	份　额
1981	961.0	667.5	69.46	115.2	11.99	178.3	18.55		
1985	2 543.2	1 680.5	66.08	327.5	12.88	535.2	21.04		
1990	4 517.6	2 986.9	66.12	529.5	11.72	1 001.2	22.16		
1991	5 594.6	3 713.9	66.39	697.8	12.47	1 182.9	21.14		
1992	8 080.1	5 498.7	68.05	1 359.4	16.83	1 222.0	15.12		
1993	13 072.3	7 925.9	60.63	2 317.3	17.73	1 476.2	11.29	1 352.9	10.35
1994	17 042.1	9 615.0	56.42	2 758.9	16.19	1 970.6	11.56	2 697.6	15.83
1995	20 019.3	10 898.2	54.44	3 289.4	16.43	2 560.2	12.79	3 271.5	16.34
1996	22 974.0	12 056.2	52.48	3 660.6	15.93	3 211.2	13.98	4 046.0	17.61
1997	25 300.1	13 418.6	53.04	3 873.5	15.31	3 426.8	13.54	4 581.2	18.11

资料来源:国家统计局固定资产投资统计司编:《中国固定资产投资统计资料(1950—1985)》,北京:中国统计出版社 1987 年版,第 8 页;国家统计局编:《'98 中国发展报告》,北京:中国统计出版社 1998 年版,第 360 页。

工业总产值中的非国有经济比重从1978年的22.4%提高到1997年的74.5%,同期城镇就业在非国有部门的比重从1978年的21.7%提高到1997年的45.3%。

非国有经济的发展作为资源重新配置的结果,意味着整个改革和发展过程就是一个通过市场机制发挥作用,中国经济的资源比较优势得以发挥的过程。例如,传统发展战略下受到压抑的轻工业,为非国有工业经济的发展所推动。1997年在国有企业工业产值结构中,重工业比重仍然占71.7%的同时,三资企业工业产值中重工业比重仅为44.2%。除了非国有经济在劳动密集型产业中占较大份额之外,其技术选择也倾向于劳动使用型或资本节约型。其结果是具有比国有企业低得多的资本有机构成。例如,1997年国有企业生产1个单位的工业增加值,需要2.67个单位的固定资产净值,而集体企业的这个指标为1.04,股份制企业为1.85,外商投资企业为1.82,港澳台投资企业为1.98。⑨

这个资源重新配置的过程带动了产品和生产要素市场的发育、国内投资结构的改善和外资的引进、对外贸易的扩大等等一系列由增长引致的制度变革。有的学者把中国经济增长归结为劳动力流动、市场发育产生的效率、外贸与技术引进以及国内投资与外资引进等四个方面的贡献(表6.7)。这四个方面大致可以涵盖迄今为止中国通过改革创造市场条件,让比较优势发挥作用所带来的增长效应。

表6.7 中国经济增长率的分解(百分点,%)

	增长因素	贡献比率
(1)	劳动力流动	1.50(16.30)
(2)	市场发育产生的效率	0.38(4.13)
(3)	外贸与技术引进	0.50(5.43)
(4)	国内投资与外资引进	6.82(74.13)
(5)	全部	9.20(100)

资料来源:Francis A. Lees, *China Superpower: Requisites for High Growth*, New York: St. Martin's Press, 1997, p.66.

分析比较优势对经济增长的影响,以乡镇企业为例是最恰当的。这是因为,始于20世纪70年代末的中国经济改革,最为成功且取得举国公认、举世瞩目之成绩的其实就是两条：其一是家庭联产承包责任制的普遍推广和完善，一举结束了中国农产品供给长期匮乏的历史，为今日的市场繁荣乃至经济、社会、政治稳定奠定了坚实的基础；其二就是乡镇企业的异军突起，彻底扭转了农村就业结构长期处于不变状态的历史，有力地加快了农村工业化进程，使中国农村奔向小康成为指日可待的现实。

乡镇企业对中国经济的影响力越来越大，表现在以下几个方面。第一，乡镇企业已成为国家税收增量的主要来源。1985—1990 年国家税收净增 773.2 亿元，其中乡镇企业净增 166.9 亿元，占全国税收净增的 21.6%；1990—1994 年，国家税收净增 2 042.1 亿元，其中乡镇企业净增 803.59 亿元，占全国税收净增的 39.4%。⑩ 事实上，官方统计资料还不能反映乡镇企业实际上所作出的贡献。(1)乡镇企业是中国制度外财政收入的主要来源之一，一些典型调查表明，制度外财政收入的 1/3—2/3 来自于乡镇企业收入；⑪(2)乡镇企业必须按市价购买生产要素，且得不到国家的低息贷款，因而它的税收增加是国家税收的净增长，而国有企业的税收增长要扣除政府的企业亏损补贴、贷款贴息等以后才是税收净增长。

第二，乡镇企业已成为中国劳动力转移的主要领域和就业结构转换的主要动力。传统的发展战略曾经把几亿农民长期束缚在农业部门，使得中国经济增长没有伴随着就业结构的转变和城市化的发展。而改革以来的 20 年，就将 1 亿多农民转移到乡镇企业，这成为改革开放以来最引人注目的变化之一。⑫

第三，乡镇企业已成为农村和整个国民经济增长的主要力量。统计资料表明，产值由 1 000 亿元上升到 1 万亿元，乡镇企业仅用了 7 年时间，而全国社会总产值从 1 000 亿元到突破 1 万亿元竟用了 31 年时间。目前，乡镇企业产值不仅成为农村社会总产值的主要组成部分并具有份额继续提高的态势，而且成为国民生产总值增量的主要贡献者并具有份额继续扩大的态势。1985—1990 年，第二和第三次产业的国民生产总值增量为 7 090.9 亿元，其中乡镇企业提供的增量为 2 134.4 亿元，占 30.1%，而 1990—1994 年，这两个指标分别为 22 051.1 亿元和 11 864.4 亿元，乡镇企业的贡献率进一步提高到 53.8%。⑬ 从增长的贡献率及变动态势中可以看出，乡镇企业将越来越成为国民经济增长的主要力量。近些年来中国地域发展上的差距主要表现为农村的差距，而农村发展上的差距主要表现为乡镇企业发展水平和规模上的差距，发展乡镇企业已成为提高农民收入、缩小城乡差距乃至地域性差距的主要途径。

乡镇企业之所以能够产生如此大的作用，最为关键的就是它较好地利用了中国所具有的劳动力相对丰富的比较优势。我们以乡镇企业在某产业占有的产值份额与它占工业总产值的份额的比值作为乡镇企业的领先系数，并将它与乡镇企业在对应产业中的人均固定资产净值进行相关分析，得到的结果是：相关系数为－0.3，等级相关为－0.53，这说明乡镇企业在产业选择上考虑了利用劳动力相对价格较低的比较优势。以乡镇企业的劳动力在各产业的分布与各产业资金密集度进行相关分析，也能看出它们之间具有的负相关关系，说明乡镇企业的劳动力集中在资金密集度低的产业里。此外，在相同的产业里，乡镇企业的人均固定资产净值低于国有企业，说明乡镇企业的技术选择偏向于使用更多的劳动。以 1986 年为例，全国工业企业人均固定资产净值为 7 510 元，同年乡镇企业的同一指标仅 1 709 元，不及全国平均水平的 1/4。⑭

注 释

① Justin Yifu Lin, "Rural Reforms and Agricultural Growth in China", *The American Economic Review*, Vol.82, No.1, 1992, pp.34—51.

② 总要素生产率是技术进步、组织与制度安排引起的生产率。在 1957—1978 年间，中国的技术进步并没有停止，总要素生产率为负数的主要原因是组织与制度安排缺乏效率。

③ 杨坚白：《速度·结构·效率》，《经济研究》，1991 年第 9 期，第 43 页。

④ 参见林毅夫、蔡昉、李周：《充分信息与国有企业改革》，上海：上海三联书店、上海人民出版社 1997 年版；Justin Yifu Lin, Fang Cai, and Zhou Li, "Competition, Policy Burdens and State-Owned Enterprise Reform", *The American Economic Review*, Vol. 88, No. 2(May 1998), pp.422—427; Justin Yifu Lin and Guofu Tan, "Policy Burdens, Accountability, and the Soft-Budget Constraint", *The American Economic Review*, Vol.89, No.2(May 1999)。

⑤ 根据《中国统计年鉴(1998)》第 420 页的资料计算。

⑥ 国家统计局编：《中国统计年鉴(1998)》，北京：中国统计出版社 1998 年版，第

128 页。

⑦ 国家统计局编:《中国统计年鉴(1995)》,北京:中国统计出版社 1995 年版,第 537 页;1998 年数字见《人民日报》,1999 年 1 月 12 日。

⑧ 国家统计局《中国统计年鉴(1998)》,北京:中国统计出版社 1998 年版,第 637 页。

⑨ 国家统计局:《中国统计年鉴(1998)》,北京:中国统计出版社 1998 年版,第 444—445 页。

⑩ 国家统计局编:《中国统计年鉴(1993)》,北京:中国统计出版社 1993 年版,第 396 页;国家统计局编:《中国统计年鉴(1995)》,北京:中国统计出版社 1995 年版,第 218、366 页。

⑪ 孙潭镇、朱钢:《我国乡镇制度外财政分析》,《经济研究》,1993 年第 9 期,第 38—44 页。

⑫ 1978 年乡镇企业职工人数为 2 826.6 万人,1994 年增加到 13 050.4 万人,净增 10 223.8 万人(见《中国统计年鉴(1998)》,第 420 页)。

⑬ 在计算中利用社会总产值同与其相对应的国内生产总值的比值,将乡镇企业产值调整为国内生产总值。资料来源于:《中国统计年鉴(1993)》,第 50 页;《中国统计年鉴(1995)》,第 32、365 页。

⑭ 国家统计局编:《中国工业经济统计资料》,北京:中国统计出版社 1987 年版,第 3 页;《中国统计年鉴(1987)》,北京:中国统计出版社 1987 年版,第 205 页。

7

改革与发展中的问题和难点

中国这样一个巨大的经济，在经济改革以来的 20 年中实现了年平均 10%左右的持续增长，在人类经济史上还不曾有一个人口大国以这么高的速度持续这么长的增长，不能不说是个奇迹。但是，改革以来中国经济中也潜藏着各种各样不健康的因素，一个综合性的表现就是以经济增长波动为表征的发展的周期性和改革进程的循环往复。除此之外，中国经济改革面临的主要问题和难点尚有：(1)寻租现象和腐败猖獗；(2)金融体制改革进展相对缓慢；(3)国有大中型企业的改革迟迟不能奏效；(4)地区间发展不平衡加剧，收入差距拉大；(5)粮食生产潜力问题。这些问题在改革以来的整个期间都存在，并有严重化的趋向，形成中国经济的顽疾。中国经济发展要继续推进，改革要坚持下去，必须面对上述问题和难点。本章及第 8 章将揭示这些问题的产生是由于渐进式的改革造成体制不配套所致，而改革无法彻底，则是由于国有企业的改革尚未奏效，其生存还有赖于其他制度扭曲来支持。因此，国有企业改革成功是解决这些改革中尚存难点的前提。

7.1 改革和发展的周期性

从1978年底的改革开放以来,中国经济年均增长速度很快,1978—1997年期间,国内生产总值年平均增长速度达到9.8%。与此同时,人民生活水平大幅度提高,产业结构得到调整。然而,仔细观察过去近20年的经济增长,不难发现,这种快速增长是在周期性的波动中实现的。每逢高速增长的年份,年度的国内生产总值增长率可达13%—15%。而一旦速度缓慢下来时,年度的增长率则只有3%—4%。从1978年底到现在已经经历了4个这样的周期,平均每4—5年就有一个(见图7.1)。

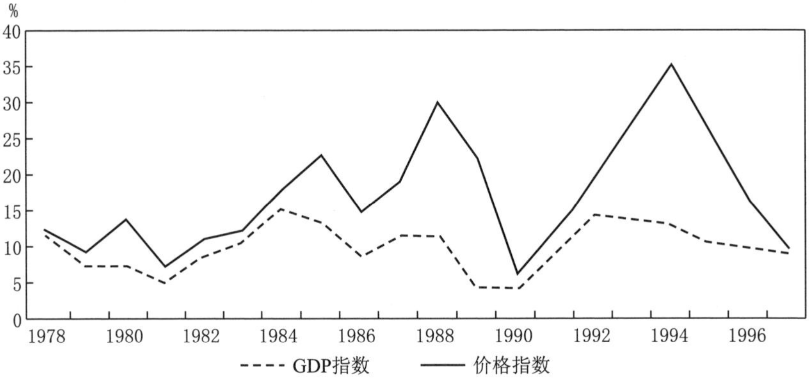

图7.1 改革以来经济增长的周期性与通货膨胀

资料来源:《中国统计年鉴(1998)》,第57、301页。

毫无疑问,伴随着经济增长的周期波动,国民经济总要付出不少代价。如果这种周期性的波动是平稳的或是收敛的,这些代价也许还可忍受。但不幸的是,这种周期向上和向下波动的幅度,呈现出越来越大的趋势。如果这种愈趋恶化的经济周期和某些严重的经济、社会问题一齐并发,就不能不令人担心,国民经济会不会有崩溃的可能。一旦发生这样的情况,前面所说的到下个世纪中叶前,中国成为全世界最大经济的预期当然也就不可能实现。

实际上,中国经济的周期性,并不仅仅表现在产值增长速度上的波动,而是增长率的波动伴随着经济体制改革的欲行又止，以及一系列社会问题的恶化。归结起来就是所谓的“一活就乱，一乱就收，一收就死，一死就放”的旷日持久的循环往复。这种“活—乱”循环的第一个表现是经济反复出现过热，进而速度与“瓶颈”形成相互制约的局面。改革微观经营机制以后，企业有了自己独立的利益，其对产值增长和利润总额增长的追求十分强烈。在资金价格仍被人为压低的情形下，只要政府一放宽对信贷和投资的控制，每个企业都积极争取贷款以扩大生产，直到能源、交通、原材料等基础产业部门的供给不能满足需求，形成“瓶颈”，才通过政府干预即采用调整的办法，强制地把企业盲目扩大投资的行为抑制下来。

从理论上讲，经济增长与体育竞技一样，速度决定于基本条件保障和运行状态的好坏，而不存在某种不宜突破的速度限制。如果运行条件和状态是好的，速度无疑是越快越好，没有必要人为地确定一个所谓的适宜速度。改革以来，对经济高速增长的主要限制因素是基础产业的供给不足，再加上能源、原材料和运输服务的供给缺乏市场价格这种筛选机制，有没有竞争力不是企业能否取得这些资源和服务的条件，所以高速增长常常没有伴随着效益的提高。由此形成了基础条件和运行状态不佳的高速度，即所谓的经济过热。

“活—乱”循环的第二种表现是经济中潜在的通货膨胀压力和周期性出现的高通货膨胀率。与许多国家的情况相比，过去 20 年中国经济中出现的数次通货膨胀并不算十分高。然而，考虑到改革以前的几十年通货膨胀几乎从未发生，以及银行储蓄利率被大大压低的情形，在经历了物价总水平几十年变化甚微的经验之后，中国人感受到的通货膨胀是相当严重的。

第一次严重的通货膨胀冲击是在 1985 年。如前所述，这一年信贷体制的放权性改革向前迈了一步，而利率调整幅度很小。例如，1985 年 4 月 1 日调整的国有农、工、商业企业和城镇集体企业及城乡个体经济贷款平均年利率为 7.3%，仅比调整前的水平高 0.78 个百分点，并且其中主要是较大幅度地提高了城乡个体经济户的贷款利率(从 8.6%提高到 9.4%—11.5%)，同期银行储蓄 1 年期利率仅为 6.8%。在低利率条件下放松信贷控制，导致了 1984 年和 1985 年的严重投资膨胀。

与 1983 年相比，1984 年固定资产净投资增加 37.6%，流动资金增加 1.2 倍；1985 年又分别增加 94.4%和 1.1 倍。利率水平没有随着资金需求的扩大而上调，因而存款不能增加，而原来受抑制的贷款需求却随着信贷控制的放松而获得满足，存贷间的缺口只能用增发货币来补足。货币发行总量失控和物价大幅度上涨是信贷规模失控的必然结果，1984 年流通中货币比上年增长 49.5%，导致了 1985 年的高通货膨胀。这一年，全国零售物价总指数达到 108.8，职工生活费用价格指数达到 111.9，分别比 1984 年提高了 6 个百分点和 9.2 个百分点。

如果说改革以来发生的第一次显著性通货膨胀是维持低利率政策与放松信贷控制的直接后果的话，1988 年的通货膨胀则直接起因于低利率政策与普遍的高通货膨胀预期对居民储蓄和手持货币行为的影响；1994 年的严重通货膨胀也是由于低利率政策和信贷管理体制的分权化以及融资渠道多元化所共同形成的后果。

"活—乱"循环的第三种表现是经济改革进程中的循环往复或改革周期。前述改革以来日益表现出来并严重化的增长速度制约和通货膨胀，构成了经济增长的周期性。在经济改革过程中，对微观经营机制方面的改革给予了更多的重视，由之推动的资源配置制度方面的改革也不断深化，企业的经营自主权扩大。资源配置管理的分散化程度的提高，反映出了"一放就活"的改革特征和效果。

当瓶颈制约、通货膨胀都达到十分严重化的程度时，正常的经济增长受到阻碍，经济秩序发生紊乱，人民群众产生不满情绪甚至对改革失去信心。按照中国经济发展几十年的逻辑，政府便出面用强制性手段进行调整或整顿。在传统的发展战略目标不变并维持扭曲价格的宏观政策环境的前提下，政府的调整措施具有以下特点：

第一，严格控制价格。作为遏制通货膨胀和整顿市场秩序的有效手段，政府在调整时期首先要做的是利用行政权威稳定消费品价格、生产资料价格和利率、汇率等要素价格，因而在这一时期，任何价格改革方案都难以通过。

第二，回收下放的管理权限。为了约束企业行为和纠正投资偏离传统战略目标的偏差，政府往往将此前下放给企业的某些经营自主权和资源分配部门的管理权限收回，强化集中统一的管制。所以从微观经营机制和资源配置制度上看，调整或整顿具有向传统经济体制复归的倾向。

第三，加强信贷规模的控制。由于利率是刚性的，不具有自动调节资金供需的功能，只能借助于严格的信贷规模控制来抑制投资需求、调整投资方向，但这种措施缺乏甄别企业有无效率的机制，所以在操作上不得不采取“一刀切”的办法。

第四，抑制非国有经济的发展。一方面，政府看到非国有经济违背其战略目标的倾向和更强烈的寻租行为，故有意采取资源分配上的歧视政策；另一方面，在资源更为短缺、资源分配权限更集中于政府的情况下，政府总是首先考虑体现其战略目标的大中型国有企业的资源需求，因而客观上产生了资源分配上对非国有经济“釜底抽薪”的效果。

综上所述，经济改革以来所实行的大大小小的调整或所谓“加强宏观调控”，使用的基本上都是严厉的行政手段或计划手段，是典型的“一乱就收”。从实施效果看，这类调整具有双刃剑的作用：一方面，由于严格控制投资规模和价格上涨趋势，可以将过热的经济增长速度冷却下来，抑制通货膨胀的恶化，严厉的行政措施还可以比较有效地约束寻租行为，使经济环境有序化；另一方面，重新加强资源计划配置，在价格改革方面停步，使传统经济体制重新发挥更大的调节作用，资源从效率高、符合比较优势的非国有部门流向效率低、不符合比较优势的国有部门，形成“一收就死”的局面。

而一旦经济形势陷入这种境地时，企业缺乏活力，亏损严重，价格不能调节产品、要素的供求变化，资源配置缺乏效率，增长速度明显下降，政府财政收入拮据等等，成为经济中更为突出的矛盾。于是，微观层次要求放权的呼声和实际努力越来越强烈，代表市场调节因素的非国有经济加强其争取资源的竞争，政治领导人又一次强烈地意识到“发展才是硬道理”，以微观经营机制和资源配置制度方面的放权让利为特征的改革再次受到鼓励，即所谓“一死就放”。在经济发展战略仍然未有彻底改变的情况下，按照前述的逻辑，又一轮的“活—乱”循环便开始酝酿。

20世纪90年代中国经济实际上又经历过一次类似的调整。当时针对房地产热、开发区热和投资规模过大，从而经济又一次过热以及泡沫经济的问题，中央政府实行了一系列宏观控制措施，特别是适度从紧的货币政策控制投资规模和增长速度。几年之后成功地把通货膨胀率降到较低的水平，同时又保持了差强人意的经济增长速度，即实现了人们通常所说的“软着陆”。

然而，这一次情况发生了变化。即在宏观调控和持续实行适度从紧货币政策的同时,中国经济从长期的短缺经济,经过1993—1996年的投资热潮,开始逐渐向买方市场转变。随着告别短缺,高利润的投资机会不再俯拾即是。再加上银行信贷责任的加强,以致90年代中期以后,传统的"活—乱"循环因没有随着"一放就活"格局的重新出现而被中断了。相反,尽管政府的货币政策事实上已经向刺激投资的方向转变,甚至开始了一系列启动市场的财政政策,需求再没有像以往的周期一样迅速增长。特别是受东南亚金融危机的影响,中国对外贸易和外资引进也放慢了速度。

其实,这种新情况的出现,并不意味着传统的改革和发展周期的结束,而是一种变形的表现。其产生的根本原因仍然是经济发展战略未能适应微观环节的改革而得到彻底的转变。相对于传统体制下建立起来的国有大中型企业,改革开放以来得以迅速发展的中小企业具有劳动密集程度高,从而成本低廉、竞争力和赢利能力强的特点,符合中国经济当前的比较优势。这类部门和企业的资金积累快,对市场出现的新情况、新机会能够作出迅速的反应,易于形成良性循环,经济增长率高。由于其投资建设周期短、见效快,是启动经济的有效途径。事实上,以非国有经济为代表的这种新兴经济部门,在国民经济中已经占有重要的份额,对经济增长的贡献份额越来越大。然而,由于金融体制尚未实现根本性的改革,这些部门和企业的发展仍然得不到应有的支持。解决经济周期波动的根本办法在于加快金融体制改革,实现利率市场化、银行商业化,通过利率的变动来调节投资、消费和储蓄,使效率最高的企业能优先得到资金。然而金融体制改革的主要障碍又在于对国有企业的保护,目前许多国有企业的生存还依赖于廉价的银行贷款的支持。因此,国有企业改革问题成为启动经济和从根本上摆脱传统周期的关键。

7.2 寻租活动与腐败现象

伴随"活—乱"而出现的一种经济现象是在经济生活中寻租动力的增强和腐败现象的滋生。在压低产品和要素价格的宏观政策环境下,任何一个企业只要争取到计划配置的资金、外汇、紧缺物资,就意味着获得了一个收益。这个收益额就是资源的市场价格与计划价格的差额同它所得到的资源数量的乘积。

如图 7.2 所示，当某种要素或产品的价格由市场决定时，形成的市场均衡价格为 P_0，相对应的供给量和需求量均为 Ob，供求是均衡的。当价格由计划决定并人为地压低到均衡水平之下如 P_1 时，由市场决定的供给量仅为 Oa，远远不能满足所需。而在这个供给量水平上，既定需求量可以把市场(或黑市)价格抬高到 P_2 的水平。可见，若企业能以 P_1 的价格获得计划配置的资源，一旦以 P_2 的价格来衡量，就意味着产生如图 7.2 中阴影面积所表示的收益。这种额外的收益可能性是由压低价格的宏观政策环境及相应的制度安排所造成的，哪个部门或哪个企业获得这种低价资源也是由政策或制度决定的，所以我们将由此形成的收益称为“制度租金”。以争取计划配置的低价资源而获得这种“租金”为目的的各种不正当活动，如“走后门”、贿赂资源配置部门的官员，以及各种利益集团的游说活动等，就是所谓的“寻租”(rent seeking)。

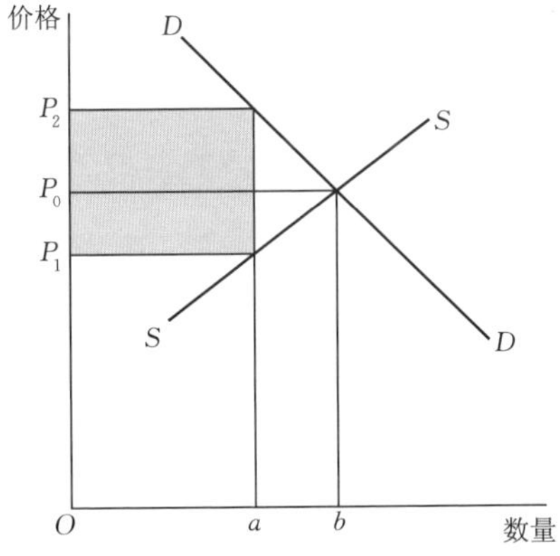

图 7.2　价格管制与寻租

制度租金和寻租行为作为扭曲相对价格的宏观政策环境的必然产物，早在传统经济体制下就存在了。但是，由于租金的实现机制不充分，生产者寻租动力也不强烈，寻租现象并不是传统经济体制下的典型特征。1979 年以前压低利率、汇率、紧缺物资和产品价格的宏观政策环境，从理论上讲造就了计划价格与市场价格之间的差别或制度租金。但要使这块租金具有强烈的吸引力，以至形成普遍的寻租现象，需要有一个前提，即个人或企业能从寻租活动中得到利益。

在实行高度集中的经济管理体制的年代里,企业采取的是统收统支的财务结算方式,寻租收益并不能转化为企业或个人的直接收入,企业寻租仅仅是为了扩张投资的需要,因而动力并不强烈。对于那些掌管资源配置权的官员,由于收入来源和消费形式单一、透明,因受贿而使个人货币收入增长和消费水平提高的情况,易于受到监督,惩罚也十分严厉,因而须冒很大的风险。所以,虽然已经具有寻租的制度基础,却没有寻租的强烈动机,有的只是凭借人际关系争取资源的行为。①

1979 年开始改革以来,管理体制上的逐步放开和政策环境改革的滞后,一方面维持了寻租的诱因,另一方面,由制度约束软化造成的交易货币化和个人收入、消费形式多样化,使得寻租行为由潜在转为显在,由局部转为全面。

首先,双轨制的形成使寻租可能性增大。寻租的动力与价格的平市差价成正比,而与受到惩罚的概率成反比。在双轨制格局下,进入市场的资源增加,固然可以降低市价从而平抑差价或单位资源的租金含量,减弱寻租的动力。但是,资源的计划配置与市场交易之间的界定也模糊了,对双轨制运行的监督成本提高,计划内外的倒腾、转手就可获得暴利,使不择手段获取国家计划配置的平价资源成为低风险、高收益的活动,“官倒”、“私倒”成了致富的捷径。

根据有关学者所作的估计,1987 年和 1988 年由紧缺物资平市价差和利率差、汇率差造成的制度租金,分别达到 2 000 亿元、3 500 亿元,约占全国国民生产总值的 20%—25%。② 中国大量的资源从计划内流出,一些按规定在计划内配置的资源有价无货,或有市价而没有平价。各个管理部门、分配环节,只要握有对资金、外汇、紧缺物资的分配权,或仅仅具有影响分配的权力,都可能成为寻租者的行贿对象。

其次,在逐步改革统购包销的传统资源配置制度的同时,流通领域的管理也放宽了,名目繁多的公司和经营单位,以寻租为目的竞相进入生产要素分配和产品的流通领域。特别是为部门利益服务的行政性公司的建立,为“官倒”提供了方便。它们干脆依靠与行政主管部门的所属关系,直接掌握计划内低价资源,并通过市场轨道将其“拍卖”出去,获得巨额租金,其部分掌握权力的人员还收受贿赂,造成腐败的滋生和蔓延。政府为了限制经营单位获得暴利,有时规定流通环节的加价幅度或作出其他限定,但结果只是加长了寻租链条，使寻租行为复杂化、多元化。租金在众多环节中分享后，生产者仍然要付出高价取得资源。

这种双轨制、多渠道、多环节的资源分配，尽管有助于非国有经济以竞争价格取得资源，但社会代价是十分高昂的。其一，资源被有竞争力的非国有经济取得后，国家为了保障大中型国有企业的需求，只好用增发货币或"寅吃卯粮"的办法来解决，造成通货膨胀和资源分配的不平衡，致使经济不断出现过热，速度与瓶颈相互制约。其二，一些国有企业为了得到必需的资源，不得不付出更高的价格和行贿成本加入寻租者的队伍，加大了企业负担和总生产成本，进而在确定与国家的利润分配关系或签订承包合同时，通过讨价还价，再将负担转嫁到财政上面，而当政府财政负担承受不了时，就产生了用行政手段限制非国有企业发展的冲动。其三，普遍的寻租和行贿受贿现象，腐蚀了政府官员、败坏了社会风气，使整个社会形成"靠山吃山、靠水吃水"的时尚，影响了改革的声誉和人民群众对改革的预期。由此看来，寻租所造成的损失，远不是可以用货币来衡量的。

最后，个人收入来源和消费形式的多元化，增加了人们扩大收入和消费的可能性。而让一部分人先富起来的政策则使寻租收入得以混同于正常的合法收入。寻租者和受贿者由此为其非法收入找到了"保护伞"，增加了监督和执法部门鉴别和惩罚寻租活动的成本。此外，非国有经济部门的经理人员的高收入，以及寻租和受贿者先行致富，使国家公职人员和国有企业职工的收入水平相对降低，这种不断扩大的收入差距和非法致富而不受惩罚的示范效应，激发了谋求个人利益的动机，产生了大大小小的寻租者和以权以职谋私者。

7.3 国有企业改革的难点

中国的国有企业是适应推行重工业优先发展战略的需要发展起来的，政府始终将国有企业特别是大中型国有企业视为推行传统发展战略目标的基础力量。在经济改革中，在小型国有企业和非国有企业逐步进入市场，经营机制逐步改革的同时，国有大中型企业的改革却受到发展战略目标的束缚，步履艰难。因此,本节讨论的重点,是国有大中型企业改革的难点。当我们使用国有企业这个概念时,指的也是国家视为国民经济主导力量的大中型企业。

中国经济改革伊始,国有企业的改革就居于中心的地位。总括地讲,国有企业的改革始终是沿着放权让利这样一条线索推进的。这种改革思路,是针对传统经济体制下以统一计划、统收统支、统购包销为特征的微观经营机制缺乏效率与活力而得出的。放权让利式的改革也确实取得了一定的成绩。随着企业留利比例的增大,其经营活动中的利润动机增强,促使其改进技术、创新产品,并面对市场需求进行生产。这些措施推动了资源配置制度的改革,也在一定程度上促使宏观政策环境改革。此外,企业将留利自主地用于企业发展、职工福利和劳动奖励,增强了职工的劳动积极性和经理人员提高管理效率的努力。一个意外的收获是一些企业将一部分留利投向在传统发展战略下受压抑的部门,形成增量改革的资源。

从国有企业迄今为止的改革,我们可以观察到两种效应。从企业激励机制与企业效率的角度,我们发现了国有企业改革的积极效果。例如,一项关于国有企业的调查表明,国有企业通过放权让利式改革,其利润分成比率、市场参与程度和市场化指数,在 20 世纪 80 年代后期呈同步提高的趋势。③然而,按照所有者标准来观察,作为国有资产所有者的国家,在这种放权让利式改革或后来演变成的产权改革中,其权益却受到越来越多的侵蚀。

国有企业及其特殊的治理结构是重工业优先发展战略的产物。改革以前,为了发展在市场经济条件下不具有自生能力的重点产业,产品价格和生产要素价格都被扭曲。在竞争的市场不存在的条件下,没有一个可为企业经营状况的评价作参照的平均利润率,则每个企业的利润水平就不能充分反映企业经营好坏的信息,也就不能作为评价企业经营状况的充分信息指标。要获取企业的开支是否合理,利润水平是否真实,以及能否保障所有者的利益等等信息,其费用十分高昂。

这种在企业经理人员与所有者之间的信息不对称,使得所有者与经营者之间的激励不相容成为一个难以克服的问题,而责任的不对等则会进一步加强这种倾向。在产业和企业之间的要素报酬率存在很大差异的传统体制下,如果国有企业拥有经营自主权,它们就有可能将可支配的资源配置在要素边际报酬率高的地方。④这样的边际调整显然会干扰重工业优先发展战略的实施，打乱整个计划经济体制下的均衡。而且，经理人员也可以利用信息不对称的方便，作出对自己有利而损害国家的经营和分配决策。

既然国有企业建立的前提就是竞争市场不再存在，国有企业建立的目的又是控制企业的生产剩余，所以，从保证国家发展战略目标的内在要求出发，国有企业理所当然是不能拥有经营自主权的。换句话说，为了最大限度地减少国有资产被侵蚀和剩余被流失的机会，唯一可行的治理办法就是最大限度地剥夺国有企业的经营自主权。国有企业所需的投资和其他生产要素由政府无偿拨付，所生产的产品及其规格、数量和产品的调拨或销售由政府计划决定，从财务上实行统收统支，利润全部上缴，亏损全部核销，是在扭曲的宏观政策环境和高度集中的资源配置制度下，监督成本最低的制度安排。事实上，国有企业的管理体制就是按照这样的逻辑形成的。正是因为如此，传统体制下虽然经历过数次下放（给地方）与回收（到中央）的回合，但由于传统经济体制的内在逻辑，经营权从来没有真正下放到企业。

1979 年以后的改革，在微观效率和激励机制方面终于有了实质性的改进。然而，一方面赶超战略没有根本改变，为了支持已经建立起来的不具自生能力的重型国有企业，宏观政策环境的改革进展较迟缓，成为滞后的改革部门；另一方面以放权让利为中心的企业经营机制的改革和资源配置制度的改革已比较深入，成为超前的改革部门。这就造成整个经济中制度结构的不协调，企业改革虽取得了一些成果，但也出现了一系列严重的矛盾。

改革不配套直接造成国有企业面临着一系列沉重的政策性负担，使其不能处于与其他类型企业相同的竞争地位。换句话说，由于重工业优先发展战略尚未彻底改变，在非国有经济调整扭曲的产业结构的同时，国有企业则承担着继续履行传统发展战略目标的责任。这种责任表现为国家加诸其上的三个主要负担。

首先，考虑到中国经济中资本仍然稀缺这种现实资源禀赋状况，许多大型国有企业的资本密集程度仍然过高，在竞争的市场经济中缺乏自生能力。由于微观环节改革所创造出的资源增量，主要通过非国有经济部门的配置，进入那些符合资源比较优势的产业，实现了扭曲的产业结构的增量调整。而在经济发展战略尚未根本放弃的情况下，维持一定的重工业比重、体现国家发展战略目标的责任更多地落在国有企业身上。

我们以不同所有制工业企业固定资产净值在全部工业部门中的份额,与其工业增加值的份额相比,表示不同所有制企业的资本相对密集度。1995年国有工业企业的资本相对密集度为1.22,集体企业为0.57,股份制企业为0.96,外商投资企业为0.83,港澳台投资企业为1.03。可见国有企业的资本密集程度仍然较高。如果它们必须按照市场价格支付资金利息并面对市场竞争,特别是与劳动密集型的非国有经济,以及具有资本密集型产品比较优势的发达国家企业相竞争,则难以生存。

其次,国有企业承受着退休职工养老金、其他一系列职工福利支出以及冗员和下岗职工补贴的沉重负担。改革以前,由于国有企业的财务制度是统收统支,企业承担这种种支出全部由财政拨款支付,并不形成沉重的负担。在国有企业管理体制改革以后,特别是实行利改税之后,企业必须自己支付职工工资和退休金。由于企业没有为过去的职工积累起足够的养老基金,与此同时又要承受大量冗员的负担,在出现了职工下岗现象的情况下,政府还要求企业对这部分人员给予补贴,从而形成国有企业过重的财务负担。

根据比较保守的估计,国有企业通常有1/3的冗员;1996年国有单位离退休人员总数为2 515万人,其中约一半左右是1988年以前离退休的,接近1/3是1985年以前离退休的,1978年以前离退休的不到6%。目前,大约5.9个在职职工要负担1个离退休人员。由此推算,与根据实际需要雇用劳动力,且无须负担退休职工的养老金的情形相比,现在国有企业要多支付大约46%的工资基金。

20世纪90年代中期以来,城市失业问题日益突出。在中国,失业问题表现为两种形式。一种形式是指通常意义上的失业,即职工离开原来的工作岗位,丧失有收入的工作机会。1997年城镇登记失业率只有3.1%,但据许多调查表明,实际失业率可能达到6%—8%甚至更高。通常登记失业者得到失业保险金作为衣食之源。另一种失业形式被称为下岗,即失业者离开工作岗位但保持与原单位的劳动关系,也就是说,企业以这种或那种形式负担着下岗人员的福利和基本生活保障。所以,在国有企业被政府赋予了社会保障职能的情况下,要么把失业问题内部化,实行工作分享制,要么继续负担失业者的福利和补贴,实际上继续实行工资分享制。

第三，一些国有企业产出品价格仍然扭曲。由于能源、交通、原材料和许多公共服务行业的价格被作为保持重工业优先发展战略低成本的条件，以及担心上游产品价格上涨过快会导致通货膨胀等等原因，尚存的一些价格管制主要存在于大中型国有企业的经营领域。截至1996年底，全国生产资料销售总额中，政府定价的比重仍然占14%，另有约5%为政府指导价。这种控制主要是继续压低上述主要产品和服务的价格。在这种情况下，国有企业往往难以面对非国有经济部门的竞争，更不用说参与国际竞争了。

国有企业面临的主要问题突出地表现为三种结果。首先是严重亏损。1996年国有企业盈利状况是，大约1/3盈利、1/3明亏、1/3暗亏。1997年又出现全行业亏损的情况。其次是国有资产流失十分严重。根据1994年财政部对12.4万家企业清产核资的资料推算，8万多家小企业中，国有权益损失(包括资产净损失、经营性亏损和潜亏挂账等)占国有净资产的比重高达82.8%，中型企业的这一比重为59.4%，大型特大型企业为15.2%。⑤第三是国有企业负债率过高。自从国有企业实行"拨改贷"以来，资产负债率大幅度提高。1980年为30%，1985年为40%，1990年上升为60%，1994年更高达75%。

7.4 呆账、坏账与金融体制弊端

国有企业的高负债率，显然不是"拨改贷"改革所造成的结果。实行"拨改贷"的意图是为了结束国有企业的软预算约束，使国有企业成为独立经营的微观经济单位，负起独立经营者的责任。然而，由于存在着前述一系列政策性负担，国有企业一方面没有能力与非国有经济在市场上竞争，另一方面又可以以这种政策性借口，继续要求政府给予补贴，而无论其经营状况不良是政策性原因造成的，还是经营不善的结果。所以，实际上在实行"拨改贷"之后，国有银行承担着对企业进行补贴的职能。也就是说，国有企业在财政性明补逐渐减少的同时，从银行贷款的渠道获得越来越多的暗补。

这种通过国有银行渠道获得的暗补也具有两种形式。一种是通过获得低利率贷款而享受的补贴。1985年国有企业获得的全部补贴中，来自金融渠道的只占24.2%,其余部分来自预算渠道。1994年,企业补贴中来自金融渠道的比重上升到43.6%,预算渠道的补贴份额则相对降低。⑥另一种补贴是通过拖欠银行贷款而实际得到的。由于国有企业具有政策性理由为经营不善开脱责任,又由于其承担着城镇大规模就业的保障作用,即使其大幅度亏损甚至经营失败,政府往往用继续贷款的办法维持其运转和开工。其结果是欠款越来越多,以至无力还本付息,很大部分成为银行的呆账、坏账。据估计,目前四大国有专业银行的呆账、坏账比例在20%—25%之间,与发生金融危机的泰国、马来西亚、印度尼西亚、韩国等相比,有过之而无不及。

中国银行贷款中的这种局面,一方面是由国有企业的存在或者说国有企业政策性负担的存在所造成,另一方面也暴露出金融体制的弊端。早在1993年,中国共产党十四届三中全会就把“银行商业化、利率市场化”作为金融改革的方向,但实际上利率远远没有实现市场化,国有银行垄断局面也没有被打破,因而也不可能实现真正的商业化。

首先,利率的决定仍然不是以中国资金市场上的资金相对稀缺性为依据。尽管近年来中央银行根据治理通货膨胀的需要,以及宏观经济总需求状况,开始比较灵活地对利率进行调整,意在控制或刺激总需求。然而,无论是抬高利率还是降低利率,利率水平始终未能反映中国经济发展阶段的资金稀缺性,因而仍然是扭曲的利率。根据中国所处的发展阶段,资金短缺仍然是基本的资源禀赋特征,而与这种资金稀缺程度相比,现有的利率水平仍大大偏低。所以,假如金融部门引入竞争机制,实行商业化经营,形成市场化的利率,则国有银行就会失去其垄断的地位。

其次,国有银行一方面承担着执行国家产业政策的任务,另一方面还要按照保障社会稳定的要求,继续向亏损和无力还贷的国有企业发放贷款。尽管银行体制的改革把一部分政策性业务划分出来,交给专门的政策性银行经营,但商业性银行的业务中仍然存在着许许多多的政策性要求。这种政策性的经营活动使得国有专业银行的实际经营绩效无法得到准确的评价,内部管理不善的问题常常与政策性亏损等混杂在一起,商业化经营不能真正实现。而对于大中型国有企业的政策性保护,也伤害了中小型企业特别是非国有经济部门的发展。

最后,由于国有银行管理体制存在着种种问题,又由于非市场化的利率使其在金融业务的竞争中缺乏灵活性，只好借助于垄断地位维持经营。目前中国金融法规、政策中的一项重要内容，就是严格控制非国有银行和非官办金融组织的存在和开展业务。无论是民间借贷、农村合作基金会，还是国外金融机构，其存在和业务都受到严格限制，连那些已经形成规模的合作金融组织也被禁止开展银行业务。没有竞争，既造成了国有银行管理体制上的种种弊端，也使银行不能执行本该发挥的支持非国有经济发展的职能。

7.5 区域发展不平衡的加重

过去 20 年的经济改革具有区域间的差异性。在 20 世纪 70 年代末改革伊始之时，中部地区扮演了主要的角色。例如，农村家庭联产承包责任制和国有企业放权试验都是从中部地区开始的。当改革进入到价格、财政等较宏观层次的时候，东部地区开始得风气之先。最初的对外开放特区、开发区也都建立在东部地区。特别是 80 年代中期以后，位于东部地区具有较好基础的乡镇企业在经济发展中占据了重要的地位，沿海地区发展战略的实施又给予了东部地区诸多特殊政策，使得改革和发展的重心都集中到了东部，中西部地区则相对落后了。

毋庸置疑，这种改革和发展的区域梯度性导致了地区间经济发展水平和人均收入水平的不平衡。而且，这种不平衡突出地表现在各地农村经济发展和收入水平的不平衡，以及城乡收入差距扩大两个方面。有关资料表明，这一时期城乡居民收入和生活支出比率的变化呈 U 字形，并都以 1985 年为转折点。下面从城乡和地区收入差距变动的情况和原因两个方面进行分析。

首先是城乡收入差距的扩大。缩小城乡差距是经济与社会发展的基本标志之一。然而，改革以来的实际情形是一度缩小的城乡收入差距再一次拉大了。第一个表现是农民收入相对下降。改革以来，农村居民的人均收入有了较大的提高，按现价计算，人均年纯收入由 1978 年的 133.6 元提高到 1997 年 2 090.1 元，增长了 14.6 倍；扣除物价变动因素，也增长了 3.37 倍，与

1978 年以前农民人均纯收入长期徘徊不前形成鲜明的对照。然而与城镇居民相比，农民收入又有相对下降的问题。按现价计算，1978 年城镇居民家庭人均生活费收入与农村居民家庭人均纯收入之比为 2.36：1，即城镇居民的人均收入比农村高 136％；1984 年这一比率下降到 1.7：1，1987 年以后，这一比率再次增大，1995 年达到 2.71：1，虽然 1997 年已降至 2.54：1，但仍超过 1978 年的水平。第二个表现是农民消费水平相对下降。由于城镇居民的生活费收入可以全部用于生活消费，而农民还要将一部分纯收入用于生产，所以更为准确的是作城乡人均消费水平的比较。统计资料表明，1978 年城乡居民人均消费之比率为 2.9：1，即城市居民的消费比农村居民高 190％，1985 年该比率下降到 2.2：1，1989 年以后，这一比率再次增大，1994 年达到 3.5：1，虽然 1997 年降至 3.1：1，但仍超过 1978 年的水平。

其次是地区间收入差距的扩大。在城乡收入差距拉大的同时，地区间的收入差距也在拉大。表现在以下几个方面：一是沿海与内地收入差距拉大；二是东部与西部收入差距拉大；⑦ 三是东部农村与中、西部农村收入差距拉大。

利用有关统计资料所作的计算结果表明，1978 年，东部与中、西部的人均收入比值分别为 1.15：1 和 1.26：1，1997 年，这两个比值分别提高到 1.47：1和 1.77：1。其中，东部与中、西部城镇居民的人均收入在 1984 年以前基本上没有变化，1984 年以后变动速率明显加大。但相比较而言，城镇居民收入的地区间差异变动略小一些，1978 年东部与中、西部的比值为 1.13：1 和 1.14：1，1997 年分别上升到 1.44：1 和 1.36：1。据分析，城镇居民人均收入地区差异变动较小的主要原因是国有企业中分配制度改革的地区差异很小，而城镇劳动力大多在国有企业中就业。

人均收入的地区间差异在农村表现得尤为突出。有关统计资料的计算结果表明，1978 年，东部与中、西部农村居民人均收入的比值为 1.15：1 和 1.19：1，与城镇居民人均收入比值的地区差异大致相似；1997 年，这两个指标分别提高到 1.43：1 和 1.79：1，高于城镇居民的人均收入比值的地区差异。这还是三大地区的平均水平，如果作发达省份与一般省份的比较，差异更加悬殊。例如，1997 年上海市和四川省农民人均年收入分别为 5 277.02 元和 1 298.54 元，它们的人均收入比值高达 4.06：1，是地区差异平均水平的 2 倍多。

为了把握地区间发展差距的变化，我们以省（自治区、直辖市）为单位，计算了 1978—1997 年城镇和农村居民收入以及消费的基尼系数（表 7.1）。从中可以发现，无论城镇还是农村，收入差距变化都呈 U 字形，这说明，在改革初期收入差距缩小，进入 80 年代中后期以后，居民收入差距逐步拉大。

表 7.1 城市、农村人均收入与消费基尼系数变化*

年份	城市收入基尼系数	农村收入基尼系数	城市消费基尼系数	农村消费基尼系数
1978	0.076 6	0.100 0	0.084 9	0.127 6
1980	0.069 2	0.113 6	0.075 1	0.091 6
1982	0.066 1	0.130 4	0.069 6	0.101 4
1984	0.071 0	0.112 7	0.079 0	0.102 9
1986	0.078 6	0.119 4	0.074 3	0.108 8
1988	0.094 9	0.154 5	0.081 6	0.120 4
1990	0.103 5	0.127 9	0.074 3	0.126 4
1991	0.110 9	0.158 2	0.072 9	0.126 9
1992	0.131 4	0.165 1	0.078 5	0.128 2
1993	0.149 9	0.181 0	0.090 2	0.129 9
1994	0.157 8	0.187 6	0.099 9	0.134 8
1995	0.150 9	0.208 0	0.126 3	0.132 5
1996	0.135 4	0.338 4	0.155 7	0.168 0
1997	0.136 5	0.190 0	0.116 0	0.166 5

注：* 分省计算的地区差距。
资料来源：历年《中国统计年鉴》。

为了弄清差异的来源，我们采用 Theil entropy 分解法，将人均收入总体差距分解为东部地区内部差距、中部地区内部差距、西部地区内部差距和东中西部之间的差距。结果表明（见表 7.2），在人均收入的地区差距中，东部、中部和西部地区之间差距的作用最重要，接近于 50%，东部地区内部次之，略高于 20%，中部和西部地区内部差距对总体地区收入差距的影响大致相同，均接近于 15%。从变动状况看，东部地区内部差距和中部地区内部差距所产生的影响略有下降，但并不显著，西部地区内部差距的影响略有提高。

表 7.2　东部、中部、西部地区内部及之间人均收入差距贡献率(%)

年　份	东部内部	中部内部	西部内部	东中西之间
1978	21.52	14.95	14.57	48.95
1979	21.21	14.78	14.67	49.34
1980	21.12	14.72	14.76	49.40
1981	20.79	14.75	14.87	49.59
1982	20.67	14.77	14.91	49.66
1983	20.61	14.81	14.95	49.64
1984	20.71	14.74	14.95	49.60
1985	20.74	14.73	14.92	49.62
1986	20.76	14.69	14.91	49.64
1987	20.73	14.66	14.85	49.76
1988	20.74	14.65	14.87	49.75
1989	20.84	14.62	14.81	49.73
1990	20.78	14.70	14.78	49.74
1991	20.77	14.61	14.66	49.96
1992	20.80	14.57	14.67	49.96
1993	20.99	14.43	14.61	49.96
1994	21.09	14.36	14.68	49.87
1995	20.88	14.39	14.58	50.15

表 7.3　城镇、农村内部及之间人均收入差距贡献率(%)

年　份	农村内部	城镇内部	城乡之间
1978	23.82	22.82	53.36
1979	24.16	23.21	52.63
1980	24.45	23.63	51.92
1981	24.72	23.95	51.33
1982	25.04	24.20	50.76
1983	25.33	24.43	50.24
1984	25.73	24.37	49.89
1985	25.17	24.36	50.47
1986	25.06	23.93	51.01
1987	25.23	23.98	50.79
1988	25.36	24.05	50.58
1989	25.38	23.77	50.85
1990	26.12	23.86	50.02
1991	26.27	23.65	50.08
1992	26.15	23.56	50.29
1993	26.10	23.40	50.50
1994	26.42	23.37	50.21
1995	27.02	23.47	49.51

按照相同的方法，我们还分析了农村内部、城镇内部和城乡之间的人均收入差距对总体地区收入差距的影响。从表 7.3 可以看到，城乡之间差距对总体差距的影响最大，始终保持在一半左右，农村和城镇内部差距的作用占另外一半，其中农村内部差距的影响更大一些。从变化状况看，农村内部的差距在总体收入差距中的贡献份额上升最快，从 1978 年的 23.82%提高到 1995 年的 27.02%，城镇内部差距的影响也有所提高，但不如农村那样明显，仅从 22.82%提高到 23.47%。十分有趣的现象是，城乡之间收入差距对总体地区收入差距的贡献虽然占重要的地位，却从 53.36%下降到 49.51%，呈下降趋势。人们通常注意到改革以来城乡收入差距的扩大，却没有注意到这种差距在决定总体差距中的份额处于降低的态势。

分省资料的不足掩盖了各省内部存在的差异。为此，我们利用 1992 年的分县数据分析了全国和各省内部的收入差异(表 7.4)。计算结果表明，全国以分县计算的人均收入、农村地区人均收入和城市地区人均收入的基尼系数，都如预期的比以分省计算的同类基尼系数大。多数省份以县为单位计算的人均收入基尼系数小于全国以县为单位计算的人均收入基尼系数，说明多数省份内部的收入分配比全国的收入分配均匀，但广东、云南、甘肃和宁夏四个省份是例外。而北京、天津、上海等三大都会的人均收入的差异最小。

表 7.4　利用 1992 年分县资料计算的基尼系数

	人均收入	农村人均收入	城市人均收入
全国(分省)	0.148 4	0.143 7	0.091 0
全国(分县)	0.351 9	0.200 3	0.144 8
北　京	0.044 6	0.133 0	
天　津	0.143 4	0.025 1	
河　北	0.299 6	0.174 1	0.061 6
山　西	0.315 8	0.146 0	0.095 1
内蒙古	0.233 1	0.132 8	0.069 1
辽　宁	0.240 8	0.147 5	0.063 1
吉　林	0.199 1	0.049 1	0.050 5
黑龙江	0.214 2	0.124 0	0.099 1
上　海	0.117 1	0.089 3	

(续表)

	人均收入	农村人均收入	城市人均收入
江　苏	0.299 1	0.157 5	0.081 3
浙　江	0.313 4	0.225 8	0.049 8
安　徽	0.259 3	0.125 8	0.053 3
福　建	0.237 5	0.100 6	0.122 9
江　西	0.215 4	0.157 8	0.028 9
山　东	0.311 8	0.133 6	0.058 6
河　南	0.247 0	0.130	0.079 8
湖　北	0.312 2	0.155 4	0.057 2
湖　南	0.227 2	0.118 1	0.070 0
广　东	0.396 9	0.123 9	0.119 4
广　西	0.245 5	0.171 0	0.047 5
海　南	0.294 9	0.081 8	
四　川	0.303 8	0.175 2	0.044 5
贵　州	0.338 5	0.177 0	0.038 6
云　南	0.388 6	0.251 5	0.049 9
西　藏	0.164 4	0.164 4	
陕　西	0.295 4	0.132 0	0.065 2
甘　肃	0.380 3	0.236 2	0.070 6
青　海	0.306 9	0.151 0	
宁　夏	0.425 9	0.302 6	
新　疆	0.314 1	0.152 4	0.104 8

注:城市样本数3个以下的省区,没有计算基尼系数。

在城乡、地区间收入差距扩大的同时,最近几年农民收入增长极为缓慢,消费水平相对下降,各种提留在许多地方成为农民的巨大负担。在农村发展快于城市的情况下出现城乡收入差距拉大,显然是不正常的经济现象。如果这种不正常的现象长期得不到纠正,不仅会影响基层政权的稳定,还有可能导致政治风波。地区间收入差距的扩大,特别是进城农民与留乡农民收入差距过于悬殊,⑧还会引发盲目的劳动力流动。如果这种流动又得不到户籍制度改革、城市基础设施建设的支持,民工就时刻面临着被当作“盲流”赶回老家的威胁。民工因无法形成稳定的预期而采取的短期行为,很可能成为影响社会治安的一大隐患,并有可能导致急剧的社会振荡。

7.6 粮食供给潜力问题

中国在过去几十年中，成功地以一个耕地稀缺的资源禀赋，养活了世界21%的人口。这一成就得到高度评价。然而，1979年改革开始以前的中国农业，实际上并不存在真正杰出的成就。自从70年代末实现以家庭联产承包责任制代替生产队制度，开放农村产品和生产要素市场，放开除粮食和棉花以外的农产品价格，农业的增长才真正创造了奇迹。但是，一方面由于80年代中期以来粮食生产反复出现波动，另一方面由于中国人口的增长、自然资源的状况、中国经济比较优势的变化，以及她的巨大经济规模对世界粮食市场可能的影响，从80年代中期以来，中国的粮食增长不断成为国际社会、中国政策制定者和海内外学者高度关注的对象。

从粮食需求角度看，首先，目前中国人均营养水平高于世界平均水平，但与发达国家相比差距仍然很大，特别是从动物产品中摄取的营养太少(表7.5)。诚然，人们的膳食结构并非仅仅由收入水平单独决定，而是由一系列经济的、文化的因素所决定的。但是，根据韩国、日本等的经验判断，随着中国居民的人均收入水平提高，对动物性食品的需求也将成比例地大幅度增加。这意味着，虽然收入水平增长后，人均直接消费的粮食量会下降，但由消费动物性食品而增加的粮食间接消费量，将抵消直接的粮食消费需求下降的效果。此外，人口的增长也会增加粮食的直接消费量。目前中国人口总量达到12.8亿，到2030年还要增长30%到40%，即使保持目前的粮食消费水平不变，届时中国粮食需求也将大幅度增加。

表7.5 人均每日营养水平及来源(1995年)

	中国大陆		发达国家		中国香港		韩国		日本	
	总量	动物性	总量	动物性	总量	动物性	总量	动物性	总量	动物性
能量(千卡)	2 741	506	3 191	861	3 285	1 048	3 268	511	2 887	596
蛋白质(克)	72	24	98	55	109	78	85	35	96	53
脂肪(克)	69	44	114	63	137	72	82	38	80	36

资料来源：FAO，FAOSTAT。

其次，人均收入水平的增长也将增加对蔬菜和水果的需求，这也会与粮食生产竞争有限的耕地资源。农村改革以来以及随着过去20年居民收入水平的提高，为适应于消费结构的变化，种植业的生产结构发生了很大的变化。从播种面积的变化来看，粮食播种面积所占比重，已经从1978年的80.3%下降到1996年的73.8%，同期蔬菜和水果的种植面积，则从2.5%提高到7.7%。与此相类似，对淡水养殖产品的需求增加也会减少种植粮食和其他农作物的土地数量。此外，与收入水平提高同时发生的酿造业的迅速发展，也会增加对粮食的需求。

从粮食供给的角度看，粮食生产水平的继续增长，以及中国食品安全水平的保障，有赖于科学技术进步的潜力和政策手段的正确与否。自1959—1961年农业大危机以后，中国粮食科学研究主要依靠自己的努力，在许多方面居于世界领先地位。1966年位于菲律宾的国际水稻研究所开发出半矮秆水稻品种，标志着绿色革命的开始。而中国在1964年就开发并推广了同类品种，并且于1976年推广种植杂交水稻。直到90年代，中国仍然是世界上唯一大面积生产杂交水稻的国家。近年来中国杂交水稻之父袁隆平教授正在从事杂交水稻由三系向二系过渡的研究。一项对于中国农业科研优先序的研究表明，中国在试验田已经达到的最高单产水平，大约为目前大田粮食平均单产水平的1.5—3.5倍。这意味着，中国粮食增产潜力是巨大的。

然而，依靠科学技术进步提高粮食产量，需要有正确的政策保障。目前在一系列与农业有关的政策上，存在着不利于粮食持续增产的倾向。首先，粮食价格受到人为压抑。正确的价格信号是粮食生产者积极性的重要保障。过去20年的改革使大部分农产品价格转到由供求决定的市场机制上。目前，约80%的农产品价格已经由市场决定(表7.6)。然而，粮食恰恰是极少数尚未形成完全的市场机制的农产品中最重要的部分。粮食价格仍然在相当大的程度上由政府决定，因而自然形成相对价格水平随政府对粮食生产的判断而波动的情况，农民积极性时有时无、时高时低，造成产量的波动，也影响生产水平提高和科技应用。除此之外，中国粮食价格应该在何种程度上，以及怎样与国际市场衔接，也是一个重要的政策影响因素。随着人均收入水平的提高，中国经济的比较优势正在并将继续发生变化。在农业中，粮食生产要求更多的土地和较少的劳动，恰恰与中国农业的资源比较优势相反。所以,维持一个过高的粮食自给自足比例,也将影响粮食生产成本以及农民从事粮食生产和应用新技术的积极性。

表 7.6 不同价格形成机制在农产品收购总额中的比重(%)

	1990 年	1992 年	1994 年	1996 年
政府定价	25.0	12.5	16.6	16.9
政府指导价	23.4	5.7	4.1	4.1
市场价格	51.6	81.8	79.3	79.0

资料来源:《中国物价》,1997 年第 12 期。

其次,政府对农业研究的投资不足。90 年代农业科研融资政策的改革,成为整个市场化改革的一部分。政府减少了对农业科研的财政拨款,融资从固定的支持方式转向竞争性资助,并鼓励将其技术商业化,以部分收益补贴科研活动。尽管来自技术商业化的实际收入显著增加,但是用于补贴科研活动的比重很低,远远不能弥补财政拨款的减少。新的农业技术如基因工程需要大量的科研资金投入,政府这方面融资的减少,会损害中国长远的农业科研能力。与此相关的问题是,从事农业研究的科学家和推广人员的报酬太低,人员流失严重。一个高级育种人员的工资大约仅相当于一个非熟练体力劳动者的报酬。这种收入分配制度,对出色的青年学生选择从事高级农业研究产生阻碍作用,挫伤了许多在国外接受教育的优秀农业科学家回国的积极性。随着中国经济市场化程度的加深,这种障碍将越来越大。事实上,农业科研系统从 80 年代中期以来就开始大量流失人才,1986—1996 年的 10 年间,不包括大学教师在内的政府农业科学家总数从 23.3 万人减少到 19.7 万人,减少 15%。

最后,农业基础设施投资有所减少。中国人口占世界总人口的 21%和欠发达地区人口的 38%。而中国人均耕地大约只有 0.1 公顷,仅相当于世界平均水平的 40%。而且,中国是世界上最干旱的国家之一,且年降雨量分布十分不均匀;径流量低于世界平均水平,只有 1/3 可供开发。随着经济发展和人口增长,从人均标准来看,能够用于农业的土地和淡水将越来越少。一方面,由于房屋建设、道路修建、工业设施和基础设施的建设,耕地趋于逐年减少;另一方面,人口压力还会引起农业生态环境退化,适于耕种的土地减少。因此,采取措施保护资源基础不受侵蚀、防止水旱灾害、提高土壤肥力十分重要。改革以前,中国政府动员劳动力进行基本农田建设的能力十分著名,而实现家庭联产承包责任制以后,组织这类活动的能力减弱,因此政府建设农业基础设施,以维持和改良农业资源基础就越来越重要。

20世纪80年代以来,政府财政支出中用于农业的份额,以及预算内基础设施投资中的农业份额,都没有显著的增加,而是随着粮食产量的波动而起伏。由于生态环境的压力及农业基础设施投资减少,中国农业抵御自然灾害的能力下降,灾害发生的频率和受灾后造成的损失程度都大大提高。如果政府不能增加这方面的投资,中国农业系统抵御自然灾害的能力将进一步降低,难以达到持续、稳定增加单产和总产量的目标。

注 释

① 一些学者注意到双轨制条件下所产生的租金少于计划经济条件下,因而判断双轨制所导致的寻租行为并不必然比计划经济条件下更严重(参见 Leong, Liew, *The Chinese Economy in Transition: From Plan to Market*, Cheltenham, UK: Brookfield, US: Edward E1gar, 1997, pp.67—77)。但这种分析忽略了在双轨制条件下和计划经济条件下寻租动机的不同。而这种动机并不一定与政府管理职能的强弱有关。

② 胡和立:《廉政三策》、《1988年我国部分租金的估算》,载《腐败:货币与权力的交换》,北京:中国展望出版社1989年版,第36—43页。

③ 杜海燕等:《国有企业自主权、市场结构和激励制度》,《经济研究》,1990年第1期。

④ 80年代初国有企业改革的结果即可反证这种可能性。当企业获得了部分生产经营权之后,就将其可支配的资源配置在边际报酬率高的产业。

⑤ 卢中原:《积极推进国有小企业改革》,《中国工业经济》,1996年第4期,第30—32页。

⑥ The World Bank, *The Chinese Economy: Fighting Inflation, Deepening Refoms*, Vol.I, Report No.15288-CNA, 1996, p.16.

⑦ 东部包括北京、天津、河北、辽宁、上海、江苏、浙江、福建、山东、广东、广西、海南12个省市;中部包括山西、内蒙古、吉林、黑龙江、安徽、江西、河南、湖北、湖南9个省区,西部包括四川、贵州、云南、西藏、陕西、甘肃、青海、宁夏、新疆9个省区。

⑧ 有关调查表明,后者的收入仅为前者的23.6%。

8

经济改革与持续发展的内外部环境

当前中国经济的确处于一个十字路口。在国内，改革和发展需要克服上一章讨论过的一系列急需解决的问题；与此同时，以亚洲金融危机为代表的外部经济环境，也对中国经济发展提出了挑战。如何应对这些国内外制约因素，从而在不利的经济环境中保持中国经济的持续增长，决定了能否保持中国过去20年的改革与发展成果，并继续这个过程，以至最终完成改革的任务和实现发展的目标。

我们所要彻底改革的传统经济体制本身是一个复杂的制度安排的组合，其各个部分在逻辑和历史上是互相呼应和相关的。要最终完成改革任务，并靠改革的成功保持中国经济持续、快速、健康地增长，有待于形成崭新的宏观政策环境和以市场机制为基础的资源配置制度与微观经营机制。而这既有赖于国有企业改革的最终完成，又有赖于发展战略的根本转轨。本章从进一步分析第7章揭示的问题的体制根源入手，阐述问题之间的联系，以及提出深化改革的思路。

8.1 国有企业改革与经济体制的整体配套性

正如已经讨论的,中国经济传统模式的形成是一个符合逻辑的内生过程。它的起点是重工业优先发展战略的选择。为了推行这个与当时比较优势不相符合的发展战略,以扶持在市场经济条件下不具生命力的战略性产业发展,政府出面实行全面扭曲产品和生产要素价格的宏观政策。在这种宏观政策环境下,稀缺资源的分配自然需要借助于高度集中的计划体制。进而,为了控制经济增长过程中产生的剩余,以便把重工业优先发展战略继续推行下去,进一步实行了工业经济的国有化和农业经济的人民公社化,这成为传统体制模式中的微观经营机制。可见,传统的经济体制是一个三位一体的配套结构。然而,传统特征的弊端,却直接体现在微观经营机制上面。突出的表现是激励机制的缺乏和效率的低下。

因此,迄今的改革通常是为了改善激励机制以提高经济效率。改革是从微观经营制度入手,其基本做法是程度不同的放权让利,产生的效果是"一放就活"。微观经营层次自主权的增加,自由处理的产品和留利增加,必然要求在资源配置制度和宏观政策环境上作出相应的改变,改革也由此被推进到了更深的层次。但是,由于保护在赶超战略下产生的、在市场经济中缺乏自生能力的国有大中型企业,以及扶持那些在政府的发展战略目标尚未根本转变条件下新建的国有企业的需要,使得经济体制的改革难以彻底。

国有企业之所以需要保护,主要由于两个原因。第一个原因来自过去推行重工业优先发展战略时遗留下来的一系列政策性负担。诸如职工养老、企业冗员和部分价格扭曲这些政策性负担增加了企业的经营成本。第二个原因是一些大型国有企业仍然要执行政府的战略性任务。也就是说这些国有企业无法按照中国的比较优势来调整产品结构,明明企业处于不具自生能力的产业之中,却又受到政策的约束而无法转产。

在这两种制约条件下,过去放权让利式改革未能真正建立起公平竞争的市场。由于政策性负担的存在,国有企业盈利状况还不能作为市场经济条件下的充分信息指标,企业所有者与经营者之间的激励不相容、信息不对称以及责任不对等的问题就无法解决。不能有效地对经营者进行奖惩，经理人员也就不会乐于通过保持与国家利益一致来增加收入，想方设法地增加企业留成份额和侵蚀国有资产，便成为实现个人收入最大化的基本途径。在放权让利的思路下，企业改革越是深入，经营者与所有者利益的背离幅度越大，经营者行为的规范程度就越低，不仅国有资产的经营效益不能提高，而且还会不断被侵蚀。

同时，由于国家对其政策造成的企业负担负有责任，企业便可以据此向政府寻求各种政策性优惠。而且，当企业出现亏损时，也有借口向政府要政策性补贴。在信息不对称的情况下，国家无法区分政策性亏损和经营性亏损，企业倾向于把所有亏损都归咎于政策性负担，政府也只好把所有亏损承担下来。企业预算约束因而软化，而一旦有了软预算约束这个保护伞，国有企业经理人员改善经营管理的积极性就更低了。①

国有企业政策性负担的存在，同时也妨碍了金融体制的改革。金融体制改革方向应该包括三个方面，即利率的市场化，金融机构多元化和银行商业化。其中，利率市场化是核心。然而，由于中国仍然处于资本稀缺的发展阶段，利率的放开必然意味着利率水平将根据中国经济中资本的相对稀缺性，有一个较大幅度的提高。但是，1983 年实行"拨改贷"以后，国家对企业的补贴主要通过国有银行的低息贷款进行，因此政府迟迟下不了决心彻底改变利率的形成机制，利率只好仍然保持在低于资金市场价格的水平。②

在继续实行低利率政策的条件下，以及为了保持这个低利率的有效性，金融机构的多元竞争是不能允许的，银行的商业化也只能是形式上的改革。因为一旦金融机构出现多元竞争的局面，非国有银行可能会以较高的效率和更好的服务，把国有银行的存款吸引过来，使得国有银行以低息贷款补贴企业的任务无法完成。此外，如果不改变低利率政策，银行信贷需求大于供给的状况仍将是常态，信贷资金就仍然要靠行政手段来分配，银行归根结底不可能真正实现商业化经营。

实际上，乡镇企业和其他非国有经济企业，很久以来就在很大程度上接受了接近于市场水平的利率。而这些部门仍然比国有经济部门有更快的增长速度，其在国民经济中的份额不断扩大。这意味着，利率改革延缓的症结不在于这种改革是不是必要的，而在于前述各种压在国有企业身上的政策性负担,从而国有银行仍需执行补贴企业的政策性任务。而且,由于国有企业的低效率,其大量贷款无法按时偿还而成为呆账和坏账,使国有商业银行的经营中潜伏着各种危机。

在低利率政策环境尚未改革的条件下,资金的供给量远远低于资金的需求量,形成一个较大的资金供求缺口,资金总是处于短缺状态。在传统经济体制中,企业固然有强烈的投资饥渴和贷款需求,只是因为信贷规模及其配置受到中央政府的严格的计划控制,货币发行基本上能够维持在总量目标之内,因而通货膨胀通常不会发生。但是,总需求长期大于总供给这样一种非均衡状态,已经孕育了通货膨胀的病源,或者说中国经济早就处于一种受到抑制的通货膨胀状态中。80年代初开始的微观经营机制改革和资源配置制度改革,推动了金融体制上的放权。随着1984年经济改革在城市全面推开,1985年下放了信贷审批和分配权,各专业银行对中央银行、各地方银行对总行不再实行统收统支的大锅饭制度,各专业银行和各地方银行实行多存可以多贷、自求资金平衡的办法;取消了绝大部分的分项指令性计划,实行总量性的指导性计划。由于低利率的宏观政策环境并没有随之改变,这就形成了通货膨胀显在化的条件。由于非国有经济可以采用寻租的方式取得按计划本该贷给国有企业的资金中的一大部分,国家为了保护国有企业的生存和发展,只好用增发货币的方式弥补信贷资金的不足。于是,潜伏了爆发严重通货膨胀的危机。

每一次高通货膨胀的爆发,都是经济改革不配套的结果,即相对于微观经营机制和资源配置制度的放权让利改革而言,以低利率为中心的宏观政策环境改革大大滞后。迄今为止反复出现的通货膨胀的共同原因是:在资金流通系统内部资金需求总额超过可能的资金供给量,而管理体制上又不再能够有效地用指令性配置的办法强制实现资金可配置额和实际配置额的平衡,只好由资金流通系统外的货币管理机构被动地增发新货币,以补足资金供需缺口。这是利率过低和调节机制不健全的必然结果。由此我们称改革以来出现的通货膨胀是内生型的通货膨胀。

经济改革以来中国出现的内生型通货膨胀的形成,可以用图8.1来说明。图中P_0为市场形成的利率水平,或反映资金供求的均衡利率。与这个利率相对应的资金供给量和需求量是相等的,市场利率的变化能够调节资金的供求,货币发行量因而成为一个可以控制的宏观变量。在低利率的宏观政策环境下，利率被人为压制在市场决定的水平之下，如 P_1。在这个利率水平上，资金供给量（Ob）和需求量（Od）不再相等，形成资金缺口 bd。在严格的计划体制下，计划部门和金融管理部门通过信贷计划将可投放的资金量 Ob 在全部资金需求者之间进行分配，既能体现国家的战略目标，又不会发生货币的超量发行。假设这时国有企业是唯一值得关注的经济成分，所以我们可以假定国有企业取得数量为 Ob 的总贷款全部来自储蓄。在企业经营制度和金融管理体制都有所改革的情况下，经济中新生出越来越大的非国有经济成分。这类企业具有更灵活的经营机制和较强的竞争能力，可以付较高的名义利息或通过贿赂银行，以高于 P_1 的实际利率（譬如 P_2）取得贷款。而这时信贷管理上的分权和金融机构自身利润动机的增强，使这种贷款额争夺成为可能。为使模型简洁，我们假定这种争夺的结果是非国有经济得到了全部由储蓄转化的贷款的 bc 部分，而国有企业缺乏竞争贷款的能力，只能得到 Oa（即 Ob 减去 bc）这个较小的比例。然而，由于国家并没有完全放弃重工业优先发展战略，非国有企业又不能执行这个战略，所以仍然要保证大中型国有企业的低利率资金需求。假设这个要求的数量仍然为 Ob，则为了补足 ab 这块资金需求，只好靠增发票子来满足。于是便形成内生型通货膨胀。在低利率的政策环境没有改革的情况下，扩大金融管理机构的自主权，放松对信贷和投资的控制，就会出现一轮以信贷扩张支撑、投资拉动的高速经济增长，也就是所谓的“一放就活”现象。进而出现货币增发和通货膨胀，即“一活就乱”的现象。③

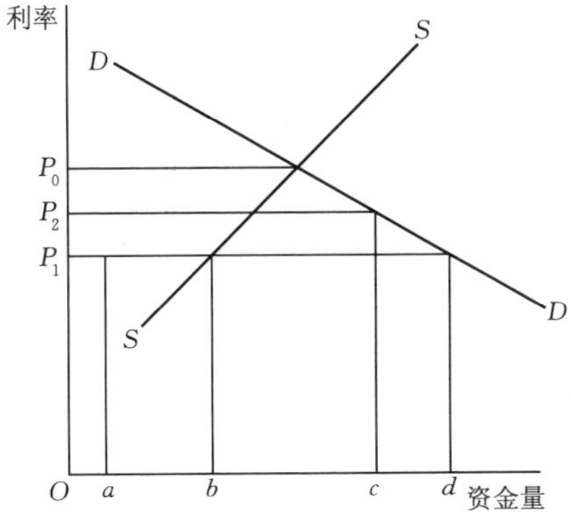

图 8.1　内生型通货膨胀机理

在低利率政策没有根本改变的情况下，应付这种“一活就乱”的办法就是采用压贷款、砍投资、加强中央控制的治理、整顿办法，进而导致传统经济体制复归，资源配置倾向于效率较低的国有经济。“一收就死”是传统经济体制复归的必然结果；效率与速度的要求便又被突出出来，于是再一次放开。与此同时，寻租现象产生于价格双轨制，寻租动力产生于制度租金的数量、取得的可能性和占有的风险性，因此，每当出现经济过热，各种生产资源都出现严重短缺，资源的计划价格与市场价格差额达到最大时，寻租行为最为活跃。在我们所说的“活—乱”循环中，寻租及其伴生的经济生活中的腐败现象，与瓶颈制约和通货膨胀成为共生的表现，成为“活—乱”循环中经济形势变坏的标志。

同样，主要农产品和矿产品价格不能真正由市场机制决定，也妨碍了各地区比较优势的发挥，造成并扩大区域间的发展不平衡和收入差距。为什么在中国确立经济改革的目标是建立市场经济体制之后，价格改革仍然保持着一个死角，即能源、原材料、交通和粮食等产品的价格迟迟未能放开呢？这在很大程度上也与国有企业的职能未有根本转变有关。

能源、原材料和交通部门所提供的产品或服务，其价格的形成具有区别于其他部门的特点。

第一个特点是这类产品或服务具有相对小的需求价格弹性，即价格变动对需求的影响相对较小。这是由于这类产品和服务是满足国民经济各部门基本需求的，维持各部门的基本生产规模和发展速度，有一个比较确定的需求数量。这个数量是由发展本身决定的，受价格变动的影响相对较小。另外，这类产品和服务的可替代性较小，价格变动后由替代效果产生的需求量变化也较小。

第二个特点是这类产品或服务具有相对小的供给价格弹性，即价格变动对供给量的影响较小。这是因为这类基础产品生产能力的形成周期比较长，要求的投资规模比较大，受资源的约束也较强，所以在一定的周期里，价格变动对其供给数量变动的影响较小。

一般来说，各种产品的供给和需求都不是固定不变的。通常，随着经济增长，对一种产品的需求也会增加。需求增加后会引起产品价格提高，后者又刺激供给增加，从而价格又会下降一些。在这个过程中，供给、需求不同的产品，有着不同的变化特点。图 8.2 对比了基础产品和普通产品在这个均衡过程中的不同之处。在图 8.2 中，基础部门产品的情形用左边图形表示，其供给弹性和需求弹性都较小的特点表现为图中供给曲线和需求曲线都更倾向于与横轴垂直。普通产品的情形由右边图形表示，供给弹性和需求弹性相对大，供给曲线和需求曲线较为平缓。

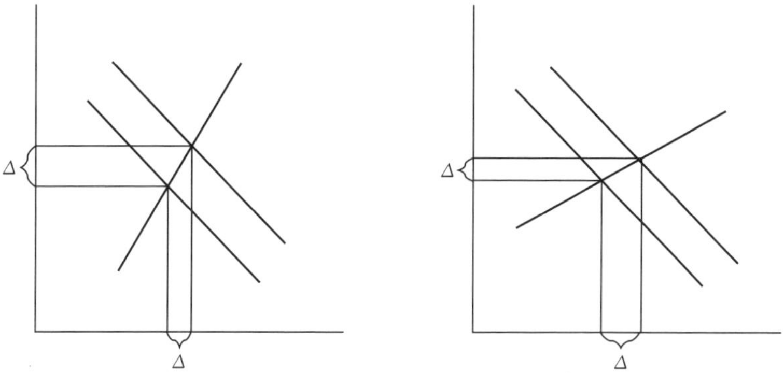

图 8.2　供给弹性与价格效应

通过这两张图的对比可以看出，在需求增长幅度相同的情况下，若想通过价格上涨使供给与新的需求相适应，基础产业产品和服务的价格上涨幅度就会更大一些。其实际含义是，对于基础产业所提供的产品和服务来说，一方面对于需求扩大的反应相对迟钝，另一方面，如果没有较大幅度的价格刺激，新的生产能力就难以形成，就不能打破由其供给不足导致的"瓶颈"制约。

然而，由于国有企业的改革未完成，仍然要从能源、原材料的保障上和资金、外汇的配置上对大中型国有企业实行保护，只有这样，它们才能在市场上继续生存。而基础产业处于国民经济产业链条的上游位置，其产品和服务的价格变动所产生效果的涵盖面广、波及链条长。为了不改变大中型国有企业的生产条件，国家就倾向于迟迟不对这些产品和服务的价格进行比较彻底的改革，通常只是采取审慎而小幅度的调整相对价格的方式。

价格改革上的这种不彻底性，一方面无法形成足够的价格刺激，以改善这些产品的供给条件，打破瓶颈制约；另一方面，还孕育了比价复归，即导致这些产品相对价格再次跌落到谷底的轮回。这是因为每次对基础产业的产品和服务价格作出调整时,为了保障下游产业中国有企业的生产有利性,通常允许后者作相应的价格调整,从而事实上构成一个调价链条;此外,那些已经处于价格双轨制环境中的部门和企业也会通过改变计划轨和市场轨的相对范围和提高市场价格等方式实现“自行调价”。由于对生产行为起作用的并非价格总水平而是相对价格,基础产业的产品和服务缺乏市场调节机制,国家控制的调价过程不仅滞后而且幅度小,因此,每次“调价”都不能达到预期效果,不仅造成价格轮番上涨,而且很快又比价复归。由于基础产业的产品和服务的价格总处于比价结构中的谷底,因而短线总是短,最终只能将速度强制降到瓶颈制约的低水平上来。

另一方面,由于这些基础产业部门又是国有企业的传统生产领域,所以,国有企业本身也受到价格改革滞后的不利影响。在上面一章中,对此已经作了论述,此处不再赘述。

城乡和地区间收入差距拉大的主要原因,同样是传统经济体制下以扭曲要素和产品价格为特征的宏观政策环境,致使由现存的价格体系所形成的地区“经济上”的相对比较优势和该地区“资源结构上”的相对比较优势相背离。例如,农民收入相对下降的主要原因首先是政府采取了一些抑制农民发挥比较优势的政策。1989—1990 年政府强制农民种粮和大砍乡镇企业,结果是,1989 年农民人均纯收入下降了 8.4%,1990 年仅上升了 1.5%,扣除物价上涨因素后的人均纯收入仍低于 1985 年的水平。其次,当潜在生产率随着家庭联产承包责任制的全面推行释放完毕之后,新的比较优势受价格扭曲的影响无法表现出来,严重制约了大多数农民的收入增长。

近些年来,东部与中、西部农村的发展有很大的不同,东部沿海地区农村较好地发挥了自己劳动力相对丰富的比较优势,发展了劳动力相对密集的乡镇企业,使经济得到了快速增长;中、西部地区农村由于其具有比较优势的土地密集型产品如粮食、棉花和矿产品的市场和价格受到抑制,东部地区越发展,从中西部地区购买的农产品和矿产品就越多,形成较为贫困的中西部地区补贴相对发达的东部地区的局面。因此,中西部地区难以利用这些比较优势来加速经济发展。

在这种宏观政策环境下,东部地区的发展无法成为中西部地区发展的拉动力，东、中、西部地区间的收入差距拉大也就无法避免。因此，要解决收入差距拉大的问题，必须理顺宏观政策环境，建立全国一体化的市场体系，使价格体系形成的“经济上”的相对比较优势能够同资源结构形成的相对比较优势统一起来。在这样的市场体系下，没有人为的抑价和抬价，产品和要素能够自由流动，并在市场的供需变动中表现出它们的相对稀缺程度，能够为各地区判定和利用自身的比较优势提供准确的信息。各地区利用这些信息形成具有比较优势，因而在市场上具有竞争力的产业或产品结构，就能够加快经济发展；而且每个地区都会随着经济发展不断按照比较优势的变化调整产业和产品结构，为别的地区的产品创造需求或让出市场。例如，随着东部地区经济发展和产业结构升级，需要从中西部地区购买越来越多的农产品和矿产品，这些产品的价格就会随之上涨，从而东部地区的发展会成为拉动中西部地区发展的动力，进而地区间收入差距的问题会在经济发展过程中得以解决。

库兹涅茨利用多国经济统计数据作出的定量分析表明，在经济发展过程中收入分配具有先差距逐渐拉大然后再稳定缩小这样一种“倒U字形曲线”的变化特征。④然而，中国台湾的收入差距随着经济发展逐渐缩小的实际情形表明，收入分配变化的“倒U字形曲线”特征并不具有客观必然性。台湾的情形并不是一个孤例。其他较好地发挥自身比较优势的经济，如韩国，也表现出同样的特征。⑤这说明在经济发展过程中收入分配差距拉大，是与特定的条件相联系的。只要消除这一特定的条件，就完全可以避免收入差距拉大的现象，所以需要研究的是如何形成能避免经济发展过程中收入差距拉大的条件，而不是判定何时到达“倒U字形曲线”的顶端。

台湾的经验表明，在劳动力多的地方，如果能够形成充分发挥比较优势的宏观政策环境，就可以从发展劳动密集型的产业入手，使一定数量的资金容纳更多的就业量，使工资在要素收入分配中占有更大的份额，就可以消除经济增长中可能出现的收入差距拉大的现象。随着经济发展劳动力就会从相对过剩变成相对不足，劳动工资的绝对水平和劳动工资在国民收入中所占的比重就会随着经济的增长不断提高。在这样的条件下再逐步发展资金密集型产业，也不会导致收入差距拉大。

中国的经济领导人和一些经济学家认为，收入差距拉大的主要原因是政府对农村,对中、西部地区支持不够造成的。只要在政策上向农村和中、西部倾斜并加大倾斜力度,这个问题就能迎刃而解。在所提出的一些政策建议和方案中,较有影响力的有四个:第一,从政府对农业实行价格支持等保护政策入手,逐步消除工农业产品价格剪刀差,进而解决城乡间发展不平衡的问题。第二,从政府提高中、西部投资占国民经济总投资的份额入手,逐步缩小地区间资本丰度的差异,进而解决地区间发展不平衡的问题。第三,从中、西部利用自然资源丰富的比较优势,形成直至生产最终产品的产业链入手,逐步缩小地区间产品附加价值率的差异,进而解决地区间发展不平衡的问题。第四,从地方政府进行低价资源产品和低价最终产品的串换入手,逐步缩小地区间产品交换中的利益差异,进而解决地区间发展不平衡的问题。

这四个政策建议和方案实际上都有顾此失彼之不足。其中,第一种做法不仅不能为农村和中、西部发展创造条件,而且会导致整个国民经济背上沉重的包袱而坠入无法发展的“陷阱”;第二种做法同资本应该流向利用效率更高的东部的客观要求相抵触;第三种做法会带来东部因缺乏原料而无法将现有生产能力充分利用起来,中、西部因缺乏技术优势而致使优质资源生产不出优质产品,进而宏观经济效益大幅度下降的问题;第四种做法则有政府跳不出直接干预企业生产经营活动的窠臼和市场发育受阻等弊端。一言以蔽之,虽然这四种做法的出发点和途径有所不同,但它们在依靠计划调控的办法而非市场的办法,牺牲了效率却换取不了公平等至关重要的方面却是相同的。

我们以农业保护为例加以说明。所谓农业保护就是用人为手段使农产品价格高于市场价格。它会带来两个问题:其一是农产品过剩。市场价格是供给和需求相等的价格,若支持价高于市场价,供给就要大于需求,造成过剩;其二是刺激高成本的生产方式。边际成本等于边际收益是资源配置中的均衡点,支持价高意味着边际收益高,它必将刺激高成本的生产方式。由此可见,实行支持价的实际效果是刺激农民以高成本的生产方式生产出剩余。如果吸纳剩余的责任由政府承担,其财政将不堪重负;如果政府不承担责任,价格随着产量的增加而降低,农民将承受更大的损失。

解决粮食问题的根本出路在于放开粮食价格,让市场供求决定价格,调节生产。在粮食生产的资源配置转到市场机制之后,对粮食市场干预程度的降低可以减轻政府财政负担,使政府更有能力对农业的科学研究和技术推广给予支持。依靠市场的调节作用和科学技术进步的潜力,中国就可以达到粮食基本自给的目标。与此同时,中国也应该根据资源比较优势的变化趋势,在保障食品安全的前提下,充分利用国际市场来解决粮食问题,以降低成本,发挥比较优势。

可见,目前经济生活中的各种问题,以及经济改革的种种难点,归根结底源于体制改革的不配套,而不能彻底改革传统体制的原因又在于国有企业改革的滞后。因此,经济体制改革的深入和彻底走出"活—乱"循环,有赖于国有企业改革的成功。从前面的分析可见,完成国有企业改革,需要从解除国有企业承受的政策性负担出发,建立公平竞争的市场环境以形成反映企业经营绩效的充分信息,进而逐步形成和选择出适宜的企业内部治理结构,最大限度地避免经营者的机会主义行为,实现所有者与经营者的激励相容。一旦国有企业改革成功,国家就没有必要为了保护国有企业而继续维持低利率和主要初级产品的低价格,金融体制和利率改革就能够顺利进行,地区差距问题和粮食生产问题可以通过市场来逐步解决,腐败问题也失去其存在的制度根源。

8.2 深化改革与防范金融危机

在第 4 章我们已经就亚洲金融危机发生的原因、机理和后果作了分析。归根结底,从中国经济发展的角度总结这些经验,是为了吸取教训,以便从发展战略、经济结构、产业组织制度、经济开发布局和金融体制等方面着眼,防患于未然。

首先,产业的发展应继续充分利用中国的比较优势。韩国扶持大型企业集团的教训表明,超越发展阶段的产业政策,削弱了本国产品的竞争力,导致企业获利能力低,自我积累能力弱化。企业的扩张,大量依靠内债和外债,加大了金融风险。从中国的发展阶段看,劳动力丰富仍然将是今后较长一段时期的资源禀赋特征。根据这一比较优势建立起来的企业竞争力强,获利能力强,自我积累迅速,而且规模一般不需要很大,可以以国内资金积累为主,因而不会形成过度依赖外债发展经济的格局。按照资源比较优势形成的产业结构和产业组织,通常具有较强的市场竞争力,从而回报率高,偿债能力也强。随着资源结构的升级,资金逐渐由相对稀缺变为相对丰富,劳动力由相对丰富变为相对稀缺,产业结构和技术结构将随比较优势的变化而升级。这样的发展战略将有利于国民经济持续、稳定、快速发展,较快地缩小与发达经济的差距。

其次,在中国目前的发展阶段上,对于国外资金应该以鼓励直接投资为主。对一些资金和技术相对密集的产业,可以以国内的广阔市场为吸引力,吸引外国企业到中国办厂,或鼓励外资与中国企业合作生产。这种引进外资的形式既可以利用相对廉价的外资弥补国内资金不足的劣势,又可以通过资金和设备的引进实现适宜的先进技术向国内转移,而投资的风险却由投资人自己承担。特别是,直接投资的流动性较低,不易受心理和短期预期因素变动的影响而大进大出,从而避免国内经济与之相应而大冷大热。对于开放中国资本市场,特别是允许外国资金直接炒卖炒买具有较强流动性的国内股票、债券和允许国内企业借用短期外债融资,则需要采取十分谨慎的步骤。至少在开放资本市场之前,国内金融体制和银行体系要按照“银行商业化,利率市场化”的目标实现彻底改革。使银行对贷款项目的审批,资金的使用和回收,以及银行的盈亏负起完全的责任。

第三,减少投资活动中的人为干预。金融体制的改革与国家产业政策手段的改革需要结合起来。除了少数具有战略性质的产业,国家可以采取直接投资或财政性补贴的方式给予支持之外,国家应从常规性的投资活动中退出来,避免以政策指令要求银行以低息贷款去支持不具有比较优势的产业。通过利率的市场化和解除金融压抑,让银行有合理的利率水平,可以防止因利率低于市场均衡水平,一旦信贷控制放开即出现投资过热和重复建设的情形,从而避免在低水平上形成过剩的生产能力并产生呆账、坏账。

最后,通过更加均衡的城市化布局和间接为主的企业融资体制,以及金融业务的有效监管和规范,防止房地产开发和股票交易造成的泡沫经济。在经济快速发展时期,房地产和股市的发展都容易产生过热现象。亚洲国家和地区由于土地稀缺,又会通过土地供给弹性小的特点诱发房地产价格快速上涨的预期，并进而诱发投机行为和经济泡沫。亚洲国家的经验显示，日本、韩国、泰国、菲律宾等国的经济过分集中于东京、大阪、汉城、曼谷和马尼拉这样一些大城市，格外增强了土地供给缺乏弹性的性质。中国虽然也具有人多地少的特点，但毕竟地域辽阔，在城市化过程中需要按照经济原则更加合理布局，增加土地的有效供给，避免经济活动过于集中，从而在一定程度上降低房地产开发过热。

由于目前中国还处于劳动力相对丰富、资金相对稀缺的发展阶段，劳动力相对密集的产业是具有比较优势的产业。这些产业的特点是企业规模比较小、资金来源以自我积累和银行间接融资为主。与这种产业结构相适应，银行业务应高度商业化、自由化，并且引进竞争。但为了防止银行资金从事股票和房地产投机，造成泡沫经济，对以房地产和股票为抵押的贷款业务必须有严格的监管，以降低金融风险。

8.3　发挥比较优势，实现经济持续增长

东南亚金融危机发生以后，中国政府采取了一系列防范措施，如保持人民币币值的稳定，利用金融和财政手段刺激经济增长，通过治理失业问题和加快农村经济发展扩大内需。这些措施无疑都是正确的。然而，要使其真正产生效果，需要了解中国经济发生的新变化，并结合尚未完成的改革任务，进一步推进改革开放。

自1998年始，中国经济发生了两个重要的变化。首先是现在的市场供需形势与过去大不相同。过去是短缺经济、卖方市场，比较容易找到好的投资项目。现在绝大多数产品则是买方市场，出现过剩，投资的市场风险增大，不容易找到有利可图的投资项目。其次是金融体制改革的影响。过去银行贷款受到直接的行政干预，中央政府或地方政府可以向银行下指令或变相下指令要求其为某个具体项目或单位发放贷款，银行本身对项目的质量不负直接的责任。接受贷款的单位，特别是国有企业，对归还贷款往往并不认真对待，到期还贷对它们的约束力十分有限。在这种情况下拖欠银行贷款的现象就十分严重，银行呆账、坏账比较常见，发放贷款的银行工作人

员自然不会对放款失败或低效率负责。即使不是由于政策或行政干预造成的银行呆、坏账,银行工作人员也会将之归咎于政府政策或行政干预,两种类型的责任搅和在一起,很难严格区分。因此一旦政府决定放松银根,启动经济,银行工作人员就有放贷的积极性,企业也有贷款积极性,经济马上可以走向繁荣。但是,1993 年 7 月开始的宏观经济调控不但以收紧银根为主要措施,而且开始对银行体制进行根本性改革。四大专业银行开始了商业化的进程,中国人民银行实行垂直管理,地方政府无权干预银行事务。银行工作人员发放贷款的责任大大增强,一笔贷款的经手人必须对贷款的质量和还贷承担责任。即使在贷款到期前调离原工作岗位,也逃不脱对贷款的责任,即出现所谓的责任终身制。在这种新形势下,如果不能确保贷款安全,银行宁愿购买利率较低但没有风险的国债,出现所谓的惜贷现象。

在绝大多数产品过剩的市场状况下难以找到好的投资项目,政府扩大基础设施建设也有诸多局限。这些项目一般都比较庞大,从立项设计到工程开工,再到工程完工发挥效益,周期很长,见效很慢。而且,基础设施建设也会过剩,也有个投资效益问题,这在一些地方已经成为比较严重的问题,如沿海一部分地区机场、高速公路利用率很低,经济效益差。

中国已经确定要实行市场经济,竞争对市场经济至关重要。但是如果经济处于普遍短缺状态,竞争就不会真正展开,只有生产相对过剩才能确保有充分的竞争,消费者主权和社会福利才能得到维护,企业也才会有压力根据市场变化迅速调整生产,降低生产经营成本,增强盈利能力。相对过剩实际上是市场经济中的正常现象。银行惜贷也是好事,说明金融体制改革和专业银行商业化取得了很大进展。如果银行还像以前那样放款比较随便,企业也可以不负责任地得到贷款,结果只能是投资效益低下,银行呆、坏账增加,这对整个社会和银行信用都是不利的。

然而,近年中国公开失业率估计至少已达 6%,国有企业下岗人员也已经超过 1 000 万,城镇每年还新增劳动力近 1 000 万,随着国有企业改革的深入,还会有更多的国有企业职工需要下岗分流,加上农村劳动力就业压力,就业形势十分严峻,没有一定的经济增长就无法提供足够的新增就业机会。

为解决就业问题保持一定的经济增长速度是一个方面,但是投资方向、发展战略可能更为重要。同样的经济增长速度,如果投资重点放在发展资金密集、技术尖端的产业和现代化程度高的大企业，能够增加的就业机会就少；如果将投资重点放在发展劳动密集的产业和中小企业，能够创造的就业机会就多，甚至不需要由政府提出百分之几的经济增长率即可达到就业目标。

解决就业问题是保持社会稳定和国有企业改革成功的必要条件。中国在目前的发展阶段上需要找到一个可以同时达到以下三个目标的发展战略：一是要能够创造较多的就业机会以利于解决就业问题；二是要有利于国民经济的快速增长；三是要能够保持国民经济的持续增长。本书所提倡的比较优势发展战略就是这样一种可行的选择。遵循中国现阶段比较优势建立起来的产业具有劳动密集特征，而且以中小企业为主，能够创造出大量就业机会。符合比较优势的产业、企业成本低廉，具有竞争力，盈利能力强，即使从银行借款，还款能力也强，而且资金自我积累快，形成良性循环，经济增长率较高。而且，这种投资建设周期短，见效快，是启动经济的捷径。

遵循比较优势发展战略并不会导致中国永远落后，永远停留在比较低的产业层次上。相反，遵循这种发展战略会使资本快速积累，资本稀缺及劳动力富余的程度逐渐降低，随着资源禀赋的变动可以不断从国外引进现成而较先进的技术来达到产业结构的升级，经济可以因低成本技术创新不断而长期保持较快的增长速度，实现可持续发展，最终在较短的时间里赶上发达国家。

那么，如何有效支持符合中国现阶段比较优势的劳动密集型中小企业的发展？劳动密集型的中小企业同样需要资金和技术，大力发展中小企业必须在资金和技术两方面为其提供便利。事实上中国政府已经认识到中小企业的重要性，准备在四大专业银行成立中小企业信贷部，帮助中小企业得到贷款。但是，四大银行体系是与传统计划经济体制下的融资体制一致的，即为优先发展重点项目的融资目的而设计的。而且，实际上大银行天生不愿为中小企业提供信贷服务，而是偏爱大型企业和项目。因为大额贷款申请者一般为大型企业，银行比较容易调查其信誉和还贷能力，经营贷款的平均成本低。一笔小额贷款的交易费用与一笔大额贷款差不多，而且银行了解分散于各地的中小企业的信誉和还贷能力也比较困难。

解决这一问题最重要的是大力发展地方性的中小银行,因为中小银行无力经营大的贷款项目,只好以中小企业为其主要服务对象,而且地方性的中小银行与当地的中小企业之间在信息上比较易于沟通,可以节省交易费用。当然,建立中小银行需要有一整套法律、法规和制度,涉及金融体制改革、加强金融监管等问题,不是短时间内能够完成的,因此对当前刺激经济增长的目标而言远水不解近渴。

替代的办法是利用现有的银行体系,下放贷款审批权。目前银行贷款审批权高度集中,可以考虑将中小贷款审批权下放到县一级分支机构。这样中小企业获取贷款的机会就会大大增加,因为县一级分支机构对当地的中小企业比较了解,收集有关企业信誉、还贷能力、经营管理水平等的信息比较容易。另外,银行贷款经手人既要对贷款质量负责任,又不能因此束缚手脚,逃避发放贷款。投资总是有风险的,银行贷款因此也总是有风险的,让发放贷款的银行工作人员对每笔贷款都负完全的责任显然不合理。银行贷款责任终身制应予改进,当然每笔贷款最好都成功,但在强化发放贷款责任的同时,也要允许贷款发放者在一定期限内可以有某个比例的失败,这样才可以避免消极的惜贷行为。

发展中小企业需要解决的另一个重要问题是技术供应。目前中国经济处于相对过剩状态,市场趋于饱和,必须开发新产品或提高现有产品的质量,才能开拓市场,增加竞争力。中小企业的劳动力较密集并不意味着不需要技术,也并不一定意味着不需要较先进的技术,任何类型的企业技术太落后一定没有竞争力。国际市场上一般有现成的适用技术可供中小企业选择,这些技术相对于中国中小企业现有的技术是先进的。为保证中国中小企业方便地、低成本地获取这些技术,需要扩大对外开放,鼓励国外的中小企业以独资或合资的方式到中国来投资、设厂;也要通过报刊、杂志发布各种产品、技术信息;同时,要增加中国中小企业对外交流、接触国外产品和先进技术的机会,允许中小企业走出国门,包括拥有外贸经营自主权,可以方便地与国外进行人员、信息、产品交流等。

按照我们在第1章中的分析,中国具备在今后几十年保持高速增长势头的条件,只要经济体制改革沿着正确的方向推进,即通过解除国有企业承受的政策性负担和实现发展战略转轨,进而消除经济生活中的“活—乱”循环,这种潜在的经济增长能力就可以成为现实，下个世纪中叶前中国经济完全有可能超过美国成为全世界最大的经济。

注 释

① Justin Yifu Lin, Fang Cai and Zhou Li, "Competition, Policy Burdens, and State-Owned Enterprise Reform", *The American Economic Review*, Vol.88, No.2(May 1998), pp.422—427；林毅夫、蔡昉、李周：《充分信息与国有企业改革》，上海：上海三联书店、上海人民出版社 1999 年版。

② 对于中国生产要素价格改革滞后于产品价格的改革这一现象，许多经济学家都观察到了。参见 Lardy, Nicholas, *China in the World Economy*, Washington, D. C.: Institute for International Economics, 1994, pp.8—14。

③ 关于 80 年代和 90 年代初中国通货膨胀的分析，可分别参阅林毅夫、蔡昉：《论我国通货膨胀及其治理》，《发展研究通讯》，1989 年第 2 期；林毅夫、蔡昉、李周、沈明高：《当前经济改革与发展中的主要问题及其对策》，《经济工作者学习资料》，1993 年第 23 期。

④ Simon Kuznetz, *Economic Growth of Nations Total Output and Production Structure*, MA: Harvard University Press, 1971.

⑤ Myer, G.M., *Leading Issues in Economic Development*, New York: Oxford University Press, 1988, p.16.

9

中国改革的道路与经验

从1978年农村实行家庭联产承包责任制以来，中国的经济改革已经走过20年的历程。从这场方兴未艾的改革所产生的增长效应及其改革过程的稳定性来说，中国的改革迄今为止是成功的实践。固然，正如第7章的分析所揭示的，这样一种改革轨迹由于缺乏对发展战略和宏观政策环境进行改革的自觉认识，造成了反复出现的“活—乱”循环和其他一些问题，影响了改革的速度和预期。但从另一方面来看，由于从增量的方面对旧体制进行改革，所以避免了传统利益格局调整过程中的矛盾激化，并且维持了改革的循序渐进和非激进的性质。因此，对中国特殊的改革道路作出经济学的分析，有助于在保持改革的渐进性优点的前提下，更自觉地围绕发展战略转变进行改革。

此外，中国的改革经验还对于其他改革中的经济具有借鉴意义。对于集中计划经济或统制经济向市场经济转变的改革，经济学家一度热衷于推荐一种“非常迅速的、直截了当的和剧烈的经济改革计划”。① 概括而言，这种改革方案是“激进的”、“创世纪式的”、“一揽子的”或所谓“休克疗法”。这类改革建议本身也包含着不尽相同的内涵，比较典型和流行的是最近几年西方经济学家向东欧和独联体国家推荐的改革方式。在目标上，选择市场化、私有化和自由化作为经济改革的必需方面，在方法上，主张像上帝在7天之内创造天地万物那样，实施“创世记式的”改革策略。② 曾几何时，这种主张十分流行，被认为具有理论上的完美性和实践上的可行性。然而，理论家所提供的改革建议，迄今为止都是在经验的真空中产生的。无论是“创世记式”的改革方式，还是“进化式”的改革方式，其各自的适用对象和适用范围都还需要实践给予回答。中国20年的经济改革经验，不仅应该对其他改革中经济具有启发意义，而且应该对制度变迁理论作出贡献。

9.1 改革的起步环节和推进部门

在1978年以前，中国曾尝试用调整的办法解决产业结构扭曲和激励机制不足造成的低效率问题。例如，从毛泽东1956年写作《论十大关系》以来，以农、轻、重为序的产业结构原则便不断被强调；而经济管理权限的几次下放也是试图在传统经济体制之内调动企业和地方的积极性，提高生产效率。始于中国共产党十一届三中全会的中国经济改革，起初并没有一个明确的目标模式，而是着眼于调整结构和改进激励机制。然而，由于宏观政策环境对价格体系的扭曲，使与传统战略目标相适应的产业结构状况有很强的惯性，而这种宏观政策环境在当年并不能受到根本的触动。所以当时真正具有实质改革意义的举措，是在微观经营机制方面。

因此，我们把微观经营机制方面的改革称为改革的起步环节。而一旦微观经营机制上出现了松动，就使传统发展战略下受到抑制的产业得以发展，在增量上对偏斜的产业结构进行调整。这种在传统经济体制外生出的经济增长又对旧的体制发动进一步的冲击，提出新的要求，同时形成了计划之外的资源配置制度和旧的宏观政策环境之外的价格信号体系。这种受压抑而率先增长并产生改革的自我增强效应的部门即为改革的推进部门，而一旦改革在一些部门开始，就自然而然地得以在部门之间传递，形成渐次推进的格局。

对传统经济体制的改革最先在国有企业和农村起步。从1979年开始在部分国有企业试行扩大企业自主权的改革，通过企业利润留成等办法，企业增加产品产量和销售的利益诱因增强了。由于企业能够拥有一定的权力决定内部的福利和奖励安排,因而有了根据职工工作努力程度进行奖惩的手段,在一定程度上改善了国有企业的微观激励机制。相应地,增量资源被创造出来。

与此同时,微观经营机制上的改革在农业中也实现了突破。农民自发选择的家庭联产承包责任制,最初仅限于在温饱问题尚未解决的边远、贫困地区采用。由于它比较彻底地解决了农业中劳动监督困难的问题,使农民的劳动报酬直接与其努力程度相对应,因而具有巨大的调动劳动积极性和提高产量的效果。这项改革对农民和政府来说无疑都是收益高而成本低的,因而政策不断放宽,对农民的自发选择和承包制的普及予以追认,以至在短短的几年里,家庭联产承包责任制成为普遍的微观农业经济组织,并导致人民公社的解体。

农业体制改革的直接效果是大幅度地提高了农产品产出。③ 1978—1984 年,全国粮食总产量增长了 33.65%,棉花增长了 188.80%,油料增长了 128.24%,按现价计算的农业总产值增长了 127.66%。除了农业改革所带来的这种直接产出效应之外,更有意义的在于这种增长所引起的改革推动效应。

首先,总量的农业增长部分矫正了偏斜的产业结构。④ 以现价计算,1978 年工农业总产值中农、轻、重的比例分别为 27.8%、31.1%和 41.1%。当时的产业结构显示出重工业比重过高,而工业中发挥中国资源比较优势的轻工业比重过低,工农业产值关系中农业受到压抑。仅仅经过几年的改革,1984 年农、轻、重三个部门的比重就改变为 35.0%、30.8%和 34.2%。农业产值的增长提高了农业的产值份额,并通过为轻工业提供原料、市场等方式为非国有经济发展轻工业提供了机会,相应地降低了重工业的产值份额。

其次,农业内部结构不合理的状况得到矫正。在农业增长中,过去受到压抑的非粮食作物和林、牧、副、渔业得到更快的增长。1978—1984 年,农业总产值中种植业比重从 67.8%下降到 58.1%,种植业产值中粮食比重从 76.7%下降到 66.2%。在农业比较优势得到一定程度发挥的条件下,农村市场得到初步发育,并逐渐出现了生产要素市场。

最后,农业剩余及其由农民支配的比重的增加诱发了乡镇企业的迅速发展。1980—1984年，农民实际人均纯收入以每年平均14.5%的速度增长，扣除物价上涨因素，人均生产性纯收入从166.89元增加到291.10元，人均年末手存现金和存款余额从26.55元增加到85.8元，与此同时，农业生产率的提高产生了农村劳动力的剩余。以上两个剩余的结合，为乡镇企业的发展创造了基本条件，由此，农村工业继农业之后成为改革的推进部门。

乡镇企业在20世纪70年代初为解决农业机械化资金来源而有了一定的发展，但就其相对规模来说仍十分有限。到改革开始的1978年，乡镇企业的产值只占全社会总产值的7.2%。80年代以后乡镇企业迅速扩大了投资来源。这由农业的迅速增长及其带来的农业资金剩余和劳动剩余所提供。与此同时，80年代日益扩大的资源配置和价格双轨制⑤的本意是改进国有企业的产品和物资的配置效率，但却给乡镇企业的进入提供了条件。

乡镇企业的改革推进作用主要表现在三个方面。其一，它是市场机制发挥作用的产物，因而也是市场化改革的重要推动力量。乡镇企业的能源、原材料供给大多数来源于计划分配范围之外，要靠市场竞争取得，其产品也要靠价格和推销才能售出，企业经营中预算约束是比较硬的，职工没有铁饭碗，企业经营不善就被淘汰。这种市场经营方式给国有经济施加了竞争的压力，促动了后者在经营机制方面的改革。其二，乡镇企业的发展大大矫正了偏斜的产业结构。由于其获得的资源大多要支付市场价格，其产品结构比国有经济更接近于中国资源的比较优势，因而从增量上改变了传统的经济发展战略。其三，乡镇企业的快速发展使资源配置和价格双轨制中的市场轨不断扩大，越来越有力地冲击着传统经济体制下形成的资源配置制度和宏观政策环境，并创造出以较低的风险和成本完成这两项改革的条件。

一旦出现了以乡镇企业为代表的非国有经济的进入，就必然形成对国有经济的竞争压力。特别是在价格双轨制的格局下，国有企业的原材料购买和产品销售也开始受边际价格的调节，在这个领域它要与乡镇企业争能源、原材料和市场份额；1984年城市经济改革全面推开前后，国有企业先后进行的包括利改税、拨改贷、企业承包制和股份制等改革试验，事实上都是在这种竞争压力下所内生出的。虽然国有企业的竞争机制尚远远没有转到市场调节的轨道上来，但已有的改革已经使企业经营效率得到了提高。杰弗森、罗斯基和郑玉歆的研究表明，1980—1988年，国有工业的全要素生产率年均增长率为2.4%;特别是1984年以后,这一增长有加强的趋势。⑥

对外贸易体制改革的最初动机是鼓励出口以便支持先进技术设备的引进。由此而实行的减少指令性外贸计划的范围、扩大地方外贸自主权以及企业外汇留成,给予了地方从事外贸的机会,并提高了企业积极性。而随着外贸部门的管理体制改革和对外贸易的扩大,其对于经济改革的推进作用表现得越来越明显:(1)由于出口产品的很大比重是劳动密集型产品以及来自乡镇企业,因此外贸的增长支持了受压抑部门的增长,加速了对扭曲的产业结构的矫正;(2)对外开放引入了国际市场价格信息,加大了国内生产者的国际竞争压力;(3)外贸的扩张和引进外资,提出了调整汇率和建立外汇调剂市场的必要,使传统的宏观政策环境首先从汇率得到大的突破。

从以上对于国有企业、农业和外贸这三个部门的改革和增长的分析看,中国经济改革通常是以改进激励机制为目的,从改革微观经营机制入手,随后通过几个重要部门在新的市场机制中的增长及其对其他方面改革的要求,将改革本身推进到资源配置制度和宏观政策环境方面。因此,微观经营机制的改革成为改革的起步环节或启动环节,而诸如农业、农村工业和外贸这样的迅速增长部门则充当了改革的推进部门。

9.2 经济改革的方式及其特征

最近的文献,对于某些经济学家所竭力主张的"创世记式"的激进改革方式提出了一些反论。首先,计划经济之所以缺乏效率,在于计划者不能获得充分而准确的必要信息,而在市场经济中,生产决策所必要的信息都集中体现在市场价格之中了。在计划经济向市场经济的过渡中,根据一个预定的时间表进行一揽子改革的设计人和执行人同样面临信息不足的难题。⑦

其次,市场不是一对抽象的供给和需求曲线,而是一种制度。⑧市场是通过一系列规则和惯例发挥作用的。在一个改革的经济中,这套规则和惯例不仅要设计,更要发育和生成,"创世记式"的改革可以废除旧的规则和惯例,却无法一下子建立起新的。

第三,改革通常要支付实施成本和摩擦成本,后者是改革激进程度的增函数，反应为剧烈的社会冲突和对改革的反对，⑨如果处理不妥，可能会对改革具有毁灭性。因此，在条件允许不作激进式改革选择时，就应尝试渐进的改革方式。而在实际经验上，70年代末以来中国的经济改革实践，是对“创世记式”改革论的一个有说服力的反证。迄今为止中国改革所走的道路是渐进式的或进化式的，它具有以下四个特征。

(1) 做大蛋糕。中国的经济改革从一开始就是与增长同步进行的。无论是对国有企业放权让利还是在农村实行家庭联产承包责任制，以及扩大对外开放和外贸企业的外汇留成，每一步改革措施的出台都着眼于改进激励机制以增大经济总量。而且事实上已经进行的改革，确实带来了明显的“做大蛋糕”的效应。

正如已经分析过的，传统经济体制造成中国经济增长中的两个基本矛盾。一是经济结构扭曲造成产业比例失调，城乡二元经济结构扩大，城市化水平低和人民生活水平提高缓慢；二是激励机制不足造成经济效率低下，使生产水平处于生产可能性边界之内，增长速度受到抑制。70年代末开始的经济改革，首先从微观经营机制入手，放权让利，把劳动者和经营者的报酬与其效益挂钩，调动了农民、职工和企业的积极性，提高了劳动效率和生产效率，使生产水平向边界解靠近。微观经营单位获得了自主权以后，也同时取得了新增资源的配置权，因此产生进一步的“做大蛋糕效应”。

第一，当传统上受到政府保护的部门得到增长从而取得一块新增资源之后，在利润动机的驱使下，企业通常将新增的资源转向传统上受到压抑的部门。如一些国有重工业企业以开辟子女就业门路为名，或通过与乡镇企业合作的方式，将其新增资源转而配置到轻工业部门或第三产业。

第二，传统上受抑制的部门获得发展后，通常将其新增资源配置在受抑制的本部门或相关部门。例如，农民将农业中的新增资源用来发展林业、牧业、副业和渔业，以及乡镇企业。由于这种“做大蛋糕”的效应，形成了下面将要分析的中国改革另一特色——增量改革的基本条件。

着眼于做大蛋糕的改革还有益于减小改革中的阻力。在理论上，经济改革可以有两种推进方式：一种方式是在制度变革中不触及既有的利益格局，而是通过改进交易环境使效率提高。这可以称作“帕累托改进”和“卡尔多改进”；⑩另一种方式是通过调整既定利益格局形成新的制度均衡。在这个改进过程中,一部分利益集团会受到损害。因而这是一种"非帕累托改进"。前一种改革方式固然具有利益摩擦小、成本低的优点,但我们已知既得利益格局是传统的宏观政策环境的产物,归根结底,如果不能对旧的利益格局有所触动的话,新的资源配置机制也难以形成。因此,后一种"非帕累托式"的改革推进方式最终是不可回避的。但是,由于预期将要在改革中利益受损的社会集团,必然对这种改革采取抵制行动,从而加大了改革的摩擦和震荡。而着眼于做大蛋糕的改革可以在改革的过程中不断加大资源总量,从而扩大可供在各个利益集团间进行分配的份额,使改革尽可能具有"帕累托改进"的性质,把改革成本和风险控制在尽可能小的程度上。

(2) 增量改革。中国的经济改革不是按照一个理想模式和预定的时间表进行的。新的、有效的资源配置方式和激励机制也不可能在所有经济领域一下子发挥作用,而是在那些率先进行改革的部门的国民收入新增部分和那些改革后发展起来的部门先行发挥作用。例如,在国有企业承包制条件下,企业按合同上缴利润包干或递增包干任务后,就有权根据一定比例分配利润留成。在双轨制的条件下,这部分增量的配置将按市场信号进行。而在传统经济格局之外生出的乡镇企业,则更是一个社会总资产中新生出的市场作用领域和对偏斜的产业结构进行修正的因素。这样一种不从资产存量的再配置入手,而着眼于让市场机制在资产增量的配置上发挥作用的改革方式,就是所谓的增量改革,这种改革方式是中国渐进式改革的重要特征,被证明是成功的。

首先,对于矫正不合理的产业结构,增量改革可以避免一个调整的成本。经济改革获得最大限度的支持和政策上的持续性,有赖于它能够带来即时的收益和支付尽可能少的成本,从这个意义上说,经济改革最佳的轨迹应该是使增长持续上升而避免一个先下降后上升或"J"字形的增长。

如图 9.1(a)所示,生产原来位于生产可能性曲线内部的 B 点,在依靠资产存量调整产业结构的"休克疗法"改革方式下,由于生产能力的转移,部分设备和资源需要有一个闲置期,而工人的转业也需要一个学习的过程,在这个调整期内,增长受到约束,不能及时形成改革的收益,以不变价计算的 GNP 必不可免地先下降,如图 9.1(b)所示形成一个"J"字形的轨迹。而在做大蛋糕,再利用资源增量进行结构调整的情形下,见图 9.2(a),先提高积极性使生产向生产可能性曲线的边际 A 点靠近，再将新增的积累向受到压抑的部门倾斜，不仅可以在边际上矫正扭曲的生产结构，而且会及时增加产出，形成改革的收益，即以不变价计算的 GNP 可以如图 9.2(b)所示地不断上升。新增积累越是向受压抑部门倾斜，增长速度越快。事实上，由于在传统发展战略下，重工业被置于优先发展的位置，农业、轻工业和第三次产业的发展受到抑制，使后者得以在改革开始后成为承担增量改革功能的主导部门，并获得了迅速的增长，使改革及时获益。⑪

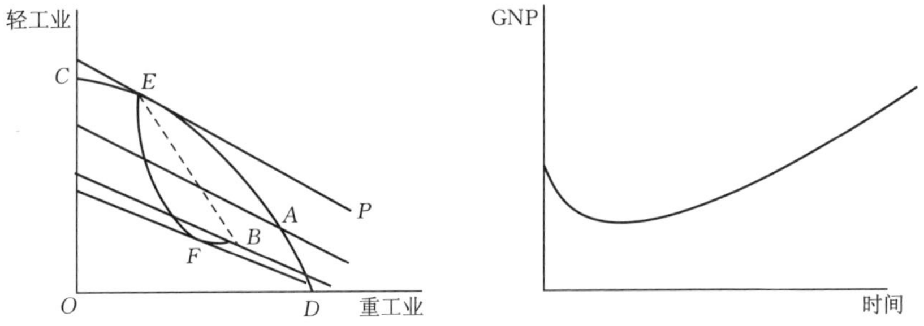

(a)　　　　(b)

图 9.1　激进式改革的效应

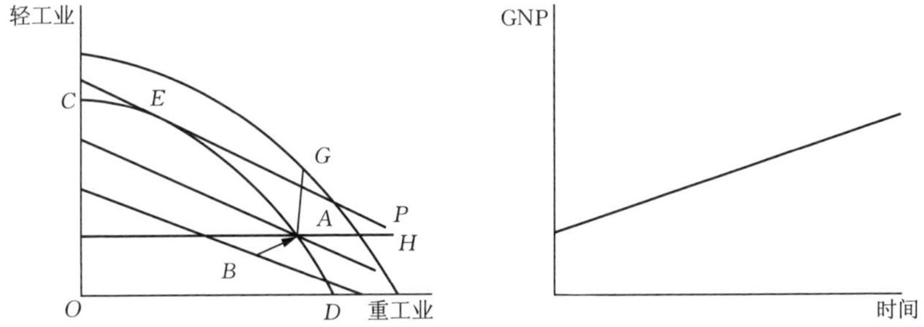

(a)　　　　(b)

图 9.2　渐进式改革的效应

其次，增量改革有利于维持改革当中稳定与速度两种要求之间的平衡。在实行增量改革的过程中，整个国民经济中便形成了一种双重经济结构现象。即整个经济可划分为两类部门，第一类部门是增量形成的部门，市场机制发挥较重要的作用；第二类部门是在传统战略下形成的部门，计划机制和行政命令在较大程度上起作用。在现实的改革进程中，第二类部门起到了一种维持稳定的作用。例如，国有企业吸纳大量的城镇职工就业和负责社会福利分配，虽然有效率上的损失，但避免了公开失业以及由此造成的社会冲突，而当比较恶性的通货膨胀出现时，稳定政策又能够最有效地在这类部门发挥作用。第一类部门则由于其产业和技术结构比较符合中国的比较优势，经营机制较为灵活，当政府执行非改革性质的稳定政策时，它们能够在调整的过程中继续保持增长，维持了社会经济必要的速度要求。

然而，我们也需要指出增量改革是有成本的。第一，由于新旧体制的冲突和交替发挥作用，从而形成一种“进两步退一步”的改革推进方式。从经济效率的角度讲，这种改革方式不是最优的，它仅仅是在中国特定的改革条件下的一种次优选择，⑫它可以减少大的摩擦和倒退。第二，增量改革是以资源配置和价格双轨制为前提的。而在价格双轨制条件下，经济当事人倾向于通过寻租获得收益，而不是完全依靠在市场上的竞争力。这种寻租机会越多，对于竞争性市场和市场行为的形成就越不利。

(3) 试验推广。中国的经济改革大多不是在全国范围内同时推开的，而是每项改革措施都从较小范围内的试验开始，在取得成果并进行总结的基础上加以局部推广，由点及面，不断总结和观察，进而扩大其实行范围。所以，这种方式也意味着中国改革的局部性特征。无论是对于自下而上自发式的改革措施，还是对于政府推行的改革措施，这种试验推广的特征都存在。前者如家庭联产承包责任制的推行过程，后者如企业承包制的试行和创建经济特区等。

这种改革方式的主要优点是：第一，尽可能地减少改革风险。任何一项改革措施，在执行之前都遇到信息不足的问题，因而执行的结果也多少带有不确定性。既然整个经济改革的成功与否与社会是否能从改革中及时获得净收益有直接关系，因而改革应尽可能避免失误和过高的成本。以局部的、试验性的方式进行改革可以把试错的成本分散化，避免过大的失误。第二，这种试验性的自发改革，与增量改革相结合，能够及时提供在哪些领域进行改革具有最大收益的信号。⑬已经进行的改革，大多是从解决某些具体问题出发，从微观经营机制或资源配置制度的一些环节入手。正是由于这种试验推广机制，使改革沿着可以取得成效的方向推进，并且获得了一种自我加强的特征。第三，为市场的建设和发育创造了一个过程。市场的发育有赖于一系列规则和惯例的形成与硬件环境的建设，试验推广的改革方式便为每一部分新增的经济成分赢得了相应形成市场环境的时间。

试验推广式改革所独具的改革局部性也有其缺陷。首先，市场机制的作用是开放的，因而局限于某个部门或某个地区的改革不能完全充分地利用市场机制，仍然要借助于行政的手段来将已经改革的部分与未改革部分人为隔离开。当这种人为的隔绝不能奏效时，摩擦就会出现。例如广东省农产品价格放开后，就使邻近省份农产品价格跟着上升，因而在产品贸易上与邻省发生了摩擦。其次，改革进程在部门和地区间的不一致，造成区域发展不平衡、收入分配不均等一系列问题，加强了社会不稳定因素。第三，改革的不配套使某些必要的改革措施滞后，形成调节机制上的真空。例如，传统的税收体系是建立在国有经济的利润和价格扭曲上的。当改革进行到打破了国有制的单一性，并使价格扭曲程度大大减轻的时候，国家的税源便相应流失了。这时税制改革的滞后就导致政府财政的危机。最后，从传统经济体制的形成逻辑来看，扭曲价格的政策环境是资源计划配置制度的存在前提，而前者的改革要求某种程度的整体性。局部的改革方式使宏观政策环境的改革相对滞后，是造成改革不断陷入“活—乱”循环和其他问题的根本原因，也使改革推进部门不能充分按照市场经济的规则进行生产和交易。

(4) 非激进改革。中国的经济改革是在坚持社会主义基本制度前提下，由中国共产党和政府领导下进行的。这就保证了改革目标和改革手段的非激进性。正如前面所曾经指出的，中国传统经济体制的结构不合理和效率低下等问题，是由于选择了重工业优先发展的战略目标，以及与之相适应的宏观政策环境、资源计划配置制度和微观经营机制所造成的而与所选择的根本社会制度无关。换句话说，特定的政治制度并不必然构成改革的障碍。[14]如果能实行一种充分利用比较优势的战略，则无论一个国家的社会制度是怎样的，经济发展终究能够成功。因此，中国经济改革的目标逐渐清晰地表现出来——建立市场经济制度，实现经济发展战略的转变。[15]

实行这种非激进式的改革，首先能够充分利用已有的组织资源，保持制度创新过程中制度的相对稳定和有效衔接。当我们讲到制度的时候，同时是讲制度安排和制度结构。任何一种制度安排都要在相适应的制度结构中才是有意义的。任何单一的激进改革，都会使新的制度安排与旧的制度结构不相适应，因而不能发挥作用。因此，渐进式改革的基本要求就是其过程的可控性。改革的出台时机、步骤的把握、利弊的权衡、过程的调控以及成果的保持，都有赖于政府的作用，而只有制度变革的稳定衔接，才可能使政府在自身转变职能的同时，又能执行调控改革过程的职能。

其次，实行这种非激进式的改革策略，可以避免大的社会动荡和资源的浪费。激进式改革必然强烈地损害到某些社会集团的既得利益，会招致猛烈的抵制，同时造成社会资源的浪费。特别是，中国与所有其他社会相似，传统利益格局下的既得利益集团往往对于政治和社会有着较大的影响，其出面反对改革意味着改革成本和风险的急剧增大。

最后，不实行以私有化为中心的改革方式，避免了资产存量再分配过程中出现的不公平以及由此产生的冲突，因而可以保持接近于共同富裕的收入分配状况。每个社会集团都可以从短期或长期中得到改革的收益，从而使改革成为大多数人的共识和一个不可逆转的过程。

9.3 中国改革道路的普遍意义

与东欧和独联体国家以及一些发展中国家[16]选择的激进的全面改革（最为典型的是波兰和俄罗斯的所谓“休克疗法”）不同，中国经济改革迄今走过了一条渐进式的道路。在没有出现持续性社会震荡的情况下，过去20年所实现的国民经济高速增长、市场作用范围的扩大和经济效率的改善，证明了这样一种改革方式在中国是成功的。总结这种渐进式改革的经验，探讨其在何种程度上具有普遍意义，或者说中国为什么能够实行这种改革方式，最终改革能否成功，具有理论和现实的必要性。

对于中国经济改革的成功，国内外经济学家都给予了充分的肯定和高度的评价。但是一些学者过分强调中国改革的初始条件，从而也就过分强调中国经验的特殊性，[17]因而在向东欧和前苏联国家推荐改革方式时更青睐于“休克疗法”或“创世纪式的”改革策略。然而，正如本书前面的章节所反复证明的，大多数开始进行改革的国家都曾经推行过赶超型的发展战略，并在此前提下形成了扭曲产品和要素价格的宏观政策环境、高度集中的资源计划配置制度和毫无自主权、缺乏激励的微观经营机制。在这样一个三位一体的传统经济体制下，各国都具有十分紧迫的改善微观激励机制和经营效率的压力，也都具有急需矫正的扭曲经济结构或亟待发展的受压抑产业部门，以及进行矫正所需的价格信号。而中国的改革恰恰是一个始于改进微观激励机制，进而松动资源配置制度，推动价格体系的改革，与此同时通过新增资源的配置实现结构调整的渐进过程。

既然实行经济改革的国家在传统经济体制的形成方面与中国有着十分相似的逻辑，又都面临着所要解决的共同问题，因而总结中国改革的经验和成功的原因，由此概括和论证渐进式改革所具有的特点和优越性，对于其他改革中国家应具有普遍的意义。

(1) 渐进式改革最接近于“帕累托改进”或“卡尔多改进”。经济改革必然要涉及较大范围的利益结构调整。在扭曲要素和产品价格的宏观政策环境下，廉价资源通过传统的计划配置制度流向合乎国家发展战略目标的重工业企业和部门。对这种资源配置制度和宏观政策环境进行改革，虽然会通过结构调整和效率改进带来收益，但也不可避免地会使这批已成为既得利益者的企业和部门受损。因此，从宏观政策环境入手的改革必然是“非帕累托改进”，而如果经济改革不能对这些既得利益集团给予足够的补偿，即不具有“卡尔多改进”的性质，就会使改革的阻力加大。从微观经营机制入手的改革，即通过向微观经营单位放权让利，改进激励机制和提高经济效率，加速了新资源的增长，并使国家、企业和职工都增加了收入，这种没有受损者的改革具有“帕累托改进”的性质，由第一阶段改革引发的社会财富的快速增长，提高了改革中的经济补偿能力，为改革进入到宏观政策环境的层面创造了条件，并使下一步的改革具有“卡尔多改进”的可能。

选择“休克疗法”的改革方式，由于一开始就进入到价格改革和资产存量改革，而不以微观层次及资源增量为前提，因而必然是一种“非帕累托改进”和“非卡尔多改进”。中国的改革没有一开始就从改革价格体系、资产存量入手，而是从改进微观激励出发，通过向微观经营单位放权让利、扩大自主权改进激励机制和效率，这种改革所涉及的对象——微观经营单位是改革的受益者，甚至成为放权让利的既得利益者，因而改革可以得到它们的支持，避免了“非帕累托改进”和“非卡尔多改进”式改革可能产生的社会震荡。

在渐进式改革条件下,微观经营单位拥有部分新增资源的配置权以后,在利润动机的驱使下,就会将这种新增资源配置在原来受压抑的部门。微观经营单位缺乏独立自主权和激励不足,是推行赶超战略国家共有的弊端,而受压抑部门虽因各国发展水平和资源禀赋存在差异而有所不同,但这类在传统经济体制下受压抑的产业或部门仍然具有共同的特征。

首先,具有较高的相对价格水平。正如已经指出的,这些部门通常都是在传统发展战略下受压抑的部门,因此这些部门的产品在经济中的稀缺性较高。这种长期的稀缺状况会逐渐反映到计划价格的调整中,使其相对价格处于较高的水平。以中国为例,在重工业优先增长的战略下,农业和轻工业都是受压抑的部门。以 1952 年为基期,1979 年重工业产值指数高达 29.9 倍,而农业和轻工业的产值指数分别为 17.3 倍和 10.6 倍,仅为重工业指数的 57.9%和 35.5%,这种不平衡的发展反映在价格变动中,农业和轻工业价格的提高速度快于重工业。以 1950 年为基期,1979 年农副产品收购价格总指数为 265.5,国有商业零售牌价中,消费品(包括农产品和轻工业品)的价格指数为 135.1,日用品类(轻工业品)的价格指数为 127.1,而农业生产资料(代重工业品)的价格指数仅为 100.5。这种相对有利的价格,使这些受压抑的部门有强烈的发展动力,也诱使新的生产者进入。

其次,具有较大的需求缺口。在计划体制下,价格并不能把受抑制部门的稀缺性全部结清,而是留下一个供不应求的缺口,这个不足的供给量或价格没有结清的需求量便由配给的方式来解决。事实上,80 年代以前中国从食品到日用品存在着普遍的短缺,凭票凭证才可以购买,或者干脆只有少数人凭"特殊身份"才能够获得。这些部门的产品不能满足需求,也构成了其发展和进入的动机与动力。

第三,进入成本低,在传统发展战略下受压抑的部门本来是具有比较优势的部门,即其资本密集程度低,使用较多的劳动力。根据有关资料,我们计算了典型低收入经济中几个部门增加值中的固定资本含量,农业、轻工业和重工业分别为 53.4%、67.2%和 80.0%。[18]在中国的要素禀赋结构下,这些改革推进部门具有劳动密集、资本形成门槛较低的特点。乡镇企业也正是以其劳动力丰富、廉价的比较优势进入工业结构之中,从而成为推进改革的部门。

通过放权让利的选择改进激励机制和效率，以及新增资源在受压抑部门的配置，带来了迅速的增长和巨大的收益。单就这个过程来谈，几乎没有改革的受损者。然而无论是国有企业获得经营自主权或新增资源的配置权还是非国有经济的进入，都会对资源的计划配置制度和传统的宏观政策环境提出改革的要求，从而使改革进入了“非帕累托改进”的敏感阶段。但是，新增资源在受压抑部门的配置已经大大促进了增长，给社会带来了巨大的收益。这种收益表现在产品的丰富、居民收入水平的提高和各级政府可掌握财政收入的增加。在这种条件下，一方面企业和个人提高了对价格改革可能造成的利益损失的承受能力，另一方面各级政府有能力对那些在价格改革中受损的企业和个人给予补贴。虽然政府对国有企业的补贴带有保护的性质，是传统战略思想的产物，但从其能够以较小的社会摩擦成本达到矫正价格信号的效果来看，也具有积极意义。而在消费品价格改革中对居民进行的补贴，则具有矫正消费品价格扭曲和工资扭曲的效应，在中国被称为“暗补变明补”。

（2）渐进式改革具有内在逻辑上的有序性和不可逆性。中国和所有其他曾推行赶超战略的国家，其传统经济体制的形成有着相似的内在逻辑。即这种经济体制是内生形成的，具有内在的高度统一性，体制的各个组成部分具有不可分性和制度上的适应关系。从中国经济改革的实际过程来看，改革首先着眼于微观激励机制的改进，并使微观经营单位获得对新增资源的配置权，同时，鼓励非国有经济企业的进入。

由于这种新增的资源通常配置到传统经济体制下受压抑的部门，所以带来的增长和收益是巨大的。国有企业对新增资源的使用和以乡镇企业为代表的非国有经济的介入，又推动了资源配置制度的改革，形成资源配置和价格的双轨制。产品和要素影子价格的出现，以及在边际上对经济的调节作用，为宏观政策环境改革提出了要求，创造了条件。所以，虽然中国的改革最初并没有一个明确的目标模式或改革蓝图，但由于经济体制内在的三位一体性质，使这个从微观经营机制开端的改革事实上呈现出鲜明的逻辑性或有序性。

不仅如此，这个有序的改革推进过程还具有不可逆的性质。正如我们已经看到的，在宏观政策环境尚未改革时，微观经营机制和资源配置制度上的放权让利的改革先行，带来了制度上的不协调，破坏了传统经济体制的内部统一性，因而产生了一系列问题。这时，政府为了维持经济体制的协调性，可以有两种选择，一种是把在微观经营机制和资源配置制度上的权力再收回来，使它们与宏观政策环境相适应，另一种是把改革推进到宏观政策环境的层次，使经济体制在市场经济的基点上取得新的适应性。

正如实际中所发生的，面对中国改革过程中所出现的诸多问题，政府曾多次尝试采用第一种办法，即重新收权，导致改革进程中的周期性。但由于两个原因使这种倒退的办法既不能解决问题，又不能坚持下去。

第一，微观经营机制上的改革使国有企业、农民和非国有经济不同程度地获得经营自主权和经济利益，从而使这些微观经营单位成为这种改革的既得利益者。收权的办法无疑侵害了它们的利益，必然引起积极或消极的抵制，出现所谓的“上有政策、下有对策”的现象。

第二，微观经营机制改革所导致的新增资源的配置具有很大的收益，从这个意义上说国家也是这个改革的受益者。当国有企业经营自主权再次被剥夺、乡镇企业发展受到压抑时，经济增长就大大减缓，财政收入便捉襟见肘。因此，国家只好再次放权。与此同时，为了取得体制上的协调，通常要在宏观政策环境的改革方面迈进一步。中国的改革正是在这样的方式下推进的。虽然反复出现短暂的停滞，但前进的总方向是不可逆转的。

(3) 渐进式改革能使“分两步跨越同一条鸿沟”成为现实。对于所有进行改革的国家，价格扭曲都是传统经济体制的一个主要弊端。因此，无论改革采取何种方式，改革时间表怎样制定，价格改革或宏观政策环境的改革迟早要提到议事日程上。在东欧和前苏联国家所采取的“休克疗法”中，价格通常采取一下子放开的方式，其理论依据是一个人不可能“分两步跨越同一条鸿沟”，即价格信号要么是扭曲的，要么是正确反映资源供求和相对稀缺性的，多重价格必然导致多重规则从而多重性的行为方式。因此，一步跨越鸿沟是不可避免的。

但是，问题在于，压低要素和产品价格的宏观政策环境的长期实行，已经形成了相应的既得利益格局，采取一下子完全放开价格的改革方式具有很大的风险。换句话说，如果从扭曲价格到市场价格之间的鸿沟过宽，以致一步不能够跨越，便有落沟的危险。现实中，这种风险来自两个方面。

第一,既得利益集团的抵制。在中国,大中型国有企业是低要素价格和低能源、原材料价格政策的受益者,因而是潜在的价格改革的反对者。由于大中型国有企业的领导人与政府官员有着密切的联系,以及雇用着巨大数量的工人,又使其具有很强的抵制能力。城镇居民是低消费品价格政策的受益者,同样与政府官员有着密切关联,组织成本较低,容易形成抵制集团。所以,价格改革如果使这两个利益集团损失过大而不能得到补偿,就难以成功。

第二,经济增长的停滞乃至衰退。价格信号的矫正无疑会最终引导企业提高竞争力,形成符合比较优势的产业结构。但传统经济体制下产业结构的扭曲与价格的扭曲是成正比的。价格放开后,结构调整必然涉及存量部分,以致不可避免地产生经济增长先下降后上升的“J”字形轨迹,甚至可能是长期衰退的“L”形。

中国的价格改革采取了“在计划内调整,让计划外生长”的双轨制过渡方式。微观经营环节的改革使企业获得了利用新增资源发展的机会,相应地,企业提出了自己根据市场信号在计划外配置资源的要求,以至形成了双轨并存的资源配置制度和价格体系。由于是“高价进高价出、低价进低价出”,所以企业并不反对计划外资源配置制度和市场价格的出现。而市场价格的合法化,为计划内价格的调整提供了参照系和要求,因而可以在企业能够接受的幅度内和能够接受的方式(如给予补贴)下进行价格调整。由于经济快速增长主要是由计划外的非国有经济作出的,所以市场价格调节生产的范围和总量不断扩大,因而即便计划价格调节的范围和总量不变甚至有所扩大,计划调节会随着其相对份额不断缩小对经济运行的影响力越来越小。此外,通过逐步调整,计划内价格与市场价格的差别也大大缩小,以至由此带来的利益差别也不再那么重要。这时,鸿沟已经近于填平,可以毫无风险地分两步跨越过去。在这种方式下,虽然中国改革过程中宏观政策环境改革相对滞后,但却是风险小从而成本低的改革。

中国外汇改革就是一个最好的例证。最初是为了调动微观经营单位创汇积极性,扩大企业使用外汇的自主权而实行外汇留成制度,进而形成外汇配置制度和汇率的双轨制。1988 年则正式开放了外汇调剂市场,使汇率和外汇配置的市场范围不断扩大,以至到 1994 年实行汇率并轨,即按照市场水平调整并形成单一汇率之前,80%的外汇已经是通过调剂市场根据市场汇率进行配置了,同时,官方汇率也经历了多次调整,使之与市场汇率的差别大大缩小。因此,汇率并轨这一重大举措实现了平稳的过渡。

(4) 渐进式改革有利于保持改革过程中速度和稳定两种要求之间的平衡。改革要想得到大多数社会集团的支持,领导改革的政党或政府要想取得大多数人民的信任,必须采取一种能够在改革和发展进程中把握住速度和稳定的平衡的改革方式,并以此机制来保持经济改革的非激进性质。

这里,让我们借用一个"投票模型"[19]加以说明(图 9.3)。假定社会对于改革的态度可以划分为强调稳定(中位线左方)和强调速度(中位线右方)两类,在领导层相应形成两种有分歧的改革主张(W 和 S)。对改革持比较极端态度的社会成员,具有比较明确的支持对象,处于 W 左方的和处于 S 右方的分别支持 W 和 S 主张。在两种政策主张都不作修正的情况下,其余社会成员倾向于以中位线为界,分别支持 W 和 S。从图 9.3 中可以看出,如果 W 和 S 中任一方朝着对方的方向修正意见,就可以通过中位线向对方移动使自己获得更多的支持。在双方都作这样选择的情况下,就减轻了两种改革主张的极端程度。一方面,稳定主张者也关心速度,另一方面,速度主张者也要讲稳定。

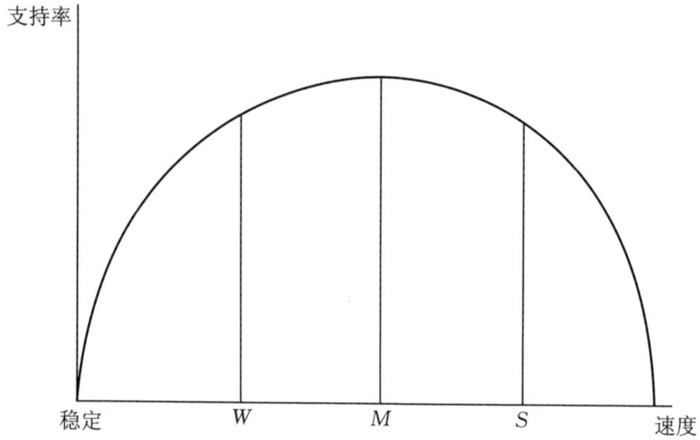

图 9.3 改革主张的投票模型

从该模型所描述的机制看,在两种改革主张具有均等的影响力的条件下,它们的同时存在和相互制衡是十分必要和有益的。然而,这种机制能够发挥作用的条件是改革具有渐进的性质，因为一旦改革采取了“休克疗法”，社会集团和全体居民也就不再有机会选择，改革的进程和激进程度就不再是可以操作的。

中国的改革是在中国共产党领导下进行的。因而在领导阶层并不存在一个足以与坚持改革的主流意见相抗衡的共识集团。但是，在改革的力度和时机的选择和措施的偏向上仍然存在着分歧。比较能够形成互相制衡、互相补充的两种意见可以分别表述为以稳定为主的改革主张和以速度为主的改革主张。前者更加重视制度的稳定性，主张改革和增长都要慢一些、稳妥一些；后者具有更强烈的紧迫感，主张改革更激进一些，并以更快的增长速度建立起人民群众对改革的信心。

由于中国的改革采取了渐进的方式，社会上和执政党内因而有机会进行不断的选择，并不断纠正过激的改革措施，同时每当改革在政治上遇到阻碍进而停滞不前时，上述机制还起着推动改革前进的作用。事实上，中国20年的经济改革经历过一些起伏，有时调整与改革产生一些矛盾，正是这种纠偏机制在起作用，使中国的改革能够稳健地持续下去。维持这种速度与稳健的统一，就足以使人们树立起改革必然成功的信心。

注　释

① Lipton and Sachs, *Creating a Market Economy in Eastern Europe*: *The Case of Poland*, Brookings Papers on Economic Activities, Vol.1, 1990.

② 也有一部分西方学者推荐另一种可供选择的策略。其特点恰好与上述相对立，可以称之为“渐进的”和“进化式的”。如参见 Waiters, A., “Misapprehensions on Privatisation”, *International Economic Insights*, Vol. 2, No. 1, 1991; Kornai, *The Road to a Free Economy*, New York: Norton, 1990。

③ 据林毅夫估计，1978—1984年间种植业总产值增长中，有46.89%来源于实行家庭联产承包责任制所产生的生产率提高，32.2%是由于化肥的增加(林毅夫:《制度、技术与中国农业发展》，上海：上海三联书店、上海人民出版社1994年版，第93—96页；Justin Yifu Lin, “Rural Reforms and Agricultural Growth in China”, *The American Economic Review*, Vol.82, No.1, March 1992, pp.34—51)。

④ 彼得·哈罗德认为，农业之所以成为率先改革的部门是因为其具备了以下四个条件：(1)基础设施和技术条件，(2)管理体系，(3)社会服务体系，(4)农村经济的

多样化(Peter Harrold, “China's Reform Experience to Date”, World Bank Discussion Paper, p.180, 1992)。而我们认为，更根本的条件是农业在传统产业结构格局中是一个受压抑部门。

⑤ 世界银行1984年初在中国的调查发现：“许多次要的物资以至更多重要物资的某些交易价格已由市场作用决定。”(世界银行：《中国：长期发展的问题和方案》，北京：中国财政经济出版社1985年版，第233页)同一时期的另一项调查表明，乡镇企业主要原材料供给中有72.1%是在市场上以高价购进(中国社会科学院经济研究所：《中国乡镇企业的经济发展与经济体制》，北京：中国经济出版社1987年版，第141—145页)。

⑥ Jefferson, Rawski, and Zheng, “Growth, Efficiency, and Convergence in China's State and Collective Industry”, *Economic Development and Cultural Change*, Jan. (1992), Vol.40(2), pp.239—266.

⑦ McMillan and Naughton, “How to Reform a Planned Economy: Lessons from China”, *Oxford Review of Economic Policy*, Vol.8, No.1, 1992.

⑧ McMillan and Naughton, “How to Reform a Planned Economy: Lessons from China”, *Oxford Review of Economic Policy*, Vol.8, No.1, 1992.

⑨ 樊纲：《两种改革成本与两种改革方式》，《经济研究》，1993年第1期。

⑩ “帕累托改进”是指改革本身至少使一个人受益而没有任何人受损。“卡尔多改进”则指改革中受益总量大于受损总量，以致受益者可对可能受损者进行补偿，使之不受损害(Kaldor, “Welfare Propositions of Economics and Interpersonal Comparisons of Utility”, *The Economic Journal*, Vol. 49, pp. 549—551, September 1939)。

⑪ 在实行微观经营机制改革的过程中，真正为改革带来及时收益的是增量部分。而在那些采取激进的存量再分配的地方，就引起了一些混乱，付出了一定的代价。

⑫ McMillan and Naughton, “How to Reform a Planned Economy: Lessons from China”, *Oxford Review of Economic Policy*, Vol.8, No.1, 1992.

⑬ Chen, Jefferson, and Singh, “Lessons from China's Economic Reform”, *Journal of Comparative Economics*, 16(1992).

⑭ Shirk, Susan L., *The Political Logic of Economic Reform in China*, Berkeley, Los Angeles and Oxford: University of California Press, 1993, p. 6; Nolan, Peter, *China's Rise, Russia's Fall: Politics, Economics and Planning in the Transition from Stalinism*, New York: St.Martin's Press, 1995, pp.69—70.

⑮ 林毅夫、李周：《战略抉择是经济发展的关键——二战以后资本主义国家经济发展成败的透视》，《经济社会体制比较》，1992年第1期。

⑯ 关于印度经济体制与中国、前苏联的相似之处、过去几十年的发展绩效，以及改革的效果，可参见 Overholt, William H.，*The Rise of China: How Economic Reform Is Creating a New Superpower*，New York · London：W. W. Norton and Company，1993，pp.356—359。

⑰ Sachs and Woo，"Structural Factors in the Eeonomic Reforms of China，Eastern Europe and the Former Soviet Union"，paper presented at the Economic Policy Panel Meeting in Brusssels，Belgium，October 22—23，1993；Qian and Xu，"Why China's Economic Reform Differ：The M-Form Hierarchy and Entry/Expansion of the Non-State Sector"，*The Economics of Transition*，Vol.1，No.2(June 1993)，pp.135—170.这些作者只看到初始条件的不同而使中国增量式改革具有较低的成本，却忽略了东欧和前苏联由于价格扭曲更严重而可能使增量改革有更大的收益。因而，不应该以初始条件不同而否定中国改革的普遍意义。

⑱ 王慧炯、杨光辉：《中国经济结构变化与增长的可能性和选择方案》，北京：气象出版社 1984 年版，第 65、68 页。

⑲ David，W. L.，*Political Economy of Economic Policy：The Quest for Human Betterment*，Praeger Publishers，1988，pp.189—191.

10

总 结

在过去的20年里，中国的经济改革取得了极大的成功，并由此推动了国民经济的高速增长和人民生活水平的提高。中国是世界上最大的国家，在历史上曾经历了由人类文明的顶峰跌入谷底的过程，并长期处于贫困落后的状态，因而她的重新崛起引起了世界范围的关注。本书立足于中国的经验，并结合其他国家和地区发展与改革的经验，系统概括了压抑中国经济发展的传统经济体制的形成逻辑、内在统一性、改革的过程及其产生的矛盾，并指出改革的正确方向和中国经验对其他改革中国家的普遍意义。

中国传统经济体制形成的逻辑起点是资本密集型重工业优先发展战略的选择。在一个经济发展水平低、资本极为稀缺的经济中优先发展资本密集型的重工业，必须人为地压低资本、外汇、能源、原材料、劳动力和生活必需品的价格，以降低重工业资本形成的门槛。扭曲生产要素和产品价格的制度安排造成了整个经济的短缺现象，为了把短缺的资源配置到战略目标所青睐的重工业部门，就要有一个不同于市场机制的资源配置制度。为了保证微观经营单位的剩余的使用方向也合乎战略目标的要求，通过工业的国有化和农业的人民公社化建立起与此赶超战略相适应的微观经营机制。在扭曲价格的宏观政策环境之下，微观经营单位缺乏客观评价经营绩效的标准，为防止其经理人员和职工侵蚀利润和国有资产，国家就不能给微观经营单位以经营自主权。

可见，在传统经济体制中，只有重工业优先发展的赶超战略是政府主动选择的，是外生变量；而扭曲价格的宏观政策环境、资源计划配置制度和没有自主权的微观经营机制则是相应于重工业优先发展战略而形成的，是内生变量。这三种内生形成的制度安排构成了一个有机的整体，具有不可分割的性质。

传统经济体制是为推行重工业优先发展战略，以实现赶超发达国家的目标服务的。然而，没有自主权的微观经营机制造成劳动激励不足，排斥市场机制的资源计划配置制度减低了竞争的压力，扭曲的宏观政策环境则造成了扭曲的经济结构，因此，经济效率低下，增长难于持续，传统经济体制并没有实现赶超的使命，相反却导致了 20 世纪 80 年代以前中国经济增长缓慢，人民生活水平长期得不到提高的结果。

始于 20 世纪 70 年代末的中国经济改革，首先是从微观经营环节上的放权让利开始的。在国有经济部门，放权让利式的改革改进了激励机制，提高了生产率，并使企业获得了对部分新增资源的配置权。企业在利润动机的驱使下，将这部分新增资源配置到在传统经济体制下受压抑的部门。在农村，家庭联产承包责任制的实行也同样提高了农民的积极性，创造出了新增资源，通过乡镇企业的迅速发展，这部分新增资源也被配置到原先受压抑的部门。

传统发展战略的目标是优先发展资本密集的重工业，受到压抑的是符合中国比较优势的劳动密集型产业。因此，受压抑部门的发展具有矫正扭曲的产业结构和发挥资源比较优势的效应，由此带来了中国经济的巨大增长，并创造出 80 年代以来一直保持接近 10%的平均增长速度的世界奇迹。微观经营单位对新增资源拥有配置权后，就需要有计划外的资源配置制度与它配合，虽然最初政府只允许企业进行实物串换而不准买卖，但以物易物过程中形成的影子价格冲击了扭曲价格的宏观政策环境并提出了改革的要求，于是出现了资源配置和价格的双轨制。

扭曲价格的宏观政策环境是在资金稀缺的环境下维系资金密集型重工业优先发展战略的基本制度安排，它的逐步松动减弱了传统发展战略的影响；大中型国有企业是推行重工业优先发展战略的基本力量，然而在以乡镇企业为代表的非国有经济快速增长的态势下，它们在国民经济中的作用日益下降，这也对传统发展战略产生了越来越强烈的冲击。

至此，我们可以回答本书绪论所提出的第一个问题：**改革以前中国发展缓慢的根本原因在于推行了不符合中国比较优势的重工业优先发展战略；而改革以来中国经济得以迅速发展的关键则在于改革三位一体的传统经济体制，使中国所具有的资源比较优势能够发挥出来。**从其他发展中国家和地区的经验也同样可以看出，凡是推行赶超战略的发展中经济，如中南美洲的许多国家和印度、菲律宾等亚洲国家，都形成了缺乏效率的经济体制，经济发展绩效都不尽如人意；凡是借助于市场机制的作用使自身资源比较优势得以发挥的经济，如亚洲“四小龙”，都形成了另一种富有效率的经济体制，并实现了经济的快速发展。可见，归根结底，经济改革的核心是改变三位一体的传统经济体制，实现经济发展战略的转轨。

但是，中国经济改革还远远没有完成，在改革进程中还面临着一系列的矛盾。传统经济体制是由一套互为条件、互相适应的制度安排构成的。虽然从微观经营机制起步的改革，必然推动资源配置制度的改革，进而对宏观政策环境的改革提出要求。然而，在国家没有根本放弃资金密集型产业优先发展的赶超战略的条件下，政府仍然要保护或新建一批实行其战略意图的大中型国有企业，价格改革特别是生产要素价格的改革就必然相对滞后。

随着具有经营自主权的微观经营环节可支配的新增资源的数量越来越大，资源配置制度也越来越松动，与仍然偏低的利率、汇率和能源、原材料价格体系的矛盾就越来越大。企业的扩张要求常常会受到能源、交通等基础产业的钳制，形成瓶颈对速度的制约，从而导致经济增长的巨大波动；在低利率政策环境下，非国有经济与国有企业相比在争夺资金方面具有较强的竞争力，而国家又要保国有企业的贷款，只好用增发货币的方式弥补信贷的不足，从而导致内生型的通货膨胀；在资源配置和价格双轨制的条件下，企业的利润动机的增强诱发出强烈的寻租欲望，使经济生活中滋生腐败；赶超战略一日不能实现转轨，国有企业就要承担政策性负担，从而企业改革不能真正成功，因而金融体制的改革也受到制约。

当这些“一放就乱”的现象严重到伤害整个经济运行时，传统的计划手段往往复归，强制性地紧缩并压制非国有经济的扩张，造成改革进程中的循环往复。由此，可以回答绪论中提出的第二个问题，**中国经济改革进程中出现的“活—乱”循环，根源在于经济改革过程中一部分环节的改革先行造成了经济体制内部的制度不配套，而走出“活—乱”循环和解决其他诸多转型过程中问题的关键在于尽快把改革深入到宏观政策环境的层次，使三位一体的经济体制在比较优势战略下形成新的内部一致性。**

虽然中国经济改革不断经历着起伏跌宕，“活—乱”循环反复出现，但改革的线索十分清晰，改革的最终目标也愈益明朗。中国的改革最先从改进微观激励机制入手，通过微观经营机制上的放权让利，促进了新增资源的创造和这部分资源在受压抑部门的配置，引起经济的迅速增长和产业结构的调整。在放权让利式的改革中，不仅微观经营单位是既得利益者，整个社会皆由此获益。

因此，当先行的微观经营机制和资源配置制度改革与宏观政策环境发生矛盾，产生制度安排上的不适应性时，虽然政府常常倾向于选择行政性收权的传统方式，以解决前者与传统战略下的宏观政策环境不相适应的问题，但结果是既得不到微观经营单位的支持，还造成自身财政收入的拮据，最终只能采取改革宏观政策环境，使其与有所改变的微观经营机制和资源配置制度相适应的办法。渐进式改革正是在这种机制中向纵深发展的。

可见，中国的改革就其自身逻辑而言具有不可逆性。如果政府能够自觉地认识到改革的不可逆性和实行比较优势战略的迫切性，中国的改革过程将更少曲折，速度将更快。我们对于绪论中提出的第三个问题的回答就是：**只要沿着正确的方向坚持改革，就能克服前进过程中的困难，逾越各种障碍；而不断获得成功的改革又将有力地支持持续、快速、健康的经济增长。**一旦有了这个保障，下个世纪初中国超过美国和日本，成为世界上最大的经济，进而创造中华民族由衰至盛的人间奇迹，就不是天方夜谭。

中国的改革方式也是成功的。与东欧和前苏联国家纷纷采取激进的“休克疗法”的改革方式不同，中国迄今为止走的是一条渐进的改革之路。这种渐进的改革道路不是从涉及较大利益结构调整的宏观政策环境改革起步，而是着眼于改进微观激励机制，给微观经营单位放权让利，新增资源的创造和向受压抑部门的配置给全社会都带来了好处，当先行的微观经营机制和资源配置制度改革要求进行价格改革与其配套时,社会收益的增加使政府有能力对可能受损的利益集团给予补偿,因而中国的改革具有"帕累托改进"或"卡尔多改进"的性质。

中国的改革在逻辑上是有序的。在微观经营机制上的改革使微观经营单位获得新增资源的配置权后,就不可能继续维系单一的资源计划配置制度和统制价格制度了,改革自然地要从微观经营机制深入到资源配置制度上,资源配置和价格双轨制就是它合乎逻辑的拓展;而双轨制的形成和市场轨的扩大,进一步要求宏观政策环境与之相适应,改革便进到更深的层次。在实行双轨制的过程中,一方面市场机制的调节范围不断扩大,另一方面计划价格也在不断调整,以逐步向市场价格水平靠拢,扭曲价格的宏观政策环境对经济运行的影响力越来越小,最终就能以极小的风险和代价跨越这条鸿沟。

除此之外,中国的渐进式改革道路为人民和政治领导人提供了选择改革具体实施步骤的机会,以保证整个改革过程中速度与稳定的恰当均衡,减小社会震动和过大的摩擦。由此我们便可以回答绪论中所提出的第四个问题,**中国改革成功的一个重要保障是采取了一条代价低、风险小,又能及时带来收益的渐进道路。**而东欧和前苏联国家由于选择了相反的改革方式,产生了巨大的摩擦和社会动荡,给社会和人民带来了诸多困难和灾难。既然改革中国家的传统经济体制有其共同的根源,其弊端的性质也是相同的,改革的道路也应该是相通的。所以,中国改革的经验是具有普遍意义的,而不是独特的。

参考文献

阿瑟·刘易斯:《经济增长理论》,上海:上海三联书店、上海人民出版社1994年版。

蔡昉:《农村经济发展不平衡的实证分析与战略思考》,《农村经济与社会》,1994年第3期。

蔡昉:《我国城市化的新阶段》,《未来与发展》,1990年第5期。

查尔斯·威尔伯主编:《发达与不发达问题的政治经济学》,北京:中国社会科学出版社1984年版。

陈立成等:《发展中国家的经济发展战略与国际经济新秩序》,北京:经济科学出版社1987年版。

陈文鸿等:《东亚经济何处去——'97东亚金融风暴的回顾与展望》,北京:经济管理出版社1998年版,第62—63页。

杜海燕等:《国有企业自主权、市场结构和激励制度》,《经济研究》,1990年第1期。

多马:《经济增长理论》,第九部分:"苏联的增长模型",北京:商务印书馆1983年版。

发展研究所综合课题组:《改革面临制度创新》,上海:上海三联书店1988年版。

樊纲:《两种改革成本与两种改革方式》,《经济研究》,1993年第1期。

冯兰瑞、赵履宽:《中国城镇的就业和工资》,北京:人民出版社1982年版。

傅政罗等:《亚洲"四小"与外向型经济》,北京:中国对外贸易出版社1990年版。

格里芬:《可供选择的发展战略》,北京:经济科学出版社1992年版。

国家经济体制改革委员会编:《中国经济体制改革年鉴(1992)》,北京:改革出版社1992年版。

国家统计局编:《成就辉煌的20年》,北京:中国统计出版社1998年版。

国家统计局编:《'98中国发展报告》,北京:中国统计出版社1998年版。

国家统计局编:《中国工业经济统计资料》,北京:中国统计出版社1987年版。

国家统计局编:《中国固定资产投资统计资料(1950—1985)》,北京:中国统计出版社 1986 年版。
国家统计局编:《中国统计年鉴》,北京:中国统计出版社,历年。
国家统计局固定资产投资统计司编:《中国固定资产投资统计资料(1950—1985)》,北京:中国统计出版社 1987 年版。
国家统计局国民经济平衡统计司编:《国民收入统计资料汇编(1949—1985)》,北京:中国统计出版社 1987 年版。
过大江:《台湾的金融业及金融自由化、国际化》,载易纲、许峰主编:《台湾经验与大陆经济改革》,北京:中国经济出版社 1994 年版。
胡和立:《廉政三策》、《1988 年我国部分租金的估算》,载《腐败:货币与权力的交换》,北京:中国展望出版社 1989 年版。
胡胜益:《经济发展与社会福利》,中央文物供应社 1980 年版。
胡祖六:《走向富强——国际上怎样评估中国的经济地位》,《经济研究资料》,1993 年第 21 期。
蒋硕杰:《台湾经济发展的启示》,台湾《中国时报》,1983 年 6 月 13 日。
蒋硕杰:《亚洲四条龙的经济起飞》,台湾《中国时报》,1984 年 3 月 29 日。
金耀基:《东亚经济发展的一个文化诠释》,《信报财经月刊》,1987 年 11 月。
科尔内:《短缺经济学(上)》,北京:经济科学出版社 1986 年版。
拉尔:《发展经济学的贫困》,昆明:云南人民出版社 1992 年版。
李德彬:《中华人民共和国经济史简编(1949—1985 年)》,长沙:湖南人民出版社 1987 年版。
李京文主编:《走向 21 世纪的中国经济》,北京:经济管理出版社 1995 年版。
李斯特:《政治经济学的国民体系》,北京:商务印书馆 1961 年版。
李溦:《农业剩余与工业化资本积累》,昆明:云南人民出版社 1993 年版。
联合国工业发展组织:《世界各国工业化概况和趋向》,北京:中国对外翻译出版公司 1980 年版。
廖季立:《关于中国经济体制改革的问题》,载《1981 年中国经济年鉴(简编)》,北京:经济管理出版社 1982 年版。
林毅夫:《制度、技术与中国农业发展》,上海:上海三联书店、上海人民出版社 1994 年版。
林毅夫、蔡昉:《论我国通货膨胀及其治理》,《发展研究通讯》,1989 年第 2 期。
林毅夫、蔡昉、李周:《充分信息与国有企业改革》,上海:上海三联书店、上海人民出版社 1997 年版。
林毅夫、蔡昉、李周:《中国国有企业改革》,香港:中文大学出版社 1999 年版。
林毅夫、蔡昉、李周、沈明高:《当前经济改革与发展中的主要问题及其对策》,《经济工作者学习资料》,1993 年第 23 期。

林毅夫、李周:《战略抉择是经济发展的关键——二战以后资本主义国家经济发展成败的透视》,《经济社会体制比较》,1992年第1期。
刘国光主编:《中国经济体制改革的模式研究》,北京:中国社会科学出版社1988年版。
刘易斯:《二元经济论》,北京:北京经济学院出版社1989年版。
卢文:《乡镇企业产权制度改革的发展》,《中国农村经济》,1997年第11期。
卢中原:《积极推进国有小企业改革》,《中国工业经济》,1996年第4期。
马洪、孙尚清主编:《现代中国经济大事典》,北京:中国财政经济出版社1993年版。
马洪、孙尚清主编:《中国经济结构问题研究》,北京:人民出版社1981年版。
马洪主编:《现代中国经济事典》,北京:中国社会科学出版社1982年版。
迈耶等:《发展经济学的先驱》,北京:经济科学出版社1988年版。
麦金农:《经济发展中的货币与资本》,上海:上海三联书店、上海人民出版社1994年版。
麦金农:《经济自由化的顺序》,北京:中国金融出版社1993年版。
普列奥布拉任斯基:《新经济学》,北京:生活·读书·新知三 联书店1984年版。
钱纳里等:《发展的形式(1950—1970)》,北京:经济科学出版社1988年版。
盛斌、冯仑主编:《中国国情报告》,沈阳:辽宁人民出版社1991年版。
石中:《不应把比较优势的逻辑推向极端》,《战略与管理》,1995年第3期。
世界银行:《东亚的奇迹》,北京:中国财政经济出版社1995年版。
世界银行:《90年代的改革和计划的作用》,华盛顿,1992年。
世界银行:《如何管理技术发展,可供中国考虑的一些问题》,北京:气象出版社,1984年版。
世界银行:《世界发展报告(1988)》,北京:中国财政经济出版社1988年版。
世界银行:《世界发展报告(1993)》,北京:中国财政经济出版社1993年版。
世界银行:《世界发展报告(1995)》,北京:中国财政经济出版社1995年版。
世界银行:《世界发展报告(1997)》,北京:中国财政经济出版社1997年版。
世界银行:《世界发展报告(1991)》,北京:中国财政经济出版社1991年版。
世界银行:《世界发展报告(1983)》,北京:中国财政经济出版社1983年版。世界银行:《世界发展报告(1986)》,北京:中国财政经济出版社1986年版。
世界银行:《中国:长期发展的问题和方案》,北京:中国财政经济出版社1985年版。
世界银行:《中国:社会主义经济的发展》,华盛顿,1983年。
世界银行1984年经济考察团:《中国:长期发展的问题和方案》,北京:中国财政经济出版社1987年版。
苏星:《我国农业的社会主义改造》,北京:人民出版社1980年版。
孙培均主编:《中印经济发展比较研究》,北京:北京大学出版社1991年版。

孙潭镇、朱钢:《我国乡镇制度外财政分析》,《经济研究》,1993年第9期。
汤姆·肯普:《现代工业化模式——苏日及发展中国家》,北京:中国展望出版社1985年版。
汤晓莉,陆磊:《利率市场化晨光熹微》,《经济学消息报》,1998年10月16日。
托达罗:《第三世界的经济发展(上)》,北京:中国人民大学出版社1988年版。
王慧炯、杨光辉主编:《中国经济结构变化与增长的可能性和选择方案》,北京:气象出版社1984年版。
谢百三:《当代中国的若干经济政策及其理论(1991年增订本)》,北京:中国人民大学出版社1992年版。
谢平:《中国金融资产结构分析》,《经济研究》,1992年第11期。
徐滇庆:《世界格局与中国经济发展策略——世纪之交的理论思考》,北京:经济科学出版社1998年版。
薛暮桥:《中国社会主义经济问题研究》,北京:人民出版社1979年版。
亚洲开发银行:《1990年亚洲发展展望》。
杨坚白:《速度·结构·效率》,《经济研究》,1991年第9期。
伊特韦尔、米尔盖特、纽曼编:《新帕尔格雷夫经济学大辞典》,北京:经济科学出版社1992年版。
赵德馨主编:《中华人民共和国经济史》,郑州:河南人民出版社1989年版。
郑京平:《中国人均GDP到底为多少美元》,《经济学消息报》,1996年9月13日。
郑先炳:《利率导论》,北京:中国金融出版社1991年版。
郑友敬、方汉中:《经济增长趋势研究》,《经济研究》,1992年第2期。
中国社会科学院经济研究所:《中国乡镇企业的经济发展与经济体制》,北京:中国经济出版社1987年版。
周其仁:《中国农村改革:国家和所有权关系的变化——一个经济制度变迁史的回顾》,载《中国经济学——1994》,上海人民出版社1995年版。
Adams, F.G. and Davis, I., "The Role of Policy in Economic Development: Comparisons of the East and Southeast Asian and Latin American Experience", *Asian-Pacific Economic Literature*, Vol.8, No.1(May 1994).
Amsden, Alice H., *Asia's Next Giant: South Korea and Late Industrialization*, Oxford: Oxford University Press, 1989.
Aoton, Basil, Kenneth Hilt, Alan Piazza and Robin Zeitz, "Famine in China, 1958—1961", *Population and Development Review*, Vol. 10 (December 1984), pp.613—645.
Chen, Jefferson, and Singh, "Lessons from China's Economic Reform", *Journal of Comparative Economics*, 16(1992).

Chenery, Hollis B., "Comparative Advantage and Development Policy", *The American Economic Review*, Vol.51(March 1961).

Cho, S., "Government and Market in Economic Development", *Asian Development Review*, Vol.112, No.2(1994).

Cipolla, Carlo M., *Before the Industrial Revolution: European Society and Economy, 1000—1700*, 2nd Ed., New York: Norton, 1980.

David, W.L., *Political Economy of Economic Policy: The Quest for Human Betterment*, Praeger Publishers, 1988.

Domar, Evsey, "Capital Expansion, Rate of Growth, and Employment", *Econometrica*, 1946, pp.137—147.

Fei, J.and G.Ranis, *Development of the Labour Surplus Economy: Theory and Policy*, Homewood Ⅲ: Richard D. Irwin Inc., 1964.

Freeman, C., *Technology Policy and Economic Performance: Lessons from Japan*, University of Sussex, 1987.

Garnaut, Ross and Guonan Ma, "Grain in China", Canberra: East Asia Analytical Unit, Department of Foreign Affairs and Trade, 1992.

Haggard, S., "The Politics of Industrialization in the Republic of Korea and Taiwan", in Hughes, H.(ed.), *Achieving Industrialization in Asia*, Cambridge: Cambridge University Press, 1988.

Harrold, Peter, "China's Reform Experience to Date", Washington, D.C.: World Bank Discussion Paper, 1992.

Harrold, Roy F., "An Essay in Dynamic Theory", *Economic Journal*, 1939, pp.14—33.

Hayami, Y., "A Commentary on The 'East Asian Miracle': Are There Lessons to Be Learned?" *Journal of the Japanese and International Economies*, Vol.10, Issue 3, 1996, pp.318—325.

Hecksher, E., *Mercantilism*, 2 Vols., Rev., 2nd ed., London: George Allen & Unwin, 1955.

Hoffmann, Walter, *Growth of Industrial Economics*, Manchester: Manchester University Press, 1958.

Ito, Takatoshi, "Japanese Economic Development: Are It's Features Idiosyncratic or Universal?" paper presented at the XIth Congress of International Economic Association at Tunis, December 17—22, 1995.

Ito, Takatoshi, *The Japanese Economy*, Cambridge, MA, London: The MIT Press, 1982.

James, William E., Seiji Naya and Gerald M. Meier, *Asian Development: Economic Success and Policy Lessons*, San Francisco: ICS Press, 1987.

Jefferson, G., T. Rawski, and Y. Zheng, "Growth, Efficiency, and Convergence in China's State and Collective Industry", *Economic Development and Cultural Change*, Vol.40, No.2(January 1992), pp.239—266.

Johnson, C., *MITI and the Japanese Miracle: The Growth of Industrial Policy, 1925—1975*, Stanford: Stanford University Press, 1982.

Jones, H.G., *An Introduction to Modern Theories of Economic Growth*, New York: McGraw-Hill, 1976.

Kaldor, N., "Welfare Propositions of Economics and Interpersonal Comparisons of Utility", *The Economic Journal*, Vol.49(September 1939), pp.549—551.

Kornai, J., *The Road to a Free Economy*, New York, Norton, 1990.

Kruger, A. O., *Economic Policy Reform in Developing Countries*, Oxford: Basil Blackwell, 1992.

Krugman, Paul, "The Myth of Asia's Miracle", *Foreign Affairs*, Vol. 73, No. 6, November/December, 1994.

Krugman, Paul, "What Happened to Asia?" Http://web.mit.edu/krugman/www/DISINTER.html, January 1998.

Kuznetz, Simon, *Economic Growth of Nations Total Output and Production Structure*, MA: Harvard University Press, 1971.

Lal, Deepak, *The Poverty of "Development Economics"*, MA: Harvard University Press, 1985.

Lal, D., "Political Economy and Public Policy", Occasional Paper No.9, San Francisco: International Center for Economic Growth, 1990.

Lardy, Nicholas, *China in the World Economy*, Washington, D. C.: Institute for International Economics, 1994.

Lawrence, Robert Z. and David E. Weinstein, "Trade and Growth: Import-led or Export-led? Evidence from Japan and Korea"(Mimeo), 1999.

Lecaillon, Jacques et al., *Income Distribution and Economic Development*, 1984, International Labour Office.

Lees, Francis A., *China Superpower: Requisites for High Growth*, New York: St. Martin's Press, 1997.

Lewis, W. A., "Economic Development with Unlimited Supplies of Labour", Manchester School of Economics and Social Studies, 22, 1954.

Liew, Leong, *The Chinese Economy in Transition: From Plan to Market*, Cheltenham, UK: Brookfield, US: Edward Elgar, 1997.

Lin, Justin Yifu, "The Household Responsibility System in China's Agricultural Reform: The Theoretical and Empirical Study", *Economic Development and Cultural Change*, Vol.36, No.3(April 1988), pp.199—224.

Lin, Justin Yifu, "Collectivization and China's Agricultural Crisis in 1959—1961", *The Journal of Political Economy*, Vol.98, No.6(December 1990), pp.1228—1252.

Lin, Justin Yifu, "Supervision, Peer Pressure, and Incentive in a Labor-Managed Firm", *China Economic Review*, Vol.2, Oct.1991, pp.213—229.

Lin, Justin Yifu, "Rural Reforms and Agricultural Growth in China", *The American Economic Review*, Vol.82, No.1(1992), pp.34—51.

Lin, Justin Yifu, Fang Cai, and Zhou Li, "Competition, Policy Burdens and State-Owned Enterprise Reform", *The American Economic Review*, Vol. 88, No. 2 (May 1998), pp.422—427.

Lin, Justin Yifu and Guofu Tan, "Policy Burdens, Accountability, and the Soft-Budget Constraint", *The American Economic Review*, Vol. 89, No. 2 (May 1999).

Lipton, D. and J. Sachs, *Creating a Market Economy in Eastern Europe: The Case of Poland*, Brookings Papers on Economic Activities, Vol.1, 1990.

Maddison, Angus, *Monitoring the World Economy, 1820—1992*, Paris: OECD, 1995.

Maddison, Angus, *Chinese Economic Performance in the Long Run*, Paris: OECD, 1998.

McMillan, J.and B.Naughton, "How to Reform a Planned Economy: Lessons from China", *Oxford Review of Economic Policy*, Vol.8, No.1(1992).

Myer, G.M., *Leading Issues in Economic Development*, New York: Oxford University Press, 1988.

Nolan, Peter, *China's Rise, Russia's Fall: Politics, Economics and Planning in the Transition from Stalinism*, New York: St.Martin's Press, 1995.

Ohlin, B., *Interregional and International Trade*, Cambridge, MA: Harvard University Press, 1968.

Overholt, William H., *The Rise of China: How Economic Reform Is Creating a New Superpower*, New York · London: W.W.Norton and Company, 1993.

Palgrave, R.H. ed., *Dictionary of Political Economy*, Vol. 2, Macmilan, 1896.

Perkins, D.H., "China's Gradual Approach to Market Reform", paper presented at a

Conference on "Comparative Experiences of Economics Reform and Post-Socialist Transformation", EL Escorial, Spain, 1992.

Qian Y. and C. Xu, "Why China's Economic Reform Differ: The M-Form Hierarchy and Entry/Expansion of the Non-State Sector", *The Economics of Transition*, Vol.1, No.2(June 1993), pp.135—170.

Rodrik, D., "The New Global Economy and Developing Countries: Making Openness Work", Washington D.C.: Overseas Development Council, 1999.

Sachs, J. and W. Woo, "Structural Factors in the Economic Reforms of China, Eastern Europe and the Former Soviet Union", paper presented at the Economic Policy Panel Meeting in Brusssels, Belgium, October 22—23, 1993.

Sah, Raaj K. and Joseph E. Stiglitz, "Price Scissors and the Structure of the Economy", *The Quarterly Journal of Economics*, Vol.1, 102(1987), pp.109—134.

Sah, Raaj K. and Joseph E. Stiglitz, *Peasants versus City-Dwellers*, Oxford: Clarendon Press, 1992.

Shinohara, M., *Industrial Growth, Trade, and Dynamic Patterns in the Japanese Economy*, Tokyo: University of Tokyo Press, 1982.

Shirk, Susan L., *The Political Logic of Economic Reform in China*, Berkeley, Los Angeles and Oxford: University of California Press, 1993.

Solow, Robert M., *Growth Theory: An Exposition*, Oxford: Oxford University Press, 1988.

"When China Wakes, A Survey of China", *The Economist*, November 28th, 1992.

The World Bank, *The Chinese Economy: Fighting Inflation, Deepening Reforms*, Vol.I, Report No.15288-CNA, Washington, D.C.: World Bank, 1996.

The World Bank, *World Table* 1992, Baltimore: The Johns Hopkins University Press, 1992.

The World Bank, *The East Asian Miracle: Economic Growth and Public Policy*, New York: Oxford University Press, 1993.

The World Bank, *World Development Report* 1989, New York: Oxford University Press, 1989.

The World Bank, *World Development Report* 1993, New York: Oxford University Press, 1993.

The World Bank, *World Development Report* 1994, New York: Oxford University Press, 1994.

Tsiang, S.C., "Taiwan's Economic Miracle: Lessons in Economic Development", in Harberger(ed.), *World Economic Growth: Case Studies of Developed and De-*

veloping Nations, Institute for Contemporary Studies, 1984.

Wade, Robert, *Governing the Market: Economic Theory and the Role of Government in East Asian Industrialization*, Princeton: Princeton University Press, 1990.

Waiters, A., "Misapprehensions on Privatisation", *International Economic Insights*, Vol.2, No.1(1991).

Warr, P., "Comparative and Competitive Advantage", *Asian-Pacific Economic Literature*, Vol.8, No.2(November 1994).

Weber, Max, *The Protestant Ethic and the Spirit of Capitalism*, London: Harper Collins Academic, 1991.

Woo, J.E., *Race to the Swift: State and Finance in Korean Industrialization*, New York: Columbia University Press, 1991.

Wu, Harry X., "Measuring China's GDP", EAAU Briefing Paper Series No. 8, Department of Foreign Affairs and Trade, Australia, 1997.

Yu, Guangyuan(ed.), *China's Socialist Modernisation*, Beijing: Foreign Languages Press, 1984.

图书在版编目（CIP）数据

中国的奇迹：发展战略与经济改革/林毅夫等著.
—增订本.—上海：格致出版社：上海人民出版社，
2016.8
（世纪中国论坛典藏文库）
ISBN 978－7－5432－2649－4

Ⅰ.①中… Ⅱ.①林… Ⅲ.①中国经济－经济发展战略－研究②中国经济－经济体制改革－研究 Ⅳ.①F12

中国版本图书馆CIP数据核字（2016）第172081号

责任编辑 忻雁翔
装帧设计 陈 楠

·世纪中国论坛典藏文库·
中国的奇迹
——发展战略与经济改革（增订版）
林毅夫 蔡昉 李周 著

世纪出版股份有限公司 格致出版社
世 纪 出 版 集 团 上海人民出版社 出版
（200001 上海福建中路193号 www.ewen.co）
上海世纪出版股份有限公司发行中心发行
上海中华印刷有限公司印刷
开本720×1000 1/16 印张17.25 插页4 字数250,000
2016年8月第1版 2016年8月第1次印刷
ISBN 978－7－5432－2649－4/F·948
定价 58.00元